La prudencia en la mujer

1.ª edición, 2010

Ilustración de cubierta: *La reina María de Molina presenta a su hijo Fernando IV en las Cortes de Valladolid de 1295*, óleo sobre lienzo de Antonio Gisbert Pérez (1863)

© Ediciones Cátedra (Grupo Anaya, S. A.), 2010
Juan Ignacio Luca de Tena, 15. 28027 Madrid
Depósito legal: M. 24.419-2010
I.S.B.N.: 978-84-376-2676-5
Printed in Spain
Impreso en Anzos, S. L.
Fuenlabrada (Madrid)

Índice

Introducción

El teatro histórico de Tirso
(«arquitecturas del ingenio fingidas sobre cimientos de personas verdaderas»)

Estudiar y editar *La prudencia en la mujer* obliga a conectar este título con una importante parcela de la obra tirsiana de marcado carácter histórico o de literaturización de la historia, tanto en su teatro como en su prosa. Ahí quedan las tres narraciones histórico-hagiográficas contenidas en la miscelánea de 1635 *Deleitar aprovechando,* que hacen de Tirso un precedente incuestionable en la tradición de la novela histórica en castellano *(La patrona de las Musas,* sobre Santa Tecla, la amiga de San Pablo y patrona de Tarragona; *Los triunfos de la verdad,* sobre San Clemente, el tercer pontífice después de Pedro; o *El bandolero,* sobre el mercedario catalán San Pedro Armengol), o su monumental y precisa *Historia General de la Orden de la Merced,* cuya escritura se le encargó como un modo de desviarle del cultivo de una literatura que se consideraba demasiado profana para un escritor con hábito talar, y cuando en 1632 fue nombrado Cronista General de la Orden, sucediendo a Fray Alonso Remón, además de la biografía de María de Cervellón. Y ahí está también un nutrido grupo de obras teatrales en las que Tirso aborda episodios y personajes de la historia, y lo hace en general con respeto a la veracidad, con acopio de fuentes documentales (requisito con el que Tirso comulgó fervientemente) y el rigor del historiador que también había en su persona. Cuando, por ejemplo, aborda un pasaje de la historia portuguesa en la comedia *Las quinas de Portugal,* advierte en el manuscrito:

11

[...] todo lo historial de esta comedia se ha sacado con puntualidad verdadera de muchos autores, ansí portugueses como castellanos, especialmente del *Epítome* de Manuel de Faria y Sousa, parte tercera, capítulo primero, en la vida del primero Conde de Portugal, D. Enrique, y capítulo segundo, en la del rey de Portugal don Alfonso Enríquez,

y sigue indicando las fuentes precisas de donde ha bebido. Tirso procuró que las historias que dramatizaba fueran siempre «hestoria verdadera / de privilegios y libros» como declara en el ultílogo de otra pieza histórica de relevante valor, *Antona García*. Lo que no era óbice para, en ocasiones, forzar esa historia lo justo hasta conseguir el objetivo perseguido en la génesis de la comedia (así, como se aclara más abajo, en la trilogía dedicada a los hermanos Pizarro). Pero «lo indudable es que, generalmente —escribe la muy cualificada tirsista María del Pilar Palomo— Tirso parte de un conocimiento científico, de historiador, cuando se plantea el tratamiento escénico de unos hechos históricos»[1]. En definitiva, Tirso fue maestro en la combinación de la verdad histórica y de la verdad poética, teniendo siempre presente la capacidad y la posición del espectador para distinguir lo verosímil (que admitía) de lo inverosímil (que rechazaba) a tenor de sus previos estereotipos aceptados de ese pasado histórico. Tirso, en general, se documentaba concienzudamente acerca del hecho o de los personajes que se proponía tratar en sus piezas históricas, y luego usaba de esa documentación histórica hasta donde le resultaba conveniente para su estrategia de escritor, combinando rigor histórico con inventiva personal.

Hasta ocho[2], incluido el que se edita en esta ocasión, son los títulos de otros tantos dramas históricos en la nutrida bibliografía teatral tirsiana. Tres dedicados a la biografía épica de los hermanos Pizarro en América (*Todo es dar en una cosa, Amazonas en las Indias* y *La lealtad contra la envidia*), dos a las

---

[1] Del estudio introductorio al volumen V de las *Obras Completas* de Tirso de Molina *(Tercera parte de las comedias),* Madrid, Biblioteca Castro, 2007, pág. XIII.
[2] Número que podría aumentarse hasta diez, si añadimos dos títulos de dudosa atribución: *Los amantes de Teruel* y *El rey don Pedro en Madrid*.

relaciones Castilla-Portugal (Tirso fue siempre un convencido defensor de la unidad ibérica y un rendido admirador de la belleza y fama del reino limítrofe: ahí está, entre otros testimonios, la hermosa *laudatio* de Lisboa, como auténtica «civitas dei», en *El burlador de Sevilla)* como son *Antona García* y *Las quinas de Portugal;* una sexta *(Escarmientos para el cuerdo)* referida a la expansión portuguesa por África y la India, a través de la triste suerte del caballero portugués don Manuel de Sousa; el séptimo lugar de la lista lo ocupa un drama sobre la tarea de mal gobierno del emperador de Bizancio, Constantino *(La república al revés).* La octava obra es, lógicamente, *La prudencia en la mujer,* sin duda la mejor del grupo.

La materia portuguesa

El episodio de la guerra sucesoria al trono de Castilla, entre Isabel y Juana la Beltraneja, y sus respectivos seguidores —y en concreto la toma de la plaza de Toro en 1476—, es el marco histórico que se ofrece en la comedia *Antona García,* compuesta probablemente hacia 1625 (y contenida en la *Cuarta Parte de Comedias* de Tirso, editada en 1635)[3]. Pero, aunque esa comedia, como lo indica su título, se centra en una descollante figura femenina, como la obra aquí editada, el peso de lo histórico, en ella, es muy inferior, replegándose a un permanente, pero leve, telón de fondo con ruidos de armas entre bandos que sirven para recortar los perfiles más deliberadamente marcados de una auténtica heroína popular, una mujer del pueblo especialmente valiente, sufrida y decidida como pocas («brío de española») e inquebrantablemente leal a la causa legítima de Isabel de Castilla. En aquellos sucesos

---

[3] Hay edición con estudio y rigurosa anotación, a cargo de Eva Galar, en el volumen I de los dos que recogen las obras de la *Cuarta Parte de Comedias* de Tirso, a cargo del Instituto de Estudios Tirsianos de la Universidad de Navarra, 1999, págs. 487-649 (edición dirigida por Ignacio Arellano). Anteriormente había sido editada, con estudio preliminar, por Margaret Wilson, Manchester, Manchester University Press, 1957 (reimpresión de 1965). En opinión de Serge Maurel (1971, pág. 147) Tirso siguió, como fuente, la *Crónica de los Señores Reyes Católicos,* de Hernando del Pulgar.

—apenas nombrada por los cronistas, pero sí recordada por Tirso, para facilitar trámites de privilegios para sus descendientes— ayudó a la tarea bélica la rústica pareja formada por el pastor toresano Bartolomé y la brava Antona. La primera mención de este personaje la encontramos en la *Crónica del Cardenal don Juan de Tavera*, de Pedro Salazar de Mendoza (1603), y en los *Anales breves del reinado de los Reyes Católicos*, de Galíndez Carvajal, en donde se menciona

> a la noble toresana Antona García y su marido, Juan de Monroy, a quienes los Reyes en el privilegio que concedieron a sus fijas y descendientes confiesan deberse aquella fortuna a costa de la vida de ella, malamente sacrificada de orden del Rey de Portugal, que atribuyó la fidelidad a traición[4].

Pero hay un aspecto en esta obra que debe subrayarse en relación con *La prudencia*: a cuento del caso de la mujer varonil, que tan bien representa Antona, Tirso exalta una política de alianza monarquía-pueblo, presidida por la mutua lealtad, frente a sectores nobiliarios arribistas y desestabilizadores, es decir, una filosofía política por la que Tirso abogó claramente en su tiempo. Por ello, y sobre todo en especiales momentos de la obra, junto al modelo popular femenino de Antona resalta el modelo monárquico femenino con la utilización como personaje de la misma Isabel la Católica. Y, si en opinión de A. A. Parker, Tirso muestra en esta obra su enemiga contra el estamento nobiliario de su tiempo, al menos contra las tachas ocasionales de ambición y deslealtad, no otra cosa se deriva, incluso de forma más palmaria, en la obra dedicada a María de Molina[5]. Y el modo de actuar de Isabel, en esta comedia, está cercano, en cuanto a su prudencia y templanza, al que caracteriza, reiteradamente, a doña María. Y ambas, frente al mal comportamiento de los nobles traidores, son dadi-

---

[4] Cita que tomo de Serge Maurel (1971, pág. 151).

[5] «Tirso hace que el pueblo, bajo el liderazgo de una ciudadana, Antona García, se subleve y se haga con el control de la ciudad en nombre de Isabel, a quien se la entregarán. Los aristócratas son corrompidos traidores del Estado y crueles hacia los ciudadanos» (A. A. Parker, *La filosofía del amor en la literatura española 1480-1680*, Madrid, Cátedra, 1986, pág. 164).

vosas y comprensivas con el pueblo, con los rústicos, a los que saben premiar sus esfuerzos y lealtades. Pero lo que más merece valorarse de esta obra histórica es el trazado, una vez más en el teatro tirsiano, de un personaje femenino que se adueña del espacio escénico, sin rival alguno.

La caballerosidad, y lealtad, a su modo, en el amor que siente por la rústica Ana García el personaje Conde de Penamacor, noble portugués (hay escenas que parecen el desarrollo de las serranillas del Marqués de Santillana, también personaje ocasional de la comedia), es uno de los apuntes de lusofilia tirsista presente en la obra, lusofilia que se hace más ostensible en la siguiente comedia histórica: *Las quinas de Portugal* (fechada, en el manuscrito autógrafo conservado en la Biblioteca Nacional de España, en marzo de 1638, poco antes de que el país vecino recuperara la independencia de la corona de Felipe IV y, por tanto, una de las últimas comedias de Tirso, si no la postrera). En ella, la crónica escenificada de las luchas en contra del ocupante árabe, para vencerlo y expulsarlo del terreno peninsular, se combina con la divina ayuda recibida por el conde Alfonso Enríquez, origen de la monarquía lusa (Alfonso I de Portugal reinó entre 1139 y 1185). En el momento de la batalla decisiva —la de Ourique— contra un enemigo muy superior en número de soldados, cuando todos sus colaboradores le aconsejan no iniciar la batalla y retirarse a la fortaleza de Santarem, un legendario ermitaño anuncia al conde que debe seguir las señales divinas, y esas señales se traducen en la aparición del mismo Cristo crucificado que le invita a pelear, le anuncia la esforzada victoria, tras la que será coronado rey de Portugal, y le regala el escudo de armas de esa nueva monarquía, en donde han de quedar simbolizadas las cinco llagas con las que Cristo crucificado redimió al Hombre: «en cinco escudos celestes / han de ser mis llagas cinco; / en forma de cruz se pongan, / y con ellas, en distinto / campo, los treinta dineros / con que el pueblo fementido / me compró al avaro ingrato» (III, vv. 402-408). Esas cinco llagas son las «cinco quinas» del escudo portugués.

Esta comedia, junto con la anterior, afirma la apuesta tirsiana por la tesis de la unión ibérica. Aludiendo a la divina procedencia del escudo portugués, doña María Sarmiento declara en un largo parlamento de la jornada segunda de *Anto-na García:*

> Si a las portuguesas quinas
> con que el cielo favorece
> aquel reino, pues bajaron
> de sus esferas celestes,
> los castillos y leones
> se juntan, ¿qué imperio puede
> contrastarnos? ¿qué nación
> ha de haber que no nos tiemble?

(II, vv. 115-122)

como el eremita Giraldo profetiza a quien va a ser primer mo-narca luso que bajo un mismo cetro y una misma espada ha-brá un solo imperio, que es la suma de dos mundos, el con-quistado por Castilla y el conseguido por Portugal:

> Reinará tu descendencia
> hasta parar en Filipo,
> segundo en los castellanos
> y en el portugués dominio
> primero, el sabio, el prudente,
> y tras él, el santo, el pío,
> tercero en los de este nombre,
> heredado su apellido,
> con dos mundos a sus plantas,
> el cuarto, el grande, el temido.
> Esto te promete el cielo,
> esto en su nombre te digo.

(III, vv. 263-274)

Es digna de reseñarse, además, la presencia y función en la comedia *Las quinas de Portugal,* desde el primer momento, del rústico Brito, que, de «gracioso» inicial, evoluciona hasta ma-nifestarse finalmente como aguerrido y arrojado contendien-te contra los moros (el proverbial valor portugués, tan repu-tado en la literatura del XVII) y coartífice de una esbozada se-gunda acción, cual es la de libertar a doña Leonor, la dama

16

presa del rey enemigo Ismael y enamorada del valiente Egas Muñiz. De ser inicial personaje timorato (tópico del personaje-tipo) pasa a tomarle gusto a la tarea de matar infieles, por lo que acaba cobrando un buen premio y la alcaldía de su lugar.

En esta obra Tirso reconstruye, en formato de teatro histórico para una lectura/recepción desde su actualidad, la figura de Alfonso I Enríquez y el nacimiento de la dinastía real portuguesa de una forma mucho más idealizada que lo fue en la realidad, vinculándola a la cruzada contra el mahometano y concediendo al rey portugués un gran celo religioso. El primer Conde de Lusitania Alfonso Enríquez, hijo de Enrique de Borgoña y de Teresa de Portugal (hija bastarda del castellano Alfonso VI), empezó por oponerse a su propia madre, que le había apartado del poder, y fue proclamado Rey por su propio ejército tras la batalla de Ourique (1139), ganada a los musulmanes (y mencionada en el texto), emancipándose así del vasallaje de Alfonso VII. Siendo ya el primer rey portugués, Alfonso I conquistó Lisboa, Évora y Badajoz y finalmente aplastó a los almohades en la batalla de Santarem (1147), que es la recordada y reconstruida en el texto de Tirso, lo que ocurrió realmente un año antes de su muerte. A él, como también menciona Tirso, se debe la institución de la Orden de Avis[6], y contrajo matrimonio (como se anuncia al final de la obra) con Matilde de Saboya: «Ya surca Matilde el mar, / bella infanta de Saboya, / para que pueda reinar, / como mi esposa en mi pecho, / como sol en Portugal» (III, vv. 857-861). En momentos tan difíciles de la política del Conde-Duque en tierras portuguesas, ¿quiso Tirso halagar a los hermanos peninsulares del oeste, haciendo poco menos que divino el origen de su reino?[7]

---

[6] Dice Alfonso, casi concluyendo la obra, lo que sigue: «Yo he prometido a la cruz / una Orden Militar; / las aves que el vuelo alzaron / cuando nos dieron señal / de esta victoria celeste / también a esta Orden darán / nombre que no eclipse el tiempo; / que, aunque de Alcántara es ya, / las aves del vaticinio / de Avis la ha de intitular» (III, vv. 807-816).

[7] Bien es verdad que Tirso parece también apoyar el sincretismo de españoles y portugueses, pues el personaje de su comedia se encarga de subrayar que ese singular momento de la señal divina que llevará a la victoria contra los enemigos de la cristiandad sucede el día del Apostol Santiago, «heroico patrón de España, / de nuestro Redentor primo» (III, vv. 438-439).

o, por el contrario, ¿quiso el mercedario alentar la conciencia de Portugal como monarquía independiente de la española?: al fin la obra trata de la liberación de Portugal de un extraño invasor de sus tierras; ¿o fue simplemente su amor y admiración por las tierras lusas y por su historia, unida a la española durante casi un siglo, y bajo un mismo monarca?[8].

La temática histórico-portuguesa se acaba en la peculiar comedia *Escarmientos para el cuerdo,* que gira en torno de la figura del explorador y conquistador luso don Manuel de Sousa y su fatal trayectoria vital, personaje que ya había sido cantado por Camoens (Canto V de *Os Lusíadas)* y por el poeta Jerónimo Corte Real (en su poema de 1594 *Naufragio e lastimoso sucesso da perdiçam de Manoel de Sousa de Sepulveda)* además de haberle interesado (como tantos otros personajes famosos y merecedores de ser llevados al tablado) al inagotable Lope de Vega. Tirso la incluyó en la *Parte Quinta* de sus comedias (1636). Cuatrocientos treinta y seis octosílabos —uno de los más largos romances noticieros insertados por Tirso en sus comedias— nos relatan una página de la expansión ultramarina de Portugal en la que había intervenido directamente el militar Sousa, en concreto la conquista y heroica defensa del fuerte de Diu, en la India, del cerco turco; hecho que ocurrió en 1535. Es un modo excelente de exaltar, desde el tablado, la historia portuguesa cuando era todavía parte del impar imperio español. La acción se sitúa en Goa —plaza portuguesa desde 1510— adonde acude doña María, esposa de don Manuel, con el consabido disfraz de hombre, reclamando el compromiso amoroso del héroe de Sousa. Pero los celos de esta mujer disfrazada, que intercepta un billete dirigido a su marido, complican la situación de enredo amoroso, con la conquista india de Portugal como telón de fondo. La aparición de un niño, que parece ser hijo secreto del capitán portugués habido con una de las dos hijas del gobernador de Goa, acaba de complicar la situación cuando da remate el acto primero, confirmándose la apariencia en el siguiente.

---

[8] Lope también se hizo eco del asunto del legendario origen del estandarte portugués en su comedia *La lealtad en el agravio.*

Al comienzo del acto segundo, el conflicto se plantea sin ambages. Don Manuel, por circunstancias de distancia, aunque no de olvido, ha tenido un hijo con doña Leonor. El personaje, cogido en tan culposa disyuntiva —o reconocer la deshonra de la hija del gobernador o incurrir en bigamia—, plantea la única salida honrosa que le queda, su propia muerte, como anuncio de su fatal desenlace. Está dispuesto a afrontar su responsabilidad, pero quiere salvar la vida de su mujer y de su hijo, haciendo que huyan de Goa hasta la plaza de Tanor, otro de los episodios de la expansión portuguesa por el continente asiático. El gobernador don García de Sá, para lavar su afrenta, y desconociendo que don Manuel ya vino casado de Lisboa, quiere arreglar el asunto casando en secreto al militar portugués con su hija y legitimando así el nacimiento del aparecido vástago. Don Manuel vislumbra su difícil situación —de nuevo el anuncio de su suerte— como una comprometida y arriesgada travesía por mares muy procelosos (al fin, la experiencia emblemática de la conquista ultramarina de la corona de Portugal). Durante el secreto e irregular casamiento de don Manuel y Leonor se produce un incidente (el caballero se hiere en la mano con el filo de su propia espada) que se ha de entender como premonitorio de la triste suerte que esta transgresión ha de producir en Sousa. Por ello puede preguntarse la nueva desposada: «¿qué fin tendrá / boda que en sangre comienza?», y puede predecirse a sí mismo el propio don Manuel, pensando en su verdadera y secreta esposa: «María, mis maldiciones / ya me empiezan a alcanzar». De Sousa decide una solución drástica al finalizar el acto segundo: huir hacia Portugal, llevándose con él a su hijo Dieguito y a la nueva esposa, provocando así el desencanto y la frustración tanto de doña María, al arrebatarle el hijo, como de don García, al conocer que su yerno ya estaba casado antes de seducir a su hija. Otro caballero portugués, don Juan de Mascareñas, se ofrece a ser el vengador del deshonor de don García y de la dama Leonor. Así llegamos al componente aventurero de la persecución por mar.

Buena parte del acto tercero se centra en el naufragio que sufre la nave que lleva a don Manuel, a Leonor y a sus dos hijos a Portugal, quedando arrojados, y maltrechos, tras superar el Cabo de Buena Esperanza, en las costas de Etiopía, a doscientas leguas de Zafala y del río Espíritu Santo, lugar hacia donde los soldados supervivientes se dirigen, a pie, bordeando la costa de una tierra llena de peligros. La situación es cada vez más crítica, los riesgos mayores, el hambre y la sed diezman peligrosamente el grupo. Un problema añadido surge: para ser atendido por un poblado indígena, el grueso de portugueses ha de entregar sus armas, quedándose totalmente indefensos, y siendo inmediatamente atacados por sorpresa. Como lo son también, particularmente, Leonor y Dieguito, y Manuel de Sousa no sabe en socorro de quién acudir, al tiempo que comprende que está pagando sus antiguos errores, pues «si por tantos modos, / hombres, cielos, mar y tierra, / todos nos hicieron guerra / nos tengan lástima todos».

En ese momento climático llega el desenlace de la pieza, cuando aparecen los perseguidores de los huidos (don García, don Juan y doña María) que han llegado a aquellas costas salvajes impulsados por el mismo temporal marino. Y llegan para conocer la desgraciada muerte de don Manuel, de Dieguito y de Leonor (el funesto desenlace es narrado, no representado, como exigía la poética de la época), cuyos cadáveres aparecen ensangrentados en escena como muestra de que «la ciega fortuna / tragedia eterniza el tiempo / para escarmiento de amantes», es decir, para que el cuerdo escarmiente en cabeza ajena, en el caso particular y ejemplar de don Manuel de Sousa[9]. Por ello Tirso ha añadido una trama ficcional considerable (inicialmente sugerida por el poeta Corte Real) al cañamazo histórico de las conquistas portuguesas por la India.

---

[9] Como concluye Maurel (1971, pág. 174), la trágica muerte de Manuel de Sousa y los suyos es, para los historiadores portugueses que Tirso utiliza como fuentes, «victime des éléments», en tanto que Tirso le añade un componente moral y edificante, convirtiendo al malhadado héroe portugués en «victime de ses fautes, et le malheur qui l'accable est châtiment de Dieu»; y así las desgracias de Sousa son motivos de *escarmientos para el cuerdo*.

Ya Nicolás Fernández de Moratín consideraba la trilogía de
los Pizarro, de Tirso, como un buen ejemplo de «historia representada»[10], una trilogía compuesta por las piezas *Todo es dar
en una cosa*, *Amazonas en las Indias* y *La lealtad contra la envidia*, es-
critas de forma seguida las tres a lo largo del trienio 1626-1629,
durante la estancia de Tirso en la población cacereña de Trujillo como Comendador del convento mercedario allí sito (dato
importante para su génesis) y editadas en la *Quarta Parte de Comedias de Tirso de Molina* (1635). En efecto, es casi seguro que
Tirso compuso este tríptico, a modo de memorial curricular,
por encargo de un descendiente trujillano de Francisco Pizarro,
el Marqués de la Conquista, cuando dicho noble reclamaba su
derecho al marquesado que en su momento Carlos V había
concedido a Francisco Pizarro, nacido, como sus hermanos, en
la villa trujillana, o como quiere interesadamente el mecenas,
en sus proximidades[11]. La primera de las tres se centra en la figura de Francisco, desde su legendario nacimiento hasta su decisión de embarcar a la Indias. Es la más teatral de las tres piezas, quizá porque es la que le permitió a Tirso mayor inventiva
o menor sujeción a lo marcado por las fuentes cronísticas que
siguió preferentemente. Desde su comienzo, con un trueque
de billetes amorosos entre dos hermanas[12], parece que estamos
más cerca de una comedia de enredo que de una comedia his-

---

[10] En el prólogo («Disertación») a *La petimetra* dice Moratín padre, aludiendo a la falta de unidad de tiempo y lugar de comedias como ésta, y otras si-
milares, que «más que comedias se pueden llamar historias representadas, según la duración de sus acciones», y por ello no deja de admirarse de que en
esta Trilogía Tirso «saltó desde Trujillo al Perú».

[11] En las líneas siguientes hago un apretadísimo resumen de mi estudio introductorio a la edición de la Trilogía (con anotación de Jesús Cañas) aparecida en
la colección «Rescate» de la Editora Regional de Extremadura, Mérida, 1993. En
el mismo año, Miguel Zugasti publicó una excelente edición de los tres textos, en
otros tantos volúmenes, con un cuarto volumen de estudio de la Trilogía, en la
colección «Teatro del Siglo de Oro» de la Editorial Reichenberger (Kassel, 1993).

[12] Así empieza, por ejemplo, *Ventura te dé Dios, hijo*.

tórica, trueque que conllevará un equívoco con celos, una promesa de matrimonio deshecha y la ocultación de un nacimiento, el del héroe, que empieza por ser hijo bastardo, sin progenitores conocidos: no mal comienzo para quien conquistaría y dominaría uno de los dos grandes imperios del Nuevo Mundo descubierto por Colón. Así, quien empezó careciendo hasta de unos apellidos prestó enorme lustre a sus descendientes. Y para ello Tirso se despreocupa bastante de la verdad histórica para potenciar la verdad literaria, mucho más proclive a su lucimiento y a sus fines. Y las circunstancias nada comunes de su nacimiento (medio abandonado y amamantado por una cabra) preparan el trascendente destino del héroe. Así lo reconoce el personaje recreado por Tirso, cuando refiere su propio origen en estos términos:

> Yo tengo por madre al cielo;
> una encina debo a Dios
> por amparo, que de cuna
> me sirvió. Si infame fuera
> quien me parió, no sintiera
> desgracias de la fortuna
> ni al desierto me arrojara:
> luego noble debió ser.
> Quien no tiene qué perder
> poco en hazañas repara.

> (II, vv. 1971-1980)

Una serie de indicios, señales, presagios que harán verosímil, desde el primer momento, y confirmada al final del ciclo, la orgullosa afirmación que el ya notable soldado Francisco Pizarro se atreve a formular ante el padre que lo había engendrado y no lo había reconocido, como el único y más drástico medio de legitimar su origen:

> Yo, ingrato padre a pesar
> de vuestro poco cuidado,
> tanta agua pienso pasar
> que en ella mi honor manchado
> pueda mi esfuerzo lavar.
> ....

22

> Suplirá la fortaleza
> faltas de naturaleza
> y de vos desobligado
> seré, por mí reengendrado,
> el fénix de mi nobleza.

(III, vv. 3339-3343 y 3354-3358)

Para lograr que el personaje adquiera, desde el principio, una relevancia manifiesta, Tirso se inventa un encuentro, nunca existente, entre Cortés y el conquistador del Perú, cuando ambos eran muchachos. Los dos se encuentran en un campo trujillano, y forcejean por una bola de madera de encina que el joven Francisco lleva como arma arrojadiza; ésta se acaba rompiendo y, simbólicamente, cada uno de ellos, el futuro Cortés y el futuro Pizarro, se quedan con una mitad (una mitad del mundo) en sus manos. Tirso actúa en esta comedia primera de la serie, antes que en cualquiera de las otras dos, más como dramaturgo que ha de recrear una figura teatralmente atractiva que como fidedigno cronista. Se esfuerza por entregarnos el retrato de un futuro conquistador que se adorna de voluntarismo, de temeridad, de inteligencia innata a pesar de su consabida condición de iletrado. Perfila un personaje plenamente consciente de que está obligado a superar las limitaciones de su bastardía con su esfuerzo personal. Y ha de justificar el nacimiento del héroe en La Zarza (lugar muy próximo a Trujillo, y luego rebautizado Conquista), porque al fin se trata del lugar en donde se busca la restauración del marquesado pretendido, y donde es hallado en el hueco de una encina «a quien, amorosa madre, / una cabra daba el pecho». El joven Francisco va siendo consciente, a lo largo del acto segundo, de las limitaciones de las que parte y de la ambición que le mueve, porque (y así justifica Tirso el título de esta primera entrega) «Yo he de dar desde hoy en esto, / o morir o conseguirlo: / *todo es dar en una cosa,* / donde hay valor no hay peligro» (II, vv. 2461-2464). La tercera jornada sirve para acreditar el valor y la capacidad del soldado Pizarro, que queda emplazado para cruzar el mar y ofrecer a la reina Isabel «más oro y plata, más joyas / que, cuando dueña del mundo / triunfó de sus partes Roma» (III, vv. 3668-3670).

23

Frente a lo que podría esperarse, la segunda de las comedias —*Amazonas en las Indias*— no prolonga las hazañas de Francisco Pizarro, sino que se centra en otro Pizarro, Gonzalo (hay que reivindicar toda la estirpe, y no sólo al individuo que la Fama ya tenía entre sus huéspedes), cuya biografía particular (murió condenado como delincuente) era necesario mejorar. Una batalla entre las míticas amazonas y los aguerridos españoles es el introito de esta segunda comedia. Entre ellos milita, como no podía ser de otro modo, Gonzalo Pizarro, de manera que se coloca al segundón de los Pizarro directamente en contacto con el mito (las mujeres guerreras de un solo pecho). La obra, en resumen, es tanto el retrato de quien estaba llamado a suceder a Francisco en el gobierno del Perú como una historia amorosa, en tensión, entre la amazona Menalipe y el gallardo español, entre los que se introduce la figura de su sobrina, con la que Gonzalo se casa, manteniendo incontaminada la estirpe. En esta comedia, el mercedario selecciona algunas de las más rentables y afamadas empresas españolas en tierras incas (como la expedición al país de la canela) o describe unos territorios que su tarea como mercedario le había permitido conocer, como el imponente río Marañón, de modo que también sus tiradas descriptivas alcanzan el objetivo informativo que muchas veces cuida Tirso aportar en sus textos. Pero Tirso no puede soslayar el destino trágico de su ahora protagonista —Gonzalo Pizarro— tal y como lo anuncia la amazona, sintiéndose obligado a enfrentarse con el poder real, precisamente para corregir el mal gobierno de la nueva tierra añadida a la corona, pues el virrey Blasco Núñez muere a sus manos. Tirso no puede silenciar ni ocultar la condena ni la ejecución, pero sí hacer que varios personajes la declaren como una injusta decisión para alguien que luchó lealmente por aquella nueva patria, como el leal soldado Alvarado, que cierra la obra aludiendo al «español más valiente» y que «la fama / de lo contrario ha mentido» (vv. 3286 y 3289-3290).

La lealtad contra la envidia es el título-sentencia con el que Tirso da honra al tercero de los Pizarro, Hernando, el más controvertido de los tres hermanos, quien había padecido vergonzante prisión durante veinte años en el castillo de La

Mota. La trama se complica con respecto a las dos anteriores comedias, alternando su lugar de acción entre España y América. Tirso se esfuerza desde el comienzo en darnos la imagen más distinta posible de un presidiario. Y la América mítica que nos llegaba en la anterior comedia, con la presencia de las legendarias amazonas en la exploración del río Marañón, se torna ahora en presencia más atenida a la historia de la misma tierra de promisión, a través de la utilización del pueblo inca y de su jefe Manco Inca. Y es que el marco histórico de esta tercera entrega es, en rigor, anterior al que se advierte al fondo de la segunda. Y es también la ocasión en la que el dramaturgo ha de hilar más fino con respecto a los datos que le proporcionan las crónicas, teniendo en cuenta, como ha apuntado al respecto Luis Vázquez, que «la realidad histórica es menos real para el Tirso poeta que la realidad ideal; ambas están conjugadas en sus obras dramáticas, en función de la finalidad sublimadora del personaje central»[13]. En 1990 el director escénico Alberto González Vergel (a quien se debe el último montaje de *La prudencia en la mujer,* según se comenta más adelante) realizó un elaborado y ambicioso montaje en el que refundía las tres obras bajo el epígrafe *Tríptico de los Pizarro,* que, sin embargo, tuvo suerte varia.

La emperatriz Irene, antecedente de doña María

Tirso acuñó otra abnegada, prudente y justiciera gobernante en la figura de la emperatriz bizantina Irene, protagonista de la comedia *La república al revés (Parte Quinta,* 1636). El trasfondo histórico sobre el que ahora opera el dramaturgo es, por una vez, la historia antigua, desplazando la acción al siglo VIII, y al oriente europeo. La llamada emperatriz Irene (752-803), esposa de León IV, fue regente del Imperio Bizantino a la muerte de éste, hasta que fue derrocada por su hijo Constantino VI en el año 790. Posteriormente (y es lo

---

[13] «Los Pizarro, la Merced, el convento de Trujillo y Tirso», *Revista Estudios,* 146-147 (1984), pág. 259.

que Tirso recoge en el final de su obra) gobernó junto a su hijo hasta 797 en que lo destronó, además de ordenar que le fueran arrancados los ojos. En 802 fue, a su vez, derrocada por Nicéforo Focas y desterrada a Asia Menor. Tirso manipula, hacia la imagen positiva, un personaje que no fue tan prudente ni ecuánime como la historia nos lo ha transmitido, si bien es cierto que persiguió a los iconoclastas y restableció el culto de las imágenes (a ella se debió el II Concilio de Nicea, de 787), asunto que había de interesar especialmente a un dramaturgo católico y postridentino como era Tirso. Pero el mercedario enaltece mucho más allá de la realidad histórica a su protagonista, convirtiéndola desde el primer momento en la abnegada y sufriente reina que se ve no sólo destronada por su hijo, sino también perseguida, encarcelada y amenazada de muerte (enlace, sobre todo, con la tercera jornada de *La prudencia*) y magnánima a la hora de aplicar justicia con Constantino y con otros personajes. La obra presenta algunas situaciones de marcada teatralidad, como, al comienzo, el hecho de que, nada más ser coronado, Constantino pierda espada, corona y mundo —atributos de la realeza— que ruedan a sus pies, como aviso de su caída, hecho que también le predice un sueño escenificado en la jornada tercera, en el momento en que Constantino se enfrenta a la movediza Fortuna que le muestra su posición en la parte inferior de la rueda, y en todo lo alto la efigie de su madre, triunfadora final del conflicto. Es, de todas las comedias históricas, la que más se deja llevar por la fantasía y por la aventura, y a lo largo de toda ella se insiste en una idea fundamental, la fatalidad y desgracia a la que lleva el mal y déspota gobierno, o lo que es lo mismo, la imagen emblemática de «la república al revés», concepto de diversas maneras formulado a todo lo largo del texto: «el mundo al revés», «reino al revés», «andar todo al revés», «¡todo al revés, cielo airado!». Y también, como en *La prudencia*, se hace reiterativo juego del motivo de la caza (como deporte, entretenimiento y deseo de apresar y reducir al enemigo).

Examinando las aproximaciones entre *La prudencia* y *La república*, E. H. Templin (1937) consideró la segunda como una refundición de la primera, aunque más bien podría haber sido un antecedente, si aceptamos la fecha de 1515-1516 (y refundida en 1621) para la composición de *La república*, en opinión de Kennedy[14].

«LA PRUDENCIA EN LA MUJER»: TRASFONDO HISTÓRICO

Tirso se hizo eco en esta obra —tal vez la más sobresaliente de su teatro histórico— de un tiempo de crisis en Castilla-León, porque la quiso poner como espejo, para el espectador, en el que mejor apreciar otra crisis que el mercedario avistaba en la monarquía de Felipe IV, en la que le tocó vivir y morir. A comienzos de la segunda mitad del siglo XIII debemos situar los fallidos sueños imperiales de Alfonso X. Además de unas importantes reformas internas para procurar la hegemonía de Castilla sobre otros reinos peninsulares, Alfonso hizo valer unos presuntos derechos sucesorios, por vía materna, sobre tierras centroeuropeas, pero tanto la oposición del papado como las carencias económicas castellanas (devaluación monetaria e inflación que creaban gran malestar interno) impidieron que lograra ser el primer emperador del Medievo. Abandonado el sueño de grandeza, en 1276, y vuelto al gobierno del suelo patrio, Alfonso X se las hubo de ver con una fuerte oposición nobiliaria (constante ya hasta la fuerza unificadora y castradora de la nobleza de los Reyes Católicos), sobre todo cuando el rey quiso imponer un nuevo sistema jurídico que recortaba derechos a los magnates de su reino y reforzaba la autoridad real.

En aquellos momentos, nada fáciles, Alfonso se ayudó de su primogénito Fernando para gobernar, sobre todo en su ausencia, llamado por los intentos de coronarse emperador. Traigo a cuento esta figura, efímera pero significativa, del infante Fernando de la Cerda, porque con él empezaron también, en aquella segunda mitad del siglo XIII, unos problemas sucesorios que, en repetidas ocasiones hasta el siglo XIX, han originado en España graves problemas y no pocas guerras ci-

---

[14] Ruth L. Kennedy, «Tirso's *La república al revés:* its debt to Mira's *La rueda de la fortuna*, its date of composition, and its importance», *Reflexión*, 2.2 (1979), págs. 39-50.

viles. En efecto, Fernando, quien estaba llamado a heredar en el trono castellano a Alfonso X, moría en 1275, cuando intentaba contener avances territoriales de los benimerines por tierras andaluzas, e, inmediatamente, los hijos de este príncipe, los conocidos como Infantes de la Cerda, se creyeron con derecho indiscutible a ser ellos los proclamados reyes, cuando Alfonso X faltara de entre los vivos. Como tantas otras veces, el asunto derivó en banderías. Unos nobles, liderados por la familia Núñez de Lara, apoyaron la pretensión de los Infantes, pero otros, encabezados por los Díaz de Haro, apoyaron la candidatura del segundón, Sancho —IV en el orden monárquico—, ya que alguien debía coger el timón de la realeza, estando fuera del reino Alfonso —en Beaucaire (Francia) para conseguir de Gregorio X el apoyo a la investidura como emperador— y ser los dos hijos de Fernando menores de edad (al fin en esta obra de Tirso también se plantea el problema de la minoría amenazada y la regencia protectora). Como Sancho supo acometer con éxito bélico su responsabilidad frente al peligro benimerín, su padre aceptó, en un principio, considerarlo legítimo heredero, que ahora sumaba a su entorno —y para mayor apoyo político estratégico— la figura del señor de Vizcaya, Lope Díaz de Haro, cuñado de la reina, hermano de uno de los personajes que aparecerán en la obra de Tirso, al lado de la protagonista, y mayordomo real, al mismo tiempo que los de la Cerda se buscaban el apoyo del entonces rey de Aragón y del de Francia (dos reinos que, desde aquel momento, tuvieron repetida animosidad contra Castilla, hasta la inteligente maniobra histórica del casamiento de Isabel I y Fernando V): el problema sucesorio tomaba unas implicaciones que rebasaban lo estrictamente castellano, y se hacía cuestión internacional de primer interés. La ratificación del derecho sucesorio de Sancho fue recogida en las Cortes de Segovia (1276) y, para todavía complicar más las cosas, Alfonso el Sabio intentó retroceder en sus primeras interesadas decisiones, reponiendo en sus derechos a los hijos de su primogénito, aunque para ello hubiese de negar la legitimidad a su segundo hijo. El momento peor de tal enfrentamiento entre Alfonso y Sancho llegó en 1282, cuando en Valladolid un nutrido número de nobles proclamó sucesor a don Sancho al tiempo que, en Sevilla, el rey Alfonso lo maldecía y desheredaba y hasta pedía al papa Martín IV la excomunión para él y para todos sus seguidores. Pero se quedó a solas con su última voluntad, pues a su muerte en 1284 no se respetó su testamento, redactado dos años antes y favorable al mayor de los hermanos de la Cerda, y se impuso la proclamación de Sancho IV como rey. Un reinado breve, de apenas once años, en el que se da entrada a la figura recreada por Tirso, doña María de Molina (c. 1260-1321), hija del Infante Alfonso de Molina, hijo de Alfonso IX de León, y de doña Mayor Alfonso de Meneses (emparentada, por tanto, con la ilustre familia castellana de los Téllez de Meneses) sobrina de Fernando III, prima hermana de Alfonso X y, por consiguiente, tía segunda de quien iba a ser su marido desde 1282, pese a contraer matrimonio sin contar con el consentimiento del rey ni con la necesaria y previa dispensa papal por el tercer grado de consanguinidad que relacionaba a los contrayentes, ya que Martín IV se negó a concederla. Empezaban así unos tiempos turbulentos de los que María de Molina fue bastante más que una testigo de excepción, sino una actante de primer orden, cuya actuación fue definitiva en las minorías de su hijo Fernando IV y de su nieto Alfonso XI. Se planteaba una evidente debilidad de la institución monárquica frente a los embates de los nobles, que tuvo en la reina regente, en dos tiempos sucesivos, un baluarte defensivo fundamental, que queda manifiesto en la obra tirsiana que aquí se estudia y se edita.

Fue el reinado de Sancho IV especialmente breve, y puso en peligro la continuidad de la monarquía castellano-leonesa, pues al morir Sancho, de tuberculosis, en la primavera de 1295, el heredero solo tenía nueve años, y quedó al cuidado de su persona y de sus derechos sucesorios doña María[15]. El primer

---

[15] «E porque el infante don Fernando, su fijo heredero deste rey don Sancho, era muy pequeño de edad, e temiendo que desque él finase avría muy grand discordia en la su tierra por la guarda del mozo, conosciendo este rey don Sancho en commo la reina doña María su mujer era de gran entendimiento, diole la tutoría del infante don Fernando, su fijo, e diole la guarda de todos los sus reinos, que lo toviese todo fasta que oviese edad complida, e desto fizo placer pleito e omenaje a todos los de la tierra» (Crónica de Sancho IV, cito en todos los casos por Crónicas de los Reyes de Castilla, colección ordenada por Cayetano Rosell, BAE, LXVI, Madrid, Atlas, 1953). La presente cita corresponde a la pág. 89b.

asedio para deslegitimar la situación llegó de los Infantes de la Cerda, apoyados por Jaime II de Aragón y por el Infante don Juan (hermano de Sancho y personaje que tanta importancia tiene en la obra, hasta ser el verdadero antagonista) y por los nobles Núñez de Lara y Diego López de Haro, también convocados por Tirso al espacio dramático, aunque en distinta proporción. Las diversas acciones militares emprendidas por los nombrados para asediar a la regente y derrocar al heredero son puntualmente referidas en el segundo capítulo de la *Crónica de Fernando IV,* una de las fuentes fundamentales del dramaturgo.

Así, tanto don Juan como don Alfonso, en colaboración con don Juan Núñez, celebraron una entrevista en la que acordaron no reconocer al rey niño y dividirse su reino, León para don Juan, Castilla para don Alfonso, y a continuación atacaron cruelmente las tierras de León, y ocasionaron el caos en tierras castellanas, llegando a sitiar Valladolid, en donde doña María y el rey niño permanecían sólo apoyados por don Diego López de Haro.

La regente, viuda de treinta y seis años, buscó diversas ayudas, sobre todo en la unión de concejos castellanos y leoneses, en los que encontró el apoyo que necesitaba (tras liberarlos de algunos impuestos y confirmar sus fueros) y resistió la situación, impidiendo que su hijo, el futuro Fernando IV —nacido en Sevilla en 1285— perdiera el reino. Nada más iniciarse su regencia, supo de los intentos del Infante don Juan de proclamarse rey, y del regreso de don Diego López de Haro para recuperar el señorío vizcaíno. Procuró doña María, en primera instancia, el apoyo de los Lara, que, sin embargo, acabaron pasándose al lado de los nobles rebeldes, y de don Enrique el Senador, que quería participar a toda costa de la tutoría del niño Fernando. La regente había conseguido reforzar el derecho sucesorio de su hijo, haciéndolo proclamar heredero solemnemente en las cortes de Valladolid de 1295, pese a los muchos obstáculos creados por su pariente don Enrique y algunos nobles de gran influencia. En este primer pulso algo tuvo María de Molina que conceder a los concejos, al estamento eclesiástico y a algunos destacados nobles: así hubo de entregar el señorío de Vizcaya a don Diego, la corregencia del reino a don Enrique, y no pocas tierras y derechos al díscolo Infante don Juan. Pero se le abrió otro frente en el rey portugués don Dionís, aliado con el hermano de Sancho IV, coalición que doña María logró desbaratar con la entrega a la corona lusa de unas cuantas plazas fronterizas —Mora, Serpa y Morón— y con el acuerdo de la boda de Fernando con la infanta Constanza, matrimonio que se verificó en 1302. De este modo, y con un cierto respiro, terminó para doña María el difícil año de 1295, en el que había pasado de enamorada esposa a viuda y regente de un reino lleno de problemas. Es el período que, de forma sintética, se recoge en el acto primero de *La prudencia en la mujer*.

Aragón fue el siguiente escollo a superar en la difícil singladura que iba a emprender doña María de Molina. Jaime II se había erigido defensor de los derechos sucesorios de Alfonso de la Cerda, con la complicidad del Infante don Juan, que volvía a sus acciones de rebeldía, adjudicándose en el reparto del reino los territorios de León, Galicia y Sevilla, lo que suponía la nueva desmembración de los reinos de Castilla y León, poniendo en ventaja las perspectivas hegemónicas de Portugal y de Aragón, y beneficiando también, en cierto modo, al reino de Granada. Esta nueva situación exigió que la regente aguzara su capacidad de maniobra política, intentando ganar en todas las acciones de inestabilidad que se proponía su ambicioso cuñado. Pero no pudo evitar que en 1296 la corona aragonesa le declarara la guerra, llegando el ejército de Jaime II hasta León y Sahagún y proclamando a don Juan y a don Alfonso de la Cerda reyes de León y Castilla, respectivamente. A su lado estuvo la sinuosa figura de don Enrique el Senador. Y la situación se agravó cuando se unió a la invasión aragonesa el rey de Portugal. Una epidemia de peste, que diezmó las tropas invasoras y sitiadoras, vino en ayuda coyuntural de la reina, que se decidió entonces a realizar su propia ofensiva bélica, además de haber logrado mayor efectivo monetario con el que pagar a las tropas, aunque la situación económica de la corona entraba en una fase muy delicada (de lo que se hace eco Tirso). La tensión con Portugal se arregló en las vistas de Alcañices, firmadas en 1297, que ratificaba acuerdos matrimoniales anteriores y otros nuevos, y confirmaba fronteras entre ambos reinos, cediendo nuevas plazas a Portugal. Pero la actuación levantisca de don Juan, y sus seguidores, prolongaba la agonía económica y política del reino castellano y aumentaba los cuidados y preocupaciones de la regente. La guerra con los nobles rebeldes, aglutinados en torno al Infante don Juan, duró algún tiempo todavía, y obligó a que la reina tuviera que emplearse a fondo en su capacidad diplomática y de gestión gubernativa, procurando que no aumentase el poder del bando disidente y que otros nobles de marcado prestigio e influencia militaran a su lado, aunque ello supusiera la entrega de no pocos territorios y prebendas para pagar fidelidades o evitar deserciones. Y en nuevas Cortes convocadas en 1298 y 1299 la regente se vio obligada a solicitar nuevos préstamos para pagar las soldadas del ejército que defendía la causa del rey Fernando. Poco a poco la situación se fue pacificando y normalizando a favor de doña María. Se estableció nueva alianza con el monarca portugués, y se consiguió que Roma legitimase de una vez a Fernando como heredero, aprobando, a posteriori, el casamiento de sus padres. Además, tras el apresamiento de Núñez de Lara, el Infante don Juan —sumamente debilitado en sus posibilidades— desistió en su actitud levantisca y reconoció obediencia al joven rey. Era casi el final de la contienda, que llegaba en 1300, referida así por la *Crónica de Fernando IV* (117b): «que el infante don Juan renunciaba cuanta demanda avía en los reinos de Castilla y de León en cualquier manera, y que conoscía por rey e por señor e por derecho heredero de los reinos de Castilla e de León al rey don Fernando», devolviendo a la corona los territorios que había ocupado durante aquella auténtica guerra civil por problemas de sucesión (sucesos parcialmente coincidentes con lo que se muestra en el acto segundo del drama). Aún había que arreglar las tensiones con Aragón, liberar las tierras castellanas ocupadas por Jaime II —especialmente el reino de Murcia, permanente litigio de armas entre los dos reinos por su posición estratégica[16]— y

---

[16] Si bien la solución definitiva del problema murciano no llegará hasta 1305, en el acuerdo de Elche, justamente cuando acaba la guerra civil castellana que había provocado el problema sucesorio de Alfonso X y luego de Sancho IV.

solucionar la crisis económica y hasta demográfica que estaba causando una gran hambruna y una epidemia de peste que llegaban con el nuevo siglo. Parte de esos problemas, sobre todo el económico, los aborda doña María en las Cortes burgalesas de 1301, a punto de cumplirse la mayoría de edad de su hijo. Se le conceden cuatro servicios para pagar a las tropas y un quinto servicio para cubrir los gastos de expedición de la bula papal de legitimación que está a punto de concedérsele, lo que hizo Bonifancio VIII, como resultado de una excelente gestión diplomática de doña María, el 6 de septiembre de ese año. Sin embargo, no todo eran parabienes, pues el Infante don Enrique, que veía anulada su influencia con la llegada de la licencia papal, hizo circular el infundio de que las bulas habían sido falseadas, y para demostrar la autenticidad de las tales, doña María hizo leerlas públicamente en la catedral de Burgos, en presencia del obispo, de los nobles y del pueblo.

El 6 de diciembre del año 1302 el joven Fernando cumplía dieciséis años, y empezaba su reinado, sin bien el papel de doña María de Molina iba, muy a su pesar, a seguir teniendo relevancia. Es el momento que Tirso recrea en el comienzo de la jornada tercera de su obra. Nada más llegar al trono, el nuevo rey procuró las paces con la vecina Aragón en el acuerdo de Ágreda, y logró que Alfonso de la Cerda desistiese de sus pretensiones, mediando una serie de concesiones y compensaciones por el Tratado de Torrellas (1304) y que don Diego López de Haro se aposentase, de por vida, en su señorío de Vizcaya. La guerra civil castellana, con la que había tenido que pechar su madre, se daba aparentemente por concluida. El nuevo monarca cumplía el compromiso de esponsales con la hija del rey don Dionís en enero de ese año. Fernando IV prolongó un poco más el asedio del reino nazarí —pactando a tal fin con el rey de Aragón— haciéndose con la plaza de Gibraltar en 1309, pero esta victoria se vio empañada por el fracaso en la conquista de Algeciras y la muerte, en su cerco, de don Diego López de Haro, fracaso al que contribuyeron las deserciones del Infante don Juan (volviendo por sus antiguos fueros: doña María ya se encarga de recordarle, en la obra tirsiana, su alevosa traición en el cerco de Tarifa, y el conocido episodio de Guzmán el Bueno) y del Infante don Juan Manuel, asunto que Fernando IV nunca perdonó.

Pero no cesan las asechanzas nobiliarias en torno a la figura de un rey aún joven, inexperto y demasiado débil de carácter, una voluntad hábilmente manejada por los nobles, como bien mostró Tirso[17], hasta procurar un grave distanciamiento entre el monarca y su madre, al ser denunciada la regente, ante su hijo, de excesivo afán de poder y de haber malversado las cuentas públicas durante su regencia. Los agentes de la maniobra de este enfrentamiento fueron otra vez los dos Infantes —especialmente don Juan— y don Juan Núñez de Lara, y contaron, además, con la complicidad de un cortesano de confianza de la reina, Gonzalo Gómez Caldelas, para que distrajera al rey, animándole a entretenerse en cacerías (algo parecido se refiere en la obra tirsiana) y abandonar sus responsabilidades gubernativas, entonces centradas en un problema fronterizo con Navarra. La ocasión la aprovecharon los insidiosos para malquistar al joven con su madre, haciéndole creer que doña María intentaba mermar, en su favor, el poder de su hijo, controlando excesivamente todos sus movimientos y sus decisiones:

> E fabló con Gonzalo Gómez de Caldelas, el cual le dijo: «Vos sodes señor de toda Castilla e de León, e sodes ya grande e de edad, e si siempre avedes a andar en pos de vuestra madre, nunca valdredes nada, e non vos presciarán los omes nin vos ternán que sodes para en este lugar en que vos Dios puso, e andaredes siempre, commo andastes fasta aquí, muy pobre e muy menguado» *(Crónica de Fernando IV, 121a)*.

Según recoge la tradición, de la que se hace eco Tirso, doña María se vio sometida a la afrenta de rendir cuentas a su propio hijo en las Cortes de Medina del Campo de 1302, vejación a la que accedió la reina por lealtad a Fernando, y como

---

[17] Esa negativa influencia y deseo de malquistar al nuevo rey con su madre la han señalado todos los biógrafos de doña María (basándose en los testimonios cronísticos) desde el temprano libro de Mercedes Gaibrois Riaño de Ballesteros *María de Molina*, Madrid, Espasa Calpe, 1936, en donde leemos: «Don Fernando entraba en Valladolid con el infante don Juan y don Juan Núñez, que siempre le acompañan y guían todos sus afectos. María observa cómo su hijo se ha entregado a ellos completamente y le espanta ver, como decía la gente, "que mayor daño facían estos dos omes trayendo el rey en su poder que lo non ficieron en la guerra"» (págs. 141-142).

una ayuda más para que la corona no cayese de su cabeza. Pues el cerco nobiliario, dividido ahora en dos bandos, volvió a recrudecerse, teniendo como objetivo común controlar la voluntad del influenciable rey. Nuevo embate contra la imagen de la reina, de la que doña María volvió a salir triunfante, pues pudo demostrar que lejos de haber malgastado el patrimonio público, era éste el que estaba en deuda con la regente, que había puesto al servicio del reino su propio patrimonio cuando la situación económica había sido agobiante. Tirso hace hincapié en ello, en aras de la reivindicación feminista de su esforzado e inteligente personaje.

Aunque nunca se ausentó de ella definitivamente, doña María volvió a la palestra histórica (pero esta segunda actuación ya queda fuera del tiempo abarcado por la comedia tirsiana) al morir su hijo en 1312, en extrañas circunstancias y cuando sólo contaba veinticuatro años, repitiéndose así la situación de la minoría del heredero (en este caso del futuro Alfonso XI, que había nacido en 1311). A finales del mes de abril del año del óbito, Fernando IV emprendió el camino de la frontera granadina, haciendo parada en varias poblaciones salmantinas que fue anexionando a sus posesiones. Tras detenerse en Ávila y en Toledo, llegó hacia finales del verano a Jaén y posteriormente a Alcaudete, fortaleza sitiada ya por las tropas castellanas. Allí el rey volvió a enfermar, y cuando se aprestaba a declarar la guerra al arráez de Málaga, Fernando IV era hallado muerto en sus aposentos, sin que nadie pudiese explicar la causa de tal hecho. Por ello se suscitaron enseguida legendarias conjeturas, relacionadas con la condena y ejecución de los hermanos Carvajal. Es posible que la causa de la muerte fuese una trombosis coronaria, una hemorragia cerebral, un edema pulmonar o incluso un infarto de miocardio. Pero en tales circunstancias, como decía, la leyenda del «emplazado a comparecer ante el juicio divino» emergió con gran fuerza. Se relacionó el óbito real con los hermanos Juan Alfonso y Pedro de Carvajal, que habían sido juzgados y condenados por el mismo rey, ordenando que fuesen despeñados en la villa de Martos, como reos de un antiguo crimen en la persona de un noble palentino, Alfonso de Benavides, gran amigo y hombre de confianza del monarca, y por presuntas causas de rencillas familiares (la situación que Tirso sugiere, tan sólo, en el final de su acto primero). Cuando los Carvajales eran conducidos a la ejecución, pese a declararse inocentes, depositaron en el designio divino la verdad o mentira de su culpa y emplazaron al rey a que compareciese ante la Justicia de Dios treinta días exactos después de la fecha de dicha ejecución. La casualidad de que ese plazo temporal se cumpliera fue el detonante de la leyenda que Lope llegó a desarrollar en la comedia *La inocente sangre* y que Tirso anuncia como un inmediato proyecto —probablemente nunca realizado— en los últimos versos de la comedia: «De los dos Caravajales / con la segunda comedia / Tirso, senado, os convida.» La superchería que envuelve esta leyenda fue demostrada hace bastantes años por A. Benavides en el primer volumen de su obra *Memorias de don Fernando IV de Castilla*, Madrid, 1860, si bien se hicieron eco de ella muchos cronistas del Siglo de Oro, como Argote de Molina en su *Nobleza del Andaluzía*.

Doña María sintió la muerte prematura de su hijo como una gran frustración, pues hacía baldíos, en cierto modo, los esfuerzos realizados por mantener indemne el trono, esfuerzos que en gran parte escenifica la comedia tirsiana. Por ello en la «Concordia de Palazuelos» (1314) se le otorgó a la regia abuela la custodia del nieto y a los Infantes don Juan y don Pedro (tío y hermano respectivamente de Fernando IV) la gobernabilidad del reino. Era como volver a empezar. Las renovadas ambiciones de los dos regentes crearon no poco malestar entre los concejos, contrarrestado por la pronta muerte de ambos Infantes (1319) en la vega granadina, lo que le dio a doña María la segunda ocasión de asumir en solitario la regencia del reino hasta su óbito, el 1 de julio de 1321. Pero eso es historia que sobrepasa los límites de referencia del texto tirsiano. Ya en el lecho de muerte la reina consiguió que los caballeros «e omes bonos» de la ciudad de Valladolid, que siempre le había sido fiel, se encargaran de proteger al que todavía era un rey adolescente de doce años. Doña María otorgó testamento ante el escribano Pedro Sánchez y, según detalla la *Crónica de Alfonso XI*, «se confesó muy devotamente, et rescibió todos los sacramentos de la Iglesia, como reyna muy católica, et vistióse el hábito de los frailes predicadores, et así dio el alma a Dios su creador» (192b). Tras su desaparición continuaron los «tiempos turbulentos» y la máxima anarquía en todo el reino, hasta que en 1323 Alfonso XI toma las riendas del poder. Doña María fue enterrada en el monasterio de Las Huelgas Reales de Valladolid, que había mandado edificar a sus expensas y con tal fin. Sobre su tumba, en medio del crucero del templo, se puede contemplar una magnífica estatua yacente.

Centrémonos ahora en la personalidad de aquella mujer y en algunos detalles biográficos que Tirso pudo aprovechar en su obra.

Pocos cronistas como fray Hernando del Castillo nos han dejado un perfil más exacto, en su brevedad, de la personalidad de esta mujer:

> Casada trece años y veintiséis viuda, y todos ellos fueron un continuo martirio, sin tener una hora que no fuese desasosiegos, guerras, levantamientos de pueblos, traiciones, pleitos; y esto en vida de su marido. Muerto él y quedando por tutora de su hijo, todo fue para ella una cruz, con don Enrique, con el infante don Juan, con los Cerdas, con la reina doña Violante, su suegra, con don Juan Núñez y sus consortes, con Francia, Aragón, Portugal, Navarra y Granada: que verdaderamente parecía que la tierra se levantaba contra ella. Aquí alzaban un rey, en vida del rey, su hijo; allí alzaban otro. Cada día amanecían pueblos y ciudades amotinadas contra ella y muchos caballeros y muchos procuradores de cortes rebelados. Los caminos que anduvo, los trabajos, los cuidados, las vistas con los reyes y con sus enemigos, los tratos, los medios, las paces que asentó con unos y con otros, parece imposible a una mujer [...] Alcanzaba de Dios tanto favor cuanto era menester para sufrir los agravios de sus vasallos y los de su hijo con paciencia cristiana, tener prudencia y discreción para gobernarse, como se gobernó en las bravas tormentas de mar alterado y reino revuelto con guerras civiles. Vio por sus ojos compromisos, partijas, sentencias y divisiones de estos reinos, embustes, invenciones y falsedades y otras mil cosas, bastantes para descomponer grandes varones con pecho de acero, cuanto más a una mujer sola y contra todos[18].

---

[18] Fray Hernando del Castillo, *Historia de Santo Domingo y de su orden*, Valladolid, 1612, t. II, págs. 111-112.

La imagen de mujer prudente, que Tirso selecciona sobre cualquier otra, hasta el punto de servirse de ella para el casi oxímoron del título elegido (que en la mujer anide la prudencia, pues fémina e imprudente eran casi sinónimos) ya era declarada, y reconocida, en la *Crónica de Fernando IV,* de Jofré de Loaysa, cap. CCXXV: «tanquam prudens multum et circunspecta domina», y además «señora de virtud digna de alabanza y más aún de admiración»[19].

Durante toda su vida matrimonial fue eficaz consejera de su marido. Disputó con don Lope Díaz de Haro, noble de absoluta confianza de Fernando IV, la influencia sobre las decisiones regias: a ella se debieron muy probablemente las convenientes alianzas del rey castellano-leonés con los reyes de Aragón y de Francia.

Y en el poema épico tardío, o ejemplo de crónica rimada, consagrado al reinado de su nieto Alfonso XI hay, casi a modo de epitafio, unos versos dedicados a la ilustre y abnegada reina, que merecen ser recordados como colofón de esta breve semblanza:

> A la reina pesó fuerte
> de que vio tal pestelencia
> e acuitóle de muerte
> una muy fuerte dolencia.
> Non sopieron melecina
> e Dios la quiso llevar:
> finóse ý la reina,
> ¡Dios la quisiera perdonar!
>
> La reina fue finada
> e ya en Las Huelgas yaz:
> su alma bien heredada
> sea con Dios Padre en paz[20].

---

[19] Jofré de Loaysa, *Crónica de los Reyes de Castilla,* edición bilingüe, introducción y notas de Antonio García Martínez, Murcia, Academia de Alfonso X el Sabio, 1982, págs. 163-164.

[20] *Poema de Alfonso Onceno,* ed. de Juan Victorio, Madrid, Cátedra, 1991, pág. 62.

«LA PRUDENCIA EN LA MUJER»:
ESTUDIO HISTÓRICO-CRÍTICO

Este drama tirsista ha contado casi con el unánime beneplácito de la crítica a lo largo de su recepción y valoración, al menos desde el siglo XIX. Ya el fino crítico que fue Alberto Lista, en las anotaciones con las que acompañó su edición del texto en *Talía Española* (1834), declaraba que era una de las comedias históricas en las que «más parece haberse esmerado Tirso» y, aludiendo a la recreación del personaje principal, el mismo erudito reconocía que «su retrato ha sido comprendido por nuestro poeta de un modo admirable. Aquí nos la muestra valerosa, política, casta y honesta, sabia y prudente, levantando el trono de su hijo de entre las ruinas que formaron las facciones»[21]. Completaba estas consideraciones al reseñar la edición tirsista de Hartzenbusch *(Teatro Escogido de Tirso de Molina*, Madrid, 1839-1842) en sus *Ensayos literarios y críticos* (Madrid, 1844, vol. I, pág. 127) en donde, al referirse a esta obra, encontraba como tacha «neoclásica» de la misma la radical ruptura de las reglas en su composición, concluyendo que este drama tirsiano se presenta «tan mal arreglado como casi todos los de Tirso; pues la acción dura nada menos que catorce años, y el lugar de las escena recorre casi todos los pueblos que hay desde Toledo hasta Becerril».

El dramaturgo Gil y Zárate señalaba, en su *Manual de Literatura,* que era una de las comedias tirsianas que gozó de mayor popularidad en el siglo XIX, al tiempo que elogiaba el estilo poético y la eficacia de Tirso al pintar los caracteres singulares de su heroína. Sin embargo, otros críticos del mismo siglo como Mesonero, Martínez de la Rosa o Javier de Burgos la silenciaron, aun cuando admiraban profundamente la obra del mercedario. No así el crítico francés Viel-Castel, que volvió a destacar la originalidad de esta comedia y de su perso-

---

[21] Hartzenbusch reprodujo este comentario, como Apéndice, en su recopilación de comedias tirsianas en la BAE.

naje central *(Revue des Deux Mondes,* XXIII, noviembre de 1840). Igualmente consideraba el alemán Von Schack que esta obra tirsiana era una de las más notables creaciones del teatro español, cuya apreciación coincidía con la de Menéndez Pelayo expresada en una nota al respecto publicada en *La España Moderna* de 1894, luego recogida en sus *Estudios de crítica literaria:*

> Yo no tengo inconveniente en admitir que *La prudencia en la mujer* sea el mejor drama histórico de nuestro teatro, pero en todo lo demás del repertorio auténtico de Tirso no vuelve a encontrarse jamás la magnífica poesía del siglo XIV, que se respira en esta crónica dramática.

En 1900, el insigne hispanista francés Morel-Fatio elogiaba el lenguaje y el estilo de la obra, la construcción de su trama, el trazado de sus personajes, tanto mayores como menores. Consideraba que Tirso había elegido los aspectos históricos (o cronísticos) de la protagonista que mejor se adecuaban a su propósito artístico, que era dibujarla como madre, como viuda y como gobernante y advertía que el mercedario había introducido algunos elementos accesorios que no alteran la fisonomía verista de la noble reina. Semejante respeto con la historia tiene Tirso a la hora de afrontar la figura de Fernando el Emplazado, salvo que acentúa la diferencia entre el rey-niño de los dos primeros actos y el rey-adulto del tercero. Del intrigante don Juan, opina Morel-Fatio, que Tirso hace un refinado perverso, inventando alguna de sus asechanzas más teatrales como la de intentar el envenenamiento del heredero, y que, sin embargo, no se aleja demasiado del retrato que la tradición histórica nos ha dejado, si bien algo acentuada, en la maldad, por parte del mercedario. Los dos nobles leales a la legitimidad de Fernando, según la historia —un Haro y un Lara—, Tirso los reduce a uno, el primero, pues el segundo —presente como don Nuño en la relación de dramatis personae de la comedia— lo alinea, como un noble sin mayor importancia, con los dos principales intrigantes. Respecto a los nobles Benavides y Carvajales, Morel-Fatio considera que Tirso debió de acudir a otras fuentes distintas a las de la crónica real, o ambos personajes actúan más en función de la imaginación del poeta. Así el Benavides que Tirso saca a la escena no es mencionado más que una vez por el cronista de Fernando IV, aludiendo al caballero asesinado en Palencia. También pudo acudir Tirso a los libros de Salazar y Mendoza o de Argote de Molina, como más adelante se señala[22].

En la época moderna fue doña Blanca de los Ríos la primera —y más apasionada— en elogiar la obra, considerándola como una glorificación de la Edad Media, y enfatizando el significado del personaje de doña María en una triple dimensión: heroica reina, noble esposa y abnegada madre («Las mujeres de Tirso» en su libro *Del siglo de oro,* Madrid, 1910, págs. 259-261). Y en la nota preliminar a la obra, en su edición del *Teatro Completo* de Tirso, doña Blanca añadía que en ella

> más que los hechos mismos nos interesa y atrae la historia de las almas; y el drama entero es la historia del alma de una mujer, de una heroica mujer «con tres almas», que en lucha abierta con reyes, infantes y magnates turbulentos y codiciosos que, como tempestad de hierro y furia, le asolaban sus estados, defendía jirón por jirón, hebra por hebra, el patrimonio de su hijo, y con aquellas hebras y jirones iba tejiendo la patria, la nacionalidad española[23].

Y el excelente conocedor de nuestro teatro áureo, don Ángel Valbuena Prat, no ocultaba su debilidad por este título cuando reconocía que en él se encontraba la más acertada dimensión de Tirso como historiador, añadiendo que

> la entonada versificación de *La prudencia en la mujer,* acomodada a la digna nobleza del cuadro histórico reconstruido, del que pueden servir de ejemplo las octavas iniciales y el romance de la aparición inmediata de doña María, suponen un triunfo decoroso y sobrio en esta intuición de la verdad de las *Crónicas,* en su caso el primer acierto del teatro nacional[24].

---

[22] El estudio de Morel-Fatio, que he resumido en sus aspectos principales, se referencia en la Bibliografía de esta edición.

[23] *Obras Completas,* I, Madrid, Aguilar, 1946, vol. III, págs. 899-900.

[24] *Historia de la Literatura Española,* ed. puesta al día por Antonio Prieto, Barcelona, Gustavo Gili, 1982, vol. III, pág.559.

La primera edición de esta comedia corresponde a la *Parte Tercera de las Comedias del Maestro Tirso de Molina,* publicada en Tortosa, en 1634 (fols. 143v-169r) en la que comparte espacio libresco con otros once títulos, a saber: un paradigmático ejemplo de la comedia villanesca *(La villana de la Sagra)* en la que aflora el amor y el excelente conocimiento que Tirso tenía por las tierras toledanas, y que es preciso poner en relación con su auto sacramental *El colmenero divino,* también de rústica ambientación, además del común disfrazarse de colmeneros que encontramos en el galán de la comedia y en el mismo Cristo, en el auto. Junto a ella, otras comedias de popular ambiente campestre son, en el mismo volumen, la bíblica *La mejor espigadera* (o la historia de Ruth), la histórico-hagiográfica *La elección por la virtud* (o la elección papal de Sixto V) y la de enredo palatino y ambiente portugués —al modo de la muy reputada *El vergonzoso en palacio*— *Averígüelo Vargas.* También enredos de amadores disfrazados de lo que no son realmente, para conseguir sus propósitos y enamorar a las respectivas damas, encontramos en las tituladas *La fingida Arcadia* y *La huerta de Juan Fernández.* Los cinco títulos restantes hasta completar el volumen están dedicados, uno a la historia bíblica de los hijos de David y su pecado de incesto *(La venganza de Tamar),* o desarrollan argumentos de enredo con hábiles artificios los otros cuatro: *No hay peor sordo, Ventura te dé Dios, hijo, El amor y la amistad* (los deberes del amigo y del amante) y la analítica e introspectiva *Del enemigo el primer consejo.*

Según Lorna L. Stafford (1952), hubo dieciocho ediciones de la comedia después de la *princeps* repartidas entre los tres siglos siguientes, hasta la fecha de su estudio; número que a estas alturas (2009) se ha incrementado en algunas más, como puede verse de forma detallada en la Bibliografía que remata esta Introducción, en la que se puede consultar un extenso repertorio de ediciones, refundiciones y traducciones de la comedia a lo largo de varios siglos.

Alberto Durán, editor de la comedia en su colección «Talía Española» (como más adelante se repite y concreta), sugiere, sin más detalles, en el prólogo a su edición (pág. 6) una reimpresión en 4.° de esa *Parte Tercera* en Madrid (1652), sin que se haya localizado hasta el momento ejemplar alguno, y el mismo Durán declara en las observaciones finales: «yo no he visto otra reimpresión de dicho drama que la que hizo doña Teresa de Guzmán a principios del siglo XVIII» (pág. 48), además de señalar la refundición de Segura, probablemente también a comienzos del mismo siglo. Así pues, esta comedia fue igualmente una de las elegidas en el siglo siguiente por la editora doña Teresa de Guzmán, en edición suelta de octubre de 1735 (vendiéndose en la lonja de comedias de la Puerta del Sol, según recoge Ada M. Coe[25], y anunciada en la prensa de la época: *La Gazeta, El Diario de Madrid* y el *Memorial Literario)* y luego en su recopilación del teatro tirsista de 1736, como décimo título de la *Segunda Parte de las Comedias verdaderas del Maestro de las Ciencias don Miguel (sic) Tirso de Molina*[26], enmendando erratas evidentes de la *princeps,* correcciones que se indican en la anotación de esta edición. Es posible que sirviese como base de tal impresión una copia manuscrita conservada en la Biblioteca Municipal de Madrid (ms. 137/12) procedente, en opinión de Alice H. Bushee (1933), de los archivos del Teatro del Príncipe o de la Cruz, que tal vez fue usada por algún empresario o apuntador, sin fecha ni nombre del copista, ni listado de actores, y que podría datarse a finales del XVII o comienzos del XVIII.

Fue Durán, como se adelantaba unas líneas arriba, el primero en plantearse una edición razonablemente limpia de la comedia en el volumen I de su *Talía Española*, Madrid, Aguado, 1834, partiendo indudablemente del texto de la *princeps,* pero aceptando algunas correcciones de Guzmán y añadiendo otras de su cosecha (que también aquí se indican) además de ofrecer interesantes anotaciones sobre la obra. Así, en las «Observaciones» redactadas para esta comedia, Durán se refiere al desenlace de la misma, que tacha de escasa verosimilitud, «pues vicia el carácter de los personajes» y señala lo que justamente Hartzenbusch quiso evitar en su adaptación (pero sin lograrlo del todo):

---

[25] *Catálogo bibliográfico y crítico de las comedias anunciadas en los periódicos de Madrid desde 1661 hasta 1819,* Baltimore, Johns Hopkins Press, 1935.

[26] Se custodia un ejemplar en la Biblioteca Menéndez Pelayo, de Santander (signatura 293-11) y otro en la Public Library de Boston (Ticknor Collection).

[...] en el último acto los Infantes don Juan y don Enrique, así como los otros conspiradores, aparecen necios en demasía, pues conociendo la prudencia de la reina, y la enemistad que justamente los profesa, la entregan gratuitamente una carta firmada, donde descubren su traición, y en que la dan un medio de hacerla manifiesta (pág. 48).

En esa «ingenuidad» de comportamiento se fijaría también Morel-Fatio.

Cuatro años más tarde, Eugenio de Ochoa volvía a editar la obra tirsiana en el volumen IV de su colección *Tesoro del Teatro Español desde sus orígenes hasta nuestros días,* París, Baudry, 1838, págs. 4-39, limitándose a copiar el texto fijado por Durán y hasta las observaciones que éste hizo en la edición de *Talía Española.*

Y en 1840 entra en la lista de editores de *La prudencia* el sabio y cuidadoso Juan Eugenio Hartzenbusch, que recupera la edición de Durán en el vol. VI del *Teatro Escogido de Fray Gabriel Téllez* para la editorial Yenes. Hartzenbusch retoca el texto de don Agustín en el sentido de que introduce la división en escenas (tan características de todas la ediciones de textos dramáticos en el siglo XIX), va indicando, mediante acotaciones de su cosecha, la localización de las diversas secuencias y precisando así mismo ciertas indicaciones escenográficas que no estaban en la *princeps.* Advierte que «corrige las lecciones manifiestamente viciosas» al tiempo que aporta interesantes anotaciones textuales que, en la medida de su interés y vigencia, se han incorporado a la presente edición. El estudio de la comedia que aparece en esa edición es el mismo que Durán había escrito para la suya de 1834. Esta aportación del autor de *Los Amantes de Teruel* se reproduce en 1848, ya en el volumen V de la BAE (Rivadeneyra) dedicado al teatro tirsiano.

En el siglo XX, la primera edición moderna con un cierto marchamo filológico se la debemos a William MacFadden, en 1933, editada en Liverpool (por el *Bulletin of Spanish Studies)* que se basó en la princeps, pero tuvo presentes las correcciones y lecturas de Guzmán y de Hartzenbusch. Y en 1948, y publicada en México (Hispanic Society of America) apareció la primera edición importante, crítica y anotada, de esta comedia (y que se ha tenido muy en cuenta en la presente edición anotada de *La prudencia*) debida a las hispanistas del Wellesley College Alice Huntington Bushee y Lorna Lavery Stafford, poco después de que doña Blanca de los Ríos la incluyera en el vol. III de las *Obras Completas* del mercedario (Madrid, Aguilar, 1946) y F. C. Sainz de Roble la seleccionara para formar parte del segundo volumen de su serie *El teatro español: historia y antología*, Madrid, Aguilar, 1942-1943. En ese mismo año de 1943 la pieza tirsiana se incorporaba a la popular colección «Austral» de Espasa Calpe, lo que le aseguraría numerosas reediciones posteriores y una notable difusión. Y al final de esa misma década de los cuarenta hay que señalar la edición anotada, aunque de destino escolar, de Enriqueta Hors Bresmes para la no menos popular colección «Clásicos Ebro», ya desaparecida, y de la que también hubo posteriores reediciones. Otras ediciones modernas se registran, como se decía, en un apartado posterior y específico sobre Bibliografía de la obra.

En resumidas cuentas, estamos ante un texto que ha sido bastante reeditado hasta la fecha actual. Pero ¿ha sido tan representado? No tanto como publicado. Veamos la suerte escénica que ha corrido esta pieza de Tirso.

En este punto sigo, parcialmente, las informaciones aportadas por Bushee-Stafford (1948) en el estudio preliminar de su significativa edición crítica. Así nos dicen las citadas investigadoras del Wellesley College que, si bien no se sabe con exactitud la fecha de la primera representación de *La prudencia en la mujer*, la obra se estrenó poco antes de que fuese reeditada en el siglo XVIII por Teresa de Guzmán y gozó de un cierto periodo de éxito al que siguió un amplio tiempo, prácticamente de un siglo, de indiferencia y olvido. La reivindicación escénica de Tirso comienza en los escenarios de finales del siglo XVIII (como ya señaló Menéndez Pelayo en sus *Estudios de crítica literaria*, II, 1895, 133)[27], cuando se data la refun-

---

[27] Allí don Marcelino apuntaba que «la rehabilitación de Tirso, a fines de aquella centuria y principios de la actual, no comenzó en los libros de crítica, sino en el teatro; fue popular antes de ser erudita; fue labrando día por día en la conciencia del vulgo espectador antes de penetrar en el ánimo de los doctos; no vino impuesta, como la apoteosis de Calderón, por el romanticismo extranjero triunfante, sino que tuvo todos los caracteres de una restauración indígena».

dición de Vicente Cipriano de Segura con el título *La prudencia en la mujer y reina más perseguida,* refundición que citan
García de la Huerta[28] y Moratín, y menciona La Barrera, y de
la que hay una edición suelta en la Biblioteca Nacional de España[29] y tres copias manuscritas, de diferentes estadios, y sin
el nombre del refundidor, en la Biblioteca Municipal de Madrid, con el título ligeramente alterado *(La prudencia en la mujer y más perseguida reina. La avaricia castigada)* y que tienen el
interés de facilitar el listado de cómicos que la representaron.
Es probable que se escenificase en 1785, porque su título coincide con el de una comedia representada en tal fecha que cita el
Memorial Literario de Madrid, en el Coliseo del Príncipe, y
por la compañía de Rivera:

> Esta Comedia es una representación de varios sucesos
> acaecidos a la reina doña María, durante los catorce años de
> la menor edad de su hijo Fernando el IV, en que fue Gober-
> nadora del Reyno, hasta que su hijo empuñó el cetro. En ella
> no observa regularidad alguna en tiempo ni en lugar; ni me-
> nos en acción, pues tiene muchas, y así no debe llamarse co-
> media, sino diálogo seguido.

Y parece también que se repuso en los dos coliseos madrileños en las temporadas 1787, 1789, 1791 y 1793, según las
carteleras rastreadas por Ada M. Coe[30]. En las representaciones del 87 es probable que interviniera la afamada actriz
María del Rosario Fernández «La Tirana», enrolada en la compañía de Manuel Martínez, según anota Emilio Cotarelo[31]. Es
posible que se hiciesen también representaciones de esa refundición de Cipriano de Segura en Barcelona, de nuevo sin

---

[28] En el volumen XVI del Theatro Hespañol *(sic),* Madrid, 1785.
[29] Cfr. Bushee (1933, págs. 273-275). La signatura del ejemplar de la Nacional es T/19425. Es ejemplar editado en Sevilla, sin lugar y sin año.
[30] Trabajo citado en la nota 25.
[31] Emilio Cotarelo y Mori, *María del Rosario Fernández la Tirana, primera
dama de los teatros de la corte,* Madrid, Sucesores de Rivadeneyra, 1897, pág. 75,
libro reeditado en 2007 por la Asociación de Directores de Escena de España,
con prólogo de Joaquín Álvarez Barrientos.

especificar la identidad del refundidor, en 1778 y 1779, a cargo de la compañía de Sebastiana Pereira[32].

Alice H. Bushee (1933) hizo el cotejo del original con la refundición de Cipriano de Segura y notó que aparece un personaje nuevo, que en Tirso está sólo ocasionalmente aludido, Teresa Benavides, la mujer cortejada por uno de los Carvajales, junto con su criadita Flora. Ya en el acto primero, y cuando la reina se siente cercada por los pretendientes a su mano, y sobre todo, al trono de su hijo, la acción se interrumpe, e Isabel, una criada inventada por el refundidor, dice: «Señores, / brava cosa, / sin versos se retira la graciosa / en siendo historia seria o sazonada: / el ingenio no quiera diga nada / y que pues todas tres jornadas corro / si no tengo papel, eso me ahorro», y da entrada a doña Teresa de Benavides y a su criadita Flora —«de gala a lo antiguo», dice la acotación—, desarrollando el motivo del enamoramiento de la dama de don Juan Carvajal. Dicha criada con Veneno y Tacón (nuevos nombres de los originales Carrillo y Chacón), representan a los graciosos que transitan a todo lo largo de la adaptación, funcionando en el sentido que lo hacen los villanos de Berrocal en el acto tercero del original, porque esta adaptación acaba en donde finaliza la segunda jornada de la comedia de origen. Y un pasaje importante como es el de la caída de la pintura de la reina, cerrando el paso y la criminal intención al médico judío, aquí se carga de realismo, como la escena en la que la reina derriba la mesa redonda en la que los nobles sediciosos se disponen a celebrar un banquete; y el vaso que enseña doña María como la única posesión personal que le queda en su otrora patrimonio se hace coincidir, en esta adaptación, con el mismo vaso con que el judío pretendía administrar el veneno al joven rey. Y las octavas rotundas del comienzo de Segura las sustituye, como ya había notado Durán, por «un romancillo insípido y desaliñado».

Entre 1801 y 1802 unas pocas obras de Tirso, y tal vez entre ellas *La prudencia*, se incluyen en la «lista de las piezas dramáticas que conforme a la real orden de 14 de enero de 1800

---

[32] Alfonso Par, «Representaciones teatrales en Barcelona», *BRAE*, 1929, pág. 432.

se han recogido, prohibiéndose su representación en los teatros públicos de Madrid y de todo el regno» *(Teatro nuevo español,* Madrid, 1800-1801, I, págs. xxvi-xxvii.). En el arco temporal de 1803 a 1819 treinta de las obras de Tirso se representan, con un total de 98 representaciones, según Coe. No obstante, los admiradores de la obra de Tirso tendrán alguna decepción al comprobar que ninguna de las obras históricas que se escenifican durante ese periodo de arrolladora popularidad del autor fue la que aquí interesa. Es en mayo de 1858 cuando tenemos constancia de otra representación de esta obra en el Teatro Circo a partir de un texto refundido por Hartzenbusch, que estuvo en cartel tres días[33]. De la versión utilizada para aquella ocasión por los actores hay copia manuscrita en la Biblioteca Nacional de España (mss. 14184/7 y 14206-4) y esta refundición fue publicada por el hijo de don Juan Eugenio, en Barcelona, Casa Editorial Maucci, en 1910. En una nota final, el editor nos informa que esta versión, en efecto, se estrenó por Teodora Lamadrid, Rafaelita Tirado («que aún no contaba quince años»), don Joaquín Arjona y don Mariano Fernández. Se trata de una versión con frecuentes alteraciones textuales (de alguna de ellas, a título de muestra, se deja constancia en las notas al texto de esta edición) que en ocasiones casi la convierten en un texto distinto, aunque permanezca el diseño básico y el argumento esencial de la obra tirsiana. Además Hartzenbusch anula muchos pasajes de la obra original y amplía, en cambio, otros: así la escena de los rústicos presentando sus respetos a la reina, en el texto del refundidor se acrecienta enormemente, hasta ocupar los folios 68r a 73r de su manuscrito, cuando en el texto de Tirso se desarrolla sólo entre los versos 3086 y 3181. Y hace cambios que, de acuerdo con la psicología de los personajes, parecerían más lógicos a los espectadores del XIX. Así, y en el mismo acto tercero, cuando don Juan enseña a la reina el papel que, contra ella, ha hecho firmar a los otros nobles desleales, y ésta se lo pide a su cuñado, el Infante, mucho más sagaz y astuto que en el original tirsia-

---

[33] En concreto los días 20, 21 y 22 de mayo, según se recoge en el volumen de Irene Vallejo y Pedro Ojeda, *El teatro en Madrid a mediados del siglo XIX. Cartelera Teatral (1854-1864),* Universidad de Valladolid, 2001, pág. 101b.

no, vuelve a guardarse el pliego y le argumenta a la reina (en la versión de Hartzenbusch):

> Vuestro buen juicio,
> probado ya largamente,
> sin duda comprenderá
> que un pliego así no se da
> sino en tiempo conveniente.
> Por poco, a mi parecer,
> mi mano el papel retira:
> justa fama en vos admira
> la prudencia en la mujer.
> Si esta noche nos casamos
> como ya en orden lo tengo
> a dar el papel me avengo.

Y aunque la reina insiste en que se lo entregue en ese momento, el astuto don Juan condiciona: «En cuanto seamos / los dos mujer y marido», porque esta vez don Juan quiere pasar por ser «el más fuerte». Con lo que, al imposibilitar la artimaña de la reina, la de esconderse el papel y aparentar romperlo, rasgando un folio distinto, Hartzenbusch tiene que buscar otra solución final, cual es la de acentuar, especialmente en este remate de la comedia, los propósitos de don Juan de hacer de la reina su esposa, y lo intenta de forma despótica y amenazante, como los maridos impuestos por intereses de los dramas románticos. A ese tipo de teatro resuena este breve fragmento de un diálogo totalmente inventado por Hartzenbusch:

> JUAN.   Por conclusión
>   del todo os halláis perdida:
>   ceded.
> REINA.   ¡Yo ceder ahora!
>   ¡Menos que nunca!
> JUAN.   ¡Señora!
>   Ceded, que os irá la vida
> REINA. ¿Me amenazáis?
> JUAN.   Acabemos
>   ¿Queréis venir al altar?
> REINA. ¿Para qué? ¿Para jurar
>   allí que os odio? Marchemos.

JUAN. Mirad que no retrocede
quien tan adelante va.
REINA. Mirad que quizá os está
oyendo alguno.

(fols. 80v-81v)

Hartzenbusch resuelve el embrollo haciendo que las presiones, amenazas y mentiras de don Juan sean escuchadas por el rey, escondido en las ruinas del convento próximo (ruinas que más responden al gusto escenográfico del drama romántico, en el que Hartzenbusch fue notable creador, que a los espacios del teatro barroco). Y cuando don Juan, airado, amenaza con un puñal a doña María, el rey sale de su escondite armado con una ballesta que le pone al pecho a su tío. Se precipita el final, sin la habilidad que asiste a Tirso de mantener el suspense hasta el último momento, anulando del todo la soberbia escena en la que María de Molina, de forma gradual y medida, va declarando en qué ha invertido su patrimonio para defender a su hijo. Hartzenbusch sustituye esa escena por una nueva, de tono cómico, confiada a los rústicos.

En 1889 se fecha otra refundición de Enrique López Funes[34], de cuya posible escenificación no hay noticia cierta, y cuyo cotejo con el original arrojaría bastante información acerca de cómo se procedía en estos trasvases de textos antiguos para nuevas explotaciones escénicas, a finales del XIX, que eso venían a ser las famosas «refundiciones»[35].

---

[34] Manuel Enrique López Funes (1851-1904), militar que participó en la tercera guerra carlista y en la de Cuba, frecuente colaborador en revistas de la época como *La Ilustración Española*, *La Revista Teatral* o *La Ilustración Artística* de Barcelona. Entre sus obras teatrales originales destacan *Últimas escenas* o *El mejor juez de conciencia*. Esa refundición llegó a editarse (véase el apartado «Relación de ediciones», en la Bibliografía).

[35] Enrique García Santo-Tomás define la «refundición» como «la adaptación de un texto dramático con una serie de cambios que responden al momento de la reescritura y a las inquietudes estéticas y sociopolíticas de su refundidor [...] Supone un proceso de lectura e interpretación personal de un texto previo, que se recupera y adquiere vida en un nuevo marco» (Frank P. Casa, Luciano García Lorenzo y Germán Vega García-Luengos [dirs.], *Diccionario de la comedia del Siglo de Oro*, Madrid, Castalia, 2002, pág. 253).

Ya en el siglo XX hubo diversos montajes de la obra dignos de reseña, y distintos entre sí. En septiembre de 1930, y a lo largo de un mes, la obra fue representada en el Teatro Español por la compañía de la Xirgu, en versión de Cristóbal de Castro[36], e hizo la crónica de esta representación, en *La Época* Araujo-Costa, que destacó la interpretación del actor Alejandro Maximino en los dos personajes del médico judío y del alcalde Berrocal. El papel del Infante don Juan lo encarnó el actor Alfonso Muñoz y el de don Enrique otro actor llamado Alberto Contreras[37]. El crítico Araujo lamentaba que se hubiese suprimido en el montaje el episodio del retrato que cae, e informaba, además, de que en el primer entreacto de la representación, el director de la misma, Rivas Cherif, leyó unas cuartillas de doña Blanca de los Ríos, reproducidas en el número 141-142 (1930) de la revista *Raza Española*, con alguna información gráfica al respecto. En esa misiva, doña Blanca sugería que la obra estaba escrita por Tirso pensando en el joven rey Felipe IV, que acababa de subir al trono a los diecisiete años, y al asunto del ajusticiamiento de don Rodrigo Calderón, acusado de haber envenenado a la reina Margarita, en complicidad con el médico de palacio, Dr. Mercado. De ese

---

[36] En opinión de Alice H. Bushee es ésta la mejor de las refundiciones, a partir del texto fijado por Hartzenbusch, y con bastante respeto a la obra original, pero no me consta que se editara.

[37] Tal vez alguno de estos actores fuera sustituido en alguna ocasión por el afamado actor Enrique Borrás, si es cierta la intuición de Adolfo Marsillach en el siguiente comentario, sacado de su artículo «Borrás y unas fotos» *(Revista ADE Teatro,* 77, 1999) que son las apostillas referidas a un catálogo dedicado a la actriz Margarita Xirgu, y que sirve de comentario a aquella escenificación de la obra de Tirso: «Busco a Enrique Borrás. Y lo primero que encuentro es la imagen de una escena de *La prudencia en la mujer* de Tirso representada en el Español de Madrid el año 1930. En ella se ve a Margarita sentada y vestida "prudentemente" mientras un caballero con capa y pelucón la tiene tomada de la mano. Es posible que el compasivo personaje sea don Enrique, aunque no me atrevería a asegurarlo. De todas formas el cuadro se las trae: una cortina de terciopelo al fondo, una alfombra de indefinible artesanía y la sibilina presencia de una puerta más o menos claveteada. Ah, y unos severísimos dignatarios preservando los deseos de la reina» (cito por la recopilación de escritos teatrales de Marsillach a cargo de J. A. Hormigón y titulada *Un teatro necesario,* Madrid, Asociación de Directores de Escena de España, 2003, pág. 555).

texto de doña Blanca reproduzco el siguiente pasaje (sacado de la página 37 de la mencionada revista *Raza Española):*

Y sobre ser el mejor drama histórico de nuestro teatro y la más completa y viviente dramatización de la Edad Media, *La prudencia en la mujer* posee otro mérito singular, único; fija un hito, marca un avance en la historia de nuestra dramática, aporta a ella un valor nuevo, es decir, eterno, pero calculadamente desdeñado, un personaje capital, ineludible: la madre, sin la que nuestro teatro no podía ser, y no era, representación íntegra y veraz de la vida, y cuya exclusión sistemática de toda nuestra dramaturgia, excepto de la de Tirso, evidencia lo que había de convencional y artificioso en aquel gran arte nuestro, y evidencia cuál fue el único dramático que, sin amputarla ni expurgarla, llevó la vida humana a la escena, el único que entre sus manos de teólogo y de sicólogo de la gran estirpe, plasmó criaturas con carne y alma y gigantes estéticos que perviven como los símbolos y los dioses.

El segundo montaje ya es de 1946, por el TEU recién creado entonces, y con la dirección de Modesto Higueras (que decidió trabajar solamente sobre los dos primeros actos) y que se representó primero en Burgos, ante Franco, y luego en el Teatro Beatriz, sede habitual de aquella compañía entre oficialista y universitaria. En 1949, la obra fue vista en Buenos Aires, según un montaje dirigido por Humberto Pérez de la Ossa, con la actriz Mercedes Prendes encarnando el personaje de doña María. En 1954, Modesto Higueras volvió a supervisar otra representación de *La prudencia* en el Teatro Español, adaptada ahora por Félix Ros y deslucida, en parte, por unos decorados y una iluminación pobres, y una declamación que, según el crítico Marqueríe: «pecó de monotonía y también el movimiento escénico estuvo afectado de cierta rigidez, acaso deliberada, porque la dirección entendió tal vez que convenía mejor al clima de la obra la sugestión o el remedo de la inmovilidad de los retablos» *(ABC,* 25 de abril de 1954, pág. 67). A pesar de ello la obra se mantuvo en cartel desde finales de abril hasta comienzos de junio de ese año. Nueve años después fue Luca de Tena quien volvió a ofrecer, con escaso acierto del conjunto, el drama tirsiano desde el Español, con

Carmen Bernardos en el principal papel y con la escenografía de Burmann, cuyos bocetos se reproducen en esta edición (pág. 175). Después hay que dar un enorme salto en el tiempo, hasta 1982, año en el que hubo ocasión para un nuevo montaje de la obra tirsiana, con la compañía de Ana Mariscal y, de nuevo, la dirección de Modesto Higueras, en el marco del V Festival de Almagro. Al representarse en Madrid, en plena temporada de verano y al aire libre, el crítico Lorenzo López Sancho consideraba que el montaje en cuestión resultaba una antigualla porque su mensaje no se había actualizado. Se consideraba por parte del crítico que

> hoy la prudencia de Doña María de Molina, su insistencia en perdonar las conspiraciones, traiciones, alevosías y ataques a mano armada del infante don Juan, podrían servir de paralelo a ciertas actitudes indultadoras del momento político de más rabiosa actualidad [en clara alusión a los golpistas del 23-F del 81]. Lo que en Doña María ha sido tenido por prudencia no será tenido por debilidad en gobernantes de hoy y distintas circunstancias.

Se le echó en cara a este montaje excesivo respeto academicista al original, y se concluía que «en general la interpretación, más que tal, es una dicción, una recitación respetuosa del texto, dentro de un juego escénico muy convencional y exterior». En fin, Lorenzo López Sancho lamentaba que, si la obra la escribió Tirso para que resonara en la actualidad política de su tiempo, no lo hace para nada en el tiempo en el que se volvía a poner en pie en un escenario. Y se pronunciaba contundente, en cuanto al fracaso de esa dimensión, en el último párrafo de su crítica:

> No hay aproximaciones. No hay politización de los versos inmortales del mercedario ni de las prudencias y perdones de doña María de Molina, y todo queda así en la versión tranquila, modesta y sin alardes de uno de nuestros clásicos más ilustres. La Historia, maestra de la vida, apenas si insinúa su lección para hoy en el catafalco escénico de la plaza de la Villa de París (*ABC*, 28 de agosto de 1982, pág. 45).

En la presente edición se reproducen algunas fotografías de aquella representación (págs. 247 y 249).

Y un nuevo y dilatado salto de veintiséis años para que el experimentado director Alberto González Vergel volviese a presentar, en Almagro, la última versión escénica de la obra de la que tengo noticia, en julio de 2008, aunque el estreno, en rigor, fue en los últimos días de junio en una hermosa plaza de la «Ciudad Monumental» cacereña. Un montaje reciente, que merece algunas consideraciones.

Un escueto decorado compuesto de paneles con recortes de prensa actuales, referidos a ciertas tensiones interregionales en la España de régimen autonómico[38], y un panel central en forma de tríptico, que reproduce el escudo de Castilla, flanqueado por escudos nobiliarios, que en momentos determinados se muestran como espejos deformantes. El panel central de este tríptico sirve para la entrada o salida de la reina y la aparición del trono real que simboliza la monarquía puesta en liza. Por otra parte, el director patentiza la controversia de poderes que se va desenvolviendo en el texto con dos danzarines de artes marciales, que trazan sobre el tablado sucesi-

---

[38] Al final del acto segundo, una vez detenido el insurrecto y traidor don Juan y conducido al castillo de la Mota, la reina pregunta a sus leales presentes (en el texto original): «Pero, decid, ¿cuántos son / los que en Castilla y León / reinan hoy? Que estoy en duda. / Responded»; versos que en el montaje de González Vergel se oyen así: «Pero decid: ¿Cuántos son / los que en cualquiera región / mandan hoy? Que estoy en duda.» Y unos versos más adelante, alterando también el original, confirmamos esa primera impresión de censura de excesos autonómicos con estos otros versos: «Pues sé que en torno a una silla / hay tantos reyes cual líderes / cuya ambición ocupar / quieren en su villa.» Y cuando la reina pregunta por las rentas que las diversas facciones nobiliarias obtienen del patrimonio real, en la escena los diversos líderes presentes acaban riñendo al notar diferencias de financiación ante la mirada desdeñosa de doña María, que comenta: «Cada cual su región cobre / y para que a todos sobre / privad al Estado menos: / que no son vasallos buenos / los que a España tienen pobre» como reescritura de estos otros versos tirsistas: «Cada cual su estado cobre, / y para que a todos sobre / desustanciad al rey menos / que no son vasallos buenos / los que a su rey tienen pobre.» Y ya en el acto tercero se pone en boca de don Nuño una contundente afirmación («que si no acudes temprano / el vil reparto de España / no has de poder evitarlo») en sustitución de los versos originales: «que si no acudes temprano / al peligro de Castilla, / no has de poder remediarlo».

vas danzas de lucha, de alianza o de concordia, según corresponda a cada secuencia de la pieza. González Vergel viste a todos los opositores o aliados de la reina con trajes modernos (buscando reforzar ese acercamiento al tiempo del espectador, propósito que igualmente pretenden los textos fragmentados de los paneles escenográficos), pero deja en traje de época a doña María de Molina y al rey Fernando IV, tanto en su presencia de niño como en su apariencia de adulto: una simbiosis en la escenografía y en los signos paraverbales del vestido entre el ayer histórico y el presente, lo que explica, por ejemplo, que en un momento dado don Juan y don Enrique conversen a la vez que hojean un periódico del día.

González Vergel es bastante respetuoso con el texto, y la incidencia mayor sobre el original consiste, como es acostumbrado, en la supresión fragmentaria de parlamentos o de alguna secuencia entera, como por ejemplo en el acto II, después de descubrir los intentos de envenenamiento del médico judío, y antes de la interesante entrevista, a solas, de doña María y el sedicioso don Juan. Y suprime también, por no necesaria, la escena de la audiencia de los rústicos de Becerril ante la reina, en el acto tercero, como así mismo la breve aparición de dichos personajes villanescos en la última escena. Al finalizar la obra, González Vergel sustituye el ultílogo de la misma, totalmente fuera de lugar, por estos otros cinco octosílabos que intensifican el significado político de la pieza resonando en lo hodierno de su representación: «Al pueblo pido que aprenda / unido y en hermandad, / fiel a legendaria tierra / lograr la unidad de España / con valor y con prudencia.»

Vemos, pues, que la parte mayor de la obra es de base histórica; la parte legendaria, conocida y querida por el corazón del pueblo, fue añadida por Tirso y gira en torno de uno de los grandes personajes de la historia medieval española, en el que su condición de mujer había de reforzar el interés de Tirso. La fuente fundamental, como ya fue señalado por Morel-Fatio y por críticos siguientes (como Alice Bushee) fue la *Crónica de Fernando IV,* el tercero de los cinco libros que forman la *Crónica de los Reyes de Castilla,* obra atribuida a Fernán Sánchez de Tovar o de Valladolid, aparecida en Valladolid, en 1554

55

(BAE, LXVI, por donde cito). Los pasajes más destacados de la referida *Crónica* que Tirso pudo utilizar como fuente se refieren, o se transcriben, en las notas a la edición. Pero indudablemente Tirso tuvo también en cuenta otros tratados históricos y genealógicos, como *Los cuarenta libros del compendio historial,* de Esteban Garibay y Zamalloa (Amberes, 1571), *Nobleza del Andaluzía,* de Gonzalo Argote de Molina (Sevilla, 1588), la *Historia general de España,* del Padre Mariana (1592), y *Origen de las dignidades seglares de Castilla y León,* de Pedro Salazar de Mendoza (Toledo, 1618). De este último, y de Argote, por ejemplo, puede proceder la información sobre la condena a muerte de los Carvajales y el anuncio de castigo divino por parte de aquéllos al rey, suceso legendario del que Tirso se hace eco, de pasada, en un breve pasaje del acto tercero.

Con ese conjunto de fuentes Tirso procedió, con gran pericia, a una condensación y simplificación de elementos, haciendo de su obra el retrato de un turbulento periodo histórico que siguió a la muerte de Sancho IV, pues el dramaturgo sabía que escribía para un público del siglo XVII, que no estaba tan familiarizado con los hechos históricos recreados de un periodo determinado. Por ello mismo Tirso no tuvo que renunciar a los acostumbrados anacronismos que presentan, en general, los dramas del Siglo de Oro, sobre todo los históricos, y que no se sentían como tales.

Un aspecto fundamental de esta parte del estudio de la obra tiene que ver con su fecha de composición, pues aquilatar y matizar al máximo el momento de su escritura nos ayudará a determinar en la misma una intencionada crítica con respecto a la actualidad política y social en la que se concibió, mucho más allá del mero propósito arqueológico o recreador de unos sucesos del pasado, desconectados en absoluto con el presente de Tirso y su público.

Morel-Fatio, al analizar el problema de las fuentes de la comedia, señalaba que la primera mención de la pugna entre los Benavides y los Carvajales, así como la identificación de los hermanos Carvajal como asesinos de Juan de Benavides, las pudo encontrar Tirso en la obra (ya mencionada como fuente) *Origen de las dignidades seglares de Castilla,* libro de Salazar y Mendoza publicado en Toledo, como se decía líneas arriba, en 1618, y eso indicaría que Tirso la escribió no mucho después de esa fecha, y, en cualquier caso, no antes[39]. Así pues se señalaría la fecha de 1618 o 1619 como fecha más temprana posible de composición (término *a quo*) y 1633 como fecha *ad quem*, pues en el mes de septiembre de ese año está fechada la aprobación de la *Parte Tercera* en la que se incluyó. Hay un detalle del texto, ya señalado por Morel-Fatio, que puede contribuir también a aquilatar ese asunto de la fecha de composición. El gran crítico francés parte de la hipótesis, seguida luego por Kennedy, de que el interés por referir sucesos de la Castilla del siglo XIII es porque en ellos Tirso encontraba cierto parecido o paralelo con otros sucesos de la España, y de la realeza, de su momento. Es un hecho comprobado que en mucho de este teatro histórico del Barroco (siglo XVII) hay alusiones, la mayoría de las veces deliberadamente anacrónicas, a personajes o situaciones de la actualidad del dramaturgo y de su público, lo que nos sirve en muchas ocasiones para establecer cronologías de composición más o menos acertadas. Así, y volviendo a *La prudencia en la mujer,* en el acto III uno de los rústicos que está saludando a la reina comenta una desgracia de los campos: «Lo que toca a la langosta, / mos afrige a cada paso» (vv. 3161-3162), referencia que podría conectarse con la importante plaga de langosta sufrida por el campo español en 1619 y descrita por Juan de Quiñones en su tratado de 1620 *Tratado de las langostas*[40]. Si plagas de langosta eran comunes y frecuentes en los campos agrícolas de la España de entonces, debe resultarnos significativo que Tirso lo resalte en su texto, tal vez porque quería remitir a alguna plaga concreta que resonara intensamente entre los asistentes al corral, por sus ruinosos efectos y su proximidad en el tiem-

---

[39] Sin embargo, esa hipótesis de Morel-Fatio podría resultar insuficiente si tenemos en cuenta que Menéndez y Pelayo encontró otra referencia a la muerte de un tal Gómez de Benavides a manos de los Carvajes en un tratado de historia del siglo XV *(Valerio de las historias escolásticas y de España* —Murcia, 1487— del Arcipreste Diego Rodríguez de Almela) en el que pudieron documentarse al respecto Lope y Tirso, y con anterioridad a esa fecha de 1618.

[40] Juan de Quiñones, *Tratado de las langostas, muy útil y necesario, en que se tratan cosas de provecho y curiosidad para todos los que professan letras divinas y humanas, y las mayores ciencias,* Madrid, Juan Sánchez, 1620.

po, y así podríamos fechar la obra durante el año 1619, año de plagas importantes, o muy poco después.

Otras dos sutiles pistas podemos hallar en el texto para fijar esa cronología. Ruth L. Kennedy estudió el influjo que pudo tener en la escritura dramática de Tirso, entre 1617-1625, el decreto sobre bienes suntuarios de 1623, promulgado por Felipe IV en febrero de aquel año, y referido a la prohibición de excesos en el modo de vestir, al no tener éxito anteriores pragmáticas de Felipe III dictadas en 1619 sobre el mismo asunto[41]. Si Tirso hubiese compuesto su obra con posterioridad a la promulgación de dicha pragmática, que fue acompañada de una amplia reacción de protesta en todo Madrid, no es probable que hubiese podido sustraerse al deseo de incluir una referencia alusiva o satírica en su texto. También asocia la comedia con aquellos primeros meses del reinado de Felipe IV la tirsista Blanca de los Ríos, y asigna la fecha de escritura a los primeros meses del reinado del nuevo monarca, basándose para ello en el incidente del intento de envenenamiento que ocurre en la jornada segunda, que doña Blanca conecta con el rumor de que se había acusado al valido don Rodrigo de Calderón de intentar el envenenamiento de la esposa del rey, doña Margarita, por lo que fue condenado a muerte en octubre de 1621.

Como argumento, también, para fijar la fecha de composición de *La prudencia* podemos utilizar la promesa que hace Tirso, al final del texto, de ofrecernos en breve otra comedia centrada en los Carvajales. Nada se sabe de esta obra, y casi se tiene la convicción de que Tirso no llegó a escribirla jamás. Pero Lope de Vega sí escribió una obra con el mismo (posible) referente temático que el que hubiera de tener la de Tirso, titulada *La inocente sangre,* comedia que se puede fechar con bastante seguridad entre 1604 y 1608, y que fue retocada en 1622. ¿Decidió Tirso, habiendo tenido noticia de esta obra de Lope, no competir con su amigo y literario rival, y por tanto renunciar a la escritura de la comedia anunciada? ¿Fue

---

[41] «Certains phases of the Sumptuary Decrees of 1623 and their relation to Tirso's Theater», *Hispanic Review,* X (1942), págs. 91-115.

Lope el que, conociendo la intención de Tirso de tratar el mismo asunto, retocó su comedia para estrenarla, y evitar la competencia con el mercedario? Vale cualquiera de las dos hipótesis, que nos llevarían a la fecha de composición de *La prudencia* en torno a 1621 o 1622, y no después. Ya Alice Bushee y Lorna Lavery Stafford habían fijado la composición en el tiempo que media entre 1619 y 1623.

En esta tarea de fijar la fecha de escritura de la comedia que nos ocupa, fue decisiva la publicación en 1948 del concienzudo y documentado trabajo de la tirsista Ruth L. Kennedy *«La prudencia en la mujer* and the ambient that brougth it forth»*, inmediatamente traducido en la revista *Estudios* (principal órgano en España de los estudios tirsistas, junto con el Instituto de Estudios Tirsianos, de la Universidad de Navarra, y por donde hago las citas literales del artículo de la profesora Kennedy). Allí, y partiendo de las intuiciones de Morel-Fatio y de Blanca de los Ríos de que la obra se había escrito coincidiendo con el comienzo del reinado de Felipe IV, se argumenta lo que sigue para ratificar esa circunstancia, partiendo del siguiente doble aserto: a) que *La prudencia en la mujer* se inserta en la rica y medieval tradición *de regimine principum* (doña María educa y aconseja a su hijo, el joven monarca Fernando IV, para que ejerza el gobierno con sabiduría, templanza y prudencia)[42]; y b) los problemas de Estado que Tirso vislumbra en el tiempo medieval recreado tienen bastante paralelo con los que enmarcan la llegada al trono, en 1621, a los diecisiete años —como el hijo de Sancho IV— del joven mo-

---

[42] No deja de ser curioso que Tirso presente, por parte de su heroína, una intención de educar al nuevo rey (recuérdese, especialmente, el largo parlamento inicial del acto tercero) pareja a la que, en el tiempo de lo dramatizado, había proyectado el mismo padre de Fernando IV, el rey don Sancho, tal vez para limpiar su imagen de hijo rebelde contra la autoridad real de Alfonso X: los *Castigos e documentos del rey don Sancho* (1293) otro ejemplo de *speculum principis*, basado probablemente en el *Lucidario*, libro promovido por el mismo monarca. Allí se aconseja al príncipe que escucha sobre cuestiones que también doña María quiso llevar al ánimo de buen gobierno de su hijo: la sumisión del rey a la divinidad, las cualidades religiosas y morales que deben adornar al buen rey, y la ordenación de una corte en la que domine la grandeza espiritual antes que la ambición material, etc.

narca Felipe IV (y nótese la coincidencia, aunque menor, sí significativa, del mismo ordinal que afecta a los dos monarcas a tres siglos de distancia, y de la misma inicial de sus nombres). Recuerda oportunamente Ruth L. Kennedy la pésima situación económica que había en España a la llegada al trono del nuevo Austria, por los gastos invertidos en la guerra de los Treinta Años, iniciada en 1618, lo que exigía la imposición de nuevos impuestos que fueron contestados con no poca resistencia, y el esfuerzo añadido para mantener la lealtad de un ejército sin apenas medios ni sustentos. Carencias parecidas salen a relucir en *La prudencia*. También Tirso, en su comedia, hace que doña María amoneste al rey (acto III) para que no caiga en el error de premiar gratuitamente a sus servidores, defecto en el que está cayendo, en esos años, el inexperto Felipe IV[43]. Felipe, como Fernando, era bastante aficionado a la caza en los montes madrileños[44], llegando a abandonar los

---

[43] En realidad, Tirso se pronuncia preventivamente contra los validos en esta obra como ya lo había hecho en la titulada *Privar contra su gusto* o el mismo Quevedo en su texto *Cómo ha de ser el privado*. En un romance incluido en los *Cigarrales de Toledo* (cigarral tercero) y referido al río Manzanares y su escaso caudal, Tirso ironiza sobre las dádivas cortesanas de Felipe IV a sus validos: «Pedidle al Cuarto mercedes, / que otros han servido menos / y gozan ya / más estados / que cuatro pozos manchegos.» Y el asunto de los privados también lo toca Tirso en el auto *Los hermanos parecidos* (incluido dentro de la miscelánea *Deleitar aprovechando*, de 1635).

[44] Ya lo señalaba Quevedo en este rápido retrato del recién llegado monarca inserto en sus *Anales de quince días*, algo exageradamente encomiástico, y al tiempo etéreo, tal vez con intención de conseguir el favor real desde su situación de desterrado de la Corte: «Su condición es advertida, igual, resuelta, con madurez, permanente, no ocasionada. Es magnánimo y generosamente amador de los ánimos desinteresados, sin poder admitir asomos de codicia. Su ejercicio es robusto y decente, con señas del ardor que a grandes cosas le azora los pasos en tanta mocedad entretenidos. Su caminar es por la posta, su holgura la montería, su entretenimiento las armas; todas promesas de aliento y empeño animoso para grandes victorias. Amartelado remunerador de la milicia con desvelo; premio y amparo de letras con virtud. Si lo poco que del mundo no le obedece fuere dichoso será suyo; y si tuviere seso la Fortuna, se sosegará a sus pies; y si España mereciere de Dios gloria y paz y prosperidad, vivirá muchos y bienaventurados años, y los que le sucedieren le serán semejantes» (cito por el volumen *Los mejores textos en prosa de Francisco de Quevedo*, ed. al cuidado de Ignacio Arellano, Madrid, Homo Legens, 2006, págs. 460-461).

asuntos de gobierno en manos de sus privados por dedicarse enteramente a la práctica cinegética. Otro posible paralelo, en clave, lo halla Kennedy en lo que ocurre en el acto tercero, cuando el rey arremete contra su propia madre, exigiéndole rendir cuentas de la administración de los bienes reales: también Felipe IV —instigado por Olivares— exigió inventario de bienes personales a los que habían sido ministros allegados de su padre, como el duque de Lerma o don Rodrigo Calderón. Y llegó a ordenar la publicación en 1622 de una *Premática por la cual se manda que no se oculten bienes ni haciendas en confianzas simuladas, so las penas en ellas contenida*. Como en cierto modo sugiere Tirso que hizo «el Emplazado», Felipe IV persiguió a los que habían sido más leales a su padre, como Osuna, Uceda, el padre Aliaga y hasta el duque de Lerma. Así, paso a paso, y con abundantes citas y apoyos documentales (que no hay espacio para reproducir aquí) la profesora Kennedy concluye que el dramaturgo Tirso vio en el joven gobernante Felipe IV un ser

> tan débil, tan simple, tan incontinente y frívolo, tan poco respetuoso a la memoria y deseos de su amante padre, tan cruelmente injusto en su espiritual sumisión a las nuevas fuerzas que actuaban en torno suyo, como lo había sido Fernando para con su madre y los consejeros de ésta. España estaba en guerra con los enemigos de su fe, como María de Molina lo había estado con los moros mahometanos (pág. 272).

Y una página más adelante subraya la misma estudiosa que

> el terrible compromiso de España pedía una María de Molina prudente, paciente, comprensiva, magnánima; pero en su hora del destino subía al poderoso imperio español otro Fernando [...] Porque al igual que Fernando con todas sus debilidades, es el joven Felipe con sus graves defectos; así Enrique, Juan y Nuño —con sus mixtas cualidades de ambición, avaricia, crueldad y astucia— son el Conde-Duque de Olivares (pág. 273).

Es por tanto esta obra tirsiana, de admitir la bien fundada lectura de Kennedy, una obra histórica que pretende leer, *en actualidad,* el presente desde el que se escribe y en el que se emite o representa. Un clarísimo ejemplo de obra en clave, que importa no por lo que tiene de distanciada contemplación y reflexión de un pasado inoperante, sino de próxima y comprometida denuncia de una situación bastante presente. «La España de 1621-1623, enfrente de la cual escribió Tirso *La prudencia en la mujer* —por lo menos parte de ella—, estaba admirablemente preparada para comprender "el espíritu y el color" de la comedia de Tirso» (asegura la mencionada estudiosa en la pág. 272 de la versión española de su ensayo). ¿Tuvo algo que ver este *atrevimiento* de Tirso (las correspondencias entre los personajes de *La prudencia* y Felipe IV y su entorno no pasarían en absoluto desapercibidas) con el destierro decretado por la Junta de Reformación en 1625? Es probable que bastante, y Ruth L. Kennedy así lo considera:

> Que la causa del destierro de Tirso no fue específicamente *La prudencia en la mujer* parece evidente, toda vez que él mismo la publicó en vida del rey. Pero podemos suponer con algún fundamento histórico que la causa *no fue desemejante en espíritu e intención* (pág. 273).

En definitiva, y teniendo en cuenta ese paralelo determinante entre dos épocas y dos comienzos de reinados conflictivos, debe aceptarse la propuesta cronológica de Kennedy, según la cual la obra debió de escribirse entre el 31 de marzo de 1621 (fecha en la que asciende al trono el nuevo monarca) y el 13 de marzo de 1623; y aún precisa más: entre abril y junio de 1622, cuando Felipe IV llega a los diecisiete años de edad. En ese momento Tirso estaba en Madrid participando en las justas literarias para la canonización de San Ignacio de Loyola, y hacia el mes de mayo se desplazó a Zaragoza, para asistir al Capítulo General de la Orden, atravesando tierras castellanas que le recordarían la figura de María de Molina y le sugerirían la escritura de una obra que conectara aquel tiempo pasado con el suyo.

Tirso perfila el retrato de doña María de Molina de tres trazos, hechos con mano segura y maestra. De tres trazos que corresponden a otras tantas situaciones en las que la virtud, honradez y moral de la gobernanta sobresalen a la par que su astucia y su profundo conocimiento del alma humana, de los males del alma humana, como el de la pasión de mandar. Así la vemos, por dos veces, defendiendo a su hijo de tres nobles que intentan evitar que se confirme su asunción del poder regio, al cumplirse su mayoría de edad, y defendiéndose ella misma de la abierta oposición que le hace esa nobleza desleal y levantisca; y la vemos, por tercera y última vez, defendiendo su buen nombre y buen gobierno, atacados, incluso, por su propio hijo. En esa gestión otros personajes vienen en ayuda y defensa de la regente, y son fuerzas coadyuvantes a la principal de todas, que es su sagacidad (lo que Tirso denomina *su prudencia):* unos pertenecientes al sector nobiliario (los Carvajales y Benavides, y luego don Diego López de Haro) y otros al popular (las fuerzas vivas del pueblo de Berrocal). De modo que frente a una nobleza ambiciosa, sediciosa e históricamente negativa, Tirso hace resaltar una armónica tríada de gobierno formada por monarquía, nobleza y pueblo, todo un ideal del régimen absoluto de los Austrias, que en los años de Felipe IV empezaba a mostrar sus disfunciones.

Pero vayamos por partes, y analicemos la composición de Tirso, jornada a jornada.

Jornada primera

El comienzo no puede ser, retóricamente, más brillante. Tres rotundas y sonoras octavas reales en boca de los tres candidatos a usurpadores del trono de Castilla-León. En primer lugar el maduro don Enrique (que argumenta, en su favor, su *lógico* enlace matrimonial con la regia viuda; la política de anexión de territorios por derechos matrimoniales puesta en marcha desde los Reyes Católicos). En segundo lugar el joven y ambicioso don Juan, que se siente único y auténtico regente del reino, como hermano del rey fallecido, desautorizando, por tanto, el mandato por derecho conyugal de doña María, a la que —machistamente— don Juan ignora. La tercera comparecencia es para el noble vasco don Diego López de Haro, que en cierto modo se aproxima a la argumentación esgrimida por don Enrique, pues él planea también conseguir la mano de la reina (luego sabremos que en su caso hay un sentimiento afectivo más real y sincero que el que pudiese caber en el ánimo de don Enrique, meramente interesado, como camino directo para hacerse con el título de rey) pero se diferencia de los otros dos, desde ya, porque declara su lealtad al rey-niño y al derecho sucesorio del futuro Fernando IV: sólo pretende casar con doña María para reforzar la estabilidad de esa regencia. Por ello dice que defiende un «derecho claro», y por tanto ha de considerar mera usurpación las pretensiones de los otros dos oponentes.

En la discusión que, terminados los tres discursos presentativos, se establece entre los tres pretendientes, Tirso los convierte en tres galanes disputando por la misma dama, en un encadenado de autodefiniciones muy curioso: pasamos del perfil de simple «pretendiente» con el que se define don Enrique al tópico de la mariposa fatalmente atraída por la llama, que declara de sí don Juan, y a la imagen menos tópica (pero de análoga procedencia petrarquista) del girasol siempre vuelto hacia la luz solar, que se aplica don Diego. Y a continuación los tres caballeros ponen sobre el tapete sus respectivos derechos familiares a ocupar ese trono, o a hacerse cargo de esa regencia, haciéndonos ver que probablemente ese comportamiento de galanes rendidos ante la dama es la cara falsa de una oculta (pero no demasiado) ambición política que antes busca la destrucción de esa dama que su ensalzamiento.

La aparición en escena de doña María es ya premonitoria de su triunfo final y de los triunfos parciales sobre sus enemigos con que se remata cada uno de los tres actos. En esa primera alocución doña María se muestra en la doble dimensión de gobernanta responsable y de viuda honesta, para terminar presentándose como madre leal que defiende la vida y los derechos del hijo, las tres facetas que, unidas en una misma persona, Tirso hace evidentes en el perfil dramático de su personaje. Las «tres almas» a las que alude doña María al final de su parlamento: la de esposa fiel, la de madre protectora y la de gobernante insobornable. Su largo parlamento se ilustra con la aparición del rey niño en la escena, una suerte de entronización oficial de Fernando IV, de apoyo al nuevo monarca, que es el objetivo de la pieza en su dimensión histórica y en su alcance de actualidad temporal, al apoyar implícitamente Tirso el recién estrenado reinado de Felipe IV.

Que Tirso quiere además demostrar que en la mujer, en una mujer tan paradigmática como la que nos presenta en el drama, cabe la virtud de la prudencia, que la ecuación 'prudencia' = 'mujer' no es un oxímoron en todos los casos, lo indica la respuesta del engreído don Juan («la licencia / que de mujer tenéis, os da seguro / para hablar arrogante y sin prudencia») contrastada con la aseveración que hace don Diego al finalizar la jornada segunda: «pues vengo a ver / en nuestro siglo, apacible, / lo que parece imposible: / que es [que hay] prudencia en la mujer.» Y hace algo más don Juan, como es plantear una espinosa cuestión: la legitimidad del rey heredero por ser o no lícito (sin dispensa papal) el matrimonio de sus padres, por razones de consanguinidad. Pero a esta maniobra doña María responde con el recuerdo de algo que a don Juan le degrada a los ojos del personaje: que su actitud agresiva contra un inocente ya tuvo un preludio en el asunto de la rendición de Tarifa y contrastándolo con el heroico sacrificio de Guzmán el Bueno, que había consentido la ejecución de su propio hijo antes que entregar la plaza, o sea, imponer, como doña María, la responsabilidad política a los sentimientos personales, por atendibles y razonables que fueren. Esta primera secuencia en la que se plantea el conflicto básico y de partida, como en el ajedrez, se cierra con el movimiento sucesivo de los tres alfiles de un lado, retando, amenazadoramente (en dos casos) y de forma más suave (en un tercero). Y si los primeros parlamentos de don Enrique, don Juan y don Diego (por este orden) se producían en octavas, en octavas se verterán también —alterando ligeramente el orden— los parlamentos de cierre. Concluye la primera parte de esta jornada inicial con el primer movimiento armado de asedio a la realeza legítima: don Enrique y don Juan atacan Toledo, y doña María se ve obligada a replegarse a León, en donde se sabe más segura y rodeada de sus peones leales: como en una partida de ajedrez. Desde allí la Molina organizará la contraofensiva, que ha de llegar en la segunda mitad de la primera jornada. Pero entre tanto Tirso rellena el intermedio con una secuencia que parece abrir, sin continuarla, una segunda acción, de ámbito particular, y que en realidad cumple dos cometidos: a) incorporar a la escena tres nobles «leales» desde un principio a la reina, para así equilibrar la balanza con los presentados en un principio; y b) trazar los antecedentes inmediatos de otra historia que Tirso ya tiene en mente como argumento de una nueva «comedia histórica» acerca de la misteriosa y legendaria muerte de los Carvajales, según se permite anunciar al terminar ésta. De momento Tirso esboza un enfrentamiento de miembros de ambas estirpes por cuestiones amorosas, que la misma doña María, siempre atenta gobernante a solucionar los desequilibrios de su entorno, arregla para hacer que ambos nobles se alineen en su causa.

El segundo tramo de la primera jornada nos traslada al espacio nobiliario sedicioso, en el que don Juan y don Enrique siguen tramando la caída de la regente, pero ahora con la significativa ausencia de don Diego López de Haro, que empieza a distanciarse del contubernio. Su diálogo sirve para informarnos de la situación política del momento: la mayor parte del reino castellano-leonés apoya a los dos pretendientes, así como los otros dos reinos cristianos peninsulares, Aragón y Portugal. Pero don Juan no las tiene todas consigo. Sabe de la habilidad y fortaleza moral de su cuñada, y reconoce que mientras doña María esté libre, sus posibilidades de alzarse con el trono que había ocupado Sancho IV no son totales ni el camino está tan despejado como parece diagnosticar don Enrique. Por tanto no le vale ocupar las tierras: ha de anular físicamente a la regente. Se produce una situación paralela con la que daba fin a la primera parte de la jornada, pero de sentido contrario. Si en los versos 369 y ss. un criado alertaba a la reina, además de las voces que se oyen entre cajas, de que la ciudad toledana estaba siendo tomada por las tropas de los rebeldes, en los versos 853 y ss. otro criado informa, de acuerdo con los gritos que ahora escuchamos, que los Benavides y Carvajales, en nombre de Fernando IV, han recuperado la plaza toledana y apresan a los dos Infantes sediciosos. Así, en perfecto diseño contrastivo, si hay tres oponentes a la reina cuando se inicia la acción, serán tres los aliados (dos Carvajales y un Benavides) cuando la jornada primera acaba. La situación sirve para que Tirso trace una vez más el excepcional retrato de doña María sobre el menos tópicamente agraciado de la mujer-tipo, a la hora de gobernar (algo que hará también en *La república al revés):* para los nobles leales (ahora son dos frente a dos, un Carvajal y Benavides frente a don Juan y don Enrique sobre el tablado) doña María será piadosa y generosa con el vencido, en tanto que don Juan espera en su cuñada una reacción contraria, pues al fin «es mujer, y en ellas arde / la ira, y con el poder / del límite justo salen» (vv. 918-920), y debe notarse la imagen tan contraria (¿sincera? ¿hipócrita?; tal vez lo segundo, por lo que ocurre en las jornadas venideras) que nos da don Enrique de la regente, calificándola de valerosa, «tan cuerda y piadosa» e incluso le concede la razón del auxilio divino, pero no ha podido por menos de afirmar previamente que la reina doña María «no es mujer», se entiende que 'al uso', 'corriente'. Pero pronto cambia de opinión y se suma a los denuestos misóginos de su sobrino cuando cae en el ardid de la reina para hacer perder el sosiego a los distinguidos prisioneros y jugar con el contraste, la sorpresa que abone a favor de su marcada personalidad. El heraldo real (don Luis) parece que viene a anunciar la ejecución de los dos nobles levantiscos, por ello don Enrique maldice el momento en que una mujer ciñó armas, porque nada más lejos de ellas que el arte de la guerra y el ejercicio del buen gobierno: «¡Qué bien hizo / naturaleza admirable / en no entregaros las armas!» (vv. 971-973); premisa que doña María se encargará de desmontar, aunque realmente es portador de una decisión de signo muy contrario como es el perdón y la concesión de bienes territoriales. Así demuestra, contra lo que parecía pensarse, que doña María ha vencido a sus enemigos por la fuerza de las armas, pero también «por cortesía», cualidad femenina y del buen gobernante, que se opone a «alevosía», cualidad masculina y del mal súbdito. Tirso pone en boca de su heroína una sutil argumentación que explique su inesperado modo de proceder: en la generosidad de su gesto hay desprecio o minusvaloración del oponente, y en ningún caso sombra de debilidad. Doña María se da perfecta cuenta de que con esa actitud se crece moralmente ante la Historia. Por ello el dramaturgo pone en boca de don Juan (¿qué importa que sea sincero o no?) un laude que es el primer escalón sobre el que se encarama el mito de la mujer y reina prudente. Pero doña María, en una nueva muestra de su prudencia política, desvía el agradecimiento y pleitesía de los dos nobles hacia su persona y la dirige hacia la figura del rey-niño, pues su objetivo permanente en esta jornada y la siguiente es que los nobles levantiscos reconozcan el derecho sucesorio de Fernando. Así parece poner feliz conclusión al principal de los conflictos; pero no olvida la sagaz reina que ha de solucionar también el segundo, el que enfrentaba a Benavides y Carvajales, y como si estuviésemos en el final de una comedia de enredo, sanciona la reina que don Juan de Benavides conceda, sin ambages, la mano de su hermana a don Juan de Carvajal. Así pues, en este primer desenlace favorable para doña María, con su doble aspecto de perdonadora de transgresores y protectora de sinceros amantes, la Molina adquiere un perfil de ejemplaridad moral próximo al símbolo de la Virgen María (Wilson, 1977)[45] en paralelo con la sugerida aproximación del niño-rey Fernando y el Niño Jesús (De Armas, 1978).

Jornada segunda

Como preveía la reina, el Infante don Juan no ceja en su empeño de apoderarse del trono al que se cree con todos los derechos, y para ello no desprecia medio alguno. Si primero fue la batalla abierta con los compromisarios reclutados, aho-

---

[45] Esta investigadora apunta que Tirso sugiere el parangón con el modelo divino por varios factores que afectan al personaje: su nombre, su circunstancia de casta viuda (sin varón), el ser representada en el retrato-imagen, que hace algo parecido a un milagro, y su condición de madre de un niño que es perseguido por presentarse como rey.

ra será el delito oculto, el asesinato del rey-niño, utilizando para ello la figura desacreditada (en el XIV y en el XVII) del judío. En realidad quien había estado implicado en la muerte de otro inocente (el hijo de Guzmán el Bueno, como ya lo había recordado doña María) puede ahora, sin escrúpulos, propiciar la muerte del niño Fernando. Y para ello tampoco tiene remilgos el personaje en servirse de un contrario a su religión, de un judío que va a actuar en tan vil crimen movido por odio y por un fuerte sentimiento de marginación social de su casta frente a la casta cristiana. Y se justifica incidiendo en la hipótesis que Tirso se empeña en negar desde el título de su obra: el gobierno de doña María ha de ser, por fuerza, imprudente, por estar regido por una mujer.

En ese contexto, enormemente expectativo, se sitúa uno de los momentos teatrales mejor conseguidos de la obra: el retrato de la madre protectora, colocado sobre la puerta de la cámara del niño-rey, va a impedir el asesinato, desplomándose misteriosa y oportunamente hasta interponerse entre asesino y víctima. Este recurso de tramoya, que María Rosa Lida (1973, pág. 79, nota 76) denominó «del retrato salvador» se documenta por vez primera en la segunda parte de la comedia de Damián Salucio del Poyo *Próspera fortuna de Ruy López Dávalos*, escrita a comienzos del siglo XVII (fue representada por Gaspar de Robles en 1605)[46], en donde otro médico judío, como aquí, pretende matar al rey Enrique III, pero lo impide la interposición cuasi milagrosa del retrato de otro personaje ante la puerta de la cámara real. Recurso que Tirso, por lo efectivo que resulta, volvió a utilizar en la comedia palatina *La firmeza en la hermosura*, otra obra que contrapone la virtud femenina frente a los prejuicios machistas[47]. El retrato de doña María es algo más que un simple recordatorio de la efigie de la dama, y un adorno de la sala, sino que adquiere unas cualidades protectoras evidentes, se llena del sentido tauma-

---

[46] Hugo A. Rennert, «Notes on the Chronology of the Spanish Drama», *MRL*, 3 (1908), pág. 50.

[47] Este asunto del retrato que se desploma había sido ya comentado por Frederick A. de Armas (1978) y analizado de nuevo, recientemente, por Christopher B. Weimer (2003).

túrgico que se le ha concedido a la imagen de vírgenes y santos en toda la tradición católica. El retrato alcanza una indudable dimensión iconológica, en la que un objeto como ése es bastante más que un lienzo con un dibujo coloreado.

Junto al motivo del retrato protector Tirso coloca el del judío homicida, asunto que ha merecido la atención de varios críticos[48], desde Morel-Fatio, que le dedicó varias páginas en su importante estudio de *La prudencia* (1904, págs. 59-68). El destacado hispanista ya señalaba la real existencia de un médico judío en la corte de Fernando IV llamado Simuel («de ce Simuel procède, si l'on veut, l'Ismael du drame») y, además, como se acaba de apuntar, en la obra referida de Salucio del Poyo figura también un médico judío, don Mair, que se dispone a administrar un veneno al rey. Importa que el instrumento del que se sirve el malvado don Juan para asaltar por segunda vez la legitimidad del trono castellano-leonés sea un servidor contrario a la religión verdadera, un proscrito (en los siglos medievales y de tan mala fama en el siglo de Tirso) por lo que es la única persona, de entre sus enemigos, sobre la que doña María no ejerce su piedad ni su magnanimidad, obligándole a matarse con el mismo veneno que había preparado. Téngase en cuenta que Ismael no actúa impulsado por razones individualistas, sino para ayudar a la mejora de su estirpe que —reconoce— está sometida socialmente a la estirpe cristiana. Es portavoz y representante de su pueblo. Y exige esa reivindicación de don Juan, que si en Tarifa ayudó a otros enemigos de la Cristiandad, los moros, ahora estaría dispuesto a dar alas a los judíos. Así el punible hecho de don Juan se agrava al elegir como instrumento no a un cristiano, sino a un contrario a la ley verdadera, a un enemigo de Dios, a un miembro del pueblo deicida[49]. La impiedad de la reina (ella

---

[48] Además del citado Morel-Fatio, también Joseph G. Fucilla (1961), María Rosa Lida (1973), Karl C. Gregg (1976-1977) y Frederick A. de Armas (1978) insistieron en la fuente de Salucio del Poyo.

[49] Blanca de los Ríos conectó el hecho escénico con sucesos acaecidos en el tiempo de Tirso (paralelo en el que luego abundará brillantemente R. L. Kennedy, como ya se ha indicado) y afirmaba la benemérita tirsista que «el llevar a la escena el atentado de envenenamiento de un rey por su médico de cá-

misma habla de «mi venganza»; v. 1398), por tanto, está justificada desde la Historia y desde la justicia poética. Doña María sabe perfectamente que ha sido don Juan el instigador del crimen que un cuasi designio divino ha desbaratado, pero lo defiende ante la vergonzante confesión del judío. Y lo hace en parte por defender la imagen del caballero cristiano frente al vil seguidor de la ley mosaica, y en parte como una estrategia de su gobierno y del perfil de imagen personal que va construyendo. Para nada parece acusar al Infante don Juan, pero al mismo tiempo, sin acusación explícita, le está haciendo saber que lo considera cómplice o instigador de ese segundo intento de acabar con su regencia y con el reinado del futuro Fernando IV. Y para ello Tirso pone en juego lo que podríamos denominar la primera estrategia del papel escrito. Doña María, que ha inducido el suicidio obligado del homicida galeno, impide que don Juan cometa el mismo acto, condenado tajantemente por la moral cristiana, salvándolo en el instante justo, tras haberlo sometido a un ardid de sagacidad notable: escribir un texto que es el reconocimiento de su propia culpabilidad, pero de forma cifrada. Por segunda vez ha perdonado al cuñado que la amenaza, pero don Juan no se dará por enterado, y no cejará en proseguir tras su punible ambición.

En efecto, la sagacidad de la reina procura poner de nuevo en evidencia el doble juego de su cuñado, y lo hará a través de la estrategia del «papel escrito», que doña María utilizará por dos veces para desenmascarar a su enemigo. En esta primera ocasión haciéndole saber, mediante el subterfugio de una carta, que es conocedora de su intento en asesinar al heredero de la corona. Se trata de una secuencia de gran habilidad psicológica, pues doña María juega paso a paso con la serenidad de don Juan hasta hacerle perder el control de sí mismo (se trata de un personaje de manifiesta frialdad mental) y caer en la tentación del suicidio. La reina amenaza con apli-

mara, reciente el proceso de don Rodrigo Calderón, a quien se acusaba, por lo menos, de complicidad con el doctor Mercado en el envenenamiento de la reina Margarita, era ya impresionante» (en la nota preliminar al texto de *La prudencia,* vol. III de las *Obras Completas,* págs. 902-903).

car todo el peso de su justicia sobre el traidor noble, sin dirigirse directamente a su cuñado, inventándose para ello un tercer traidor inexistente, que don Juan se encarga de identificar acertadamente con su persona, por la sibilina indicación de la reina («y por la parte que os toca / advertid, Infante, en él», vv. 1722-1723), y, sobre todo, cuando induce al Infante a que descubra el cadáver de su cómplice, o lo que es lo mismo, la prueba de su complicidad en el intento de regio asesinato. El judío muerto es el «sobrescrito» de la ambigua carta, es el explícito indicador de a quien se está refiriendo la reina. Aunque doña María disimula y hace pensar a su cuñado que ella no ha dado credibilidad a la falsa acusación del galeno judío, volviendo a contraponer la falsía de los seguidores de la religión mosaica frente a la nobleza y lealtad —concedida de antemano— de los caballeros cristianos. Un modo que tiene la reina de hacerle confiar a don Juan para darle el golpe definitivo, con mayores pruebas en su mano, o el deseo de olvidar y perdonar aparentemente para atraerlo a su causa de forma definitiva. Doña María sabe que su difícil tarea será más viable si tiene a su lado al poderoso Infante que si lo tiene enfrente, y por ello, muy probablemente, juega a considerarlo inocente del intento de regicidio. Por lo pronto consigue (luego sabremos que sin ninguna sinceridad) el reconocimiento por parte del Infante de la prudencia que la adorna (v. 1818).

En este momento de la trama está a punto de cerrarse un primer tiempo, el del reto que los tres nobles —don Enrique, don Juan y don Diego López de Haro— le habían planteado a la reina al comienzo de la jornada primera: ahora doña María ha alejado hasta la frontera jiennense a don Enrique, ha puesto en evidencia la traición personal de don Juan, y cree con ello tenerlo domeñado, y recibe, preso, a don Diego, conducido por uno de los nobles leales, don Juan Alonso de Carvajal. Pero con un diferente matiz de importancia: Tirso, por boca del noble Carvajal, intercede por don Diego para que se distinga entre la malevolencia pertinaz de don Juan y la lealtad[50],

---

[50] Este vocablo, y el concepto fundamental que encierra, se repite hasta en treinta ocasiones a lo largo del texto. Es, por tanto, una de sus palabras clave. Y hasta 27 veces encuentro usado el adjetivo «leal», lo que ratifica lo afirmado.

pese a transitorias circunstancias, del señor de Vizcaya, que desde ese momento pasará a engrosar el grupo de leales a la minoría fernandina. Pero doña María parece cometer una imprudencia, ella que es tan reputada de prudente, pues desoye la proclamación de lealtad de don Diego, lo deja, materialmente, con la palabra en la boca, hace que el noble se sienta desairado, despreciado incluso, y por tanto se expone a que sea fácilmente captado de nuevo por el intrigante don Juan y el no menos hipócrita don Enrique, como así parece ocurrir. Para ello el hermano de Sancho IV echa a rodar otra insidia que sabe ha de cumplir su efecto en el despechado —por amor a la mujer doña María, antes que por ambición política— don Diego López de Haro: la reina mantiene relaciones amorosas secretas con uno de los Carvajales, que utiliza ese enamoramiento para hacerse con el poder castellano. Una insidia que todavía riza más el rizo, y hace que la prueba de su intento de homicidio (el cuerpo muerto del judío) se convierta en indicio culposo para la reina, sugiriendo la imputación de parricidio. Y no le duelen prendas al alevoso Infante de dirigir contra su cuñada y Carvajal presunciones y expresiones que a él le cuadrarían con exactitud: traición, ambición, tiranía, y hasta un proyectado regicidio; en definitiva quiere mostrar que lo que hay en torno a la reina es «una santidad fingida» (v. 1954), sustituyendo la prudencia acreditada de la dama por la arrogancia y la ambición, y creando la imagen de una doña María «deshonesta y desleal» (v. 1987).

Pero esa mala imagen que don Juan se empeña en difundir de la regente contrasta con la sacrificada gobernante que se desprende de lo poco material que le queda, hasta de sus prendas de vestir personales (de sus tocas de viuda) para allegar fondos con los que pagar las soldadas a los ejércitos que defienden las fronteras del reino. Es lo que hemos presenciado en la secuencia inmediatamente anterior, y a ella vuelvo ahora para analizarla más detalladamente. Quien le manifiesta por vez primera esa carencia de las arcas reales es el Infante don Enrique, cuando es nombrado por doña María adelantado de la frontera granadina (vv. 1430 y ss.) El afectado, tal vez para resistirse de su nombramiento, que le aleja del centro de la conspiración, pone las pegas pertinentes y sugiere a

73

la reina nuevos impuestos con que recabar los fondos monetarios que se necesitan, pero doña María se resiste a cargar más aún los pechos sobre castellanos y decide proveerse con la venta de las tierras de su patrimonio. Es así como don Enrique no tiene empacho en aceptar la concesión de la villa de Écija. Muy distinta es la postura, al finalizar la misma secuencia, de Benavides, que prefiere embargar sus villas y su misma persona antes que consentir que la reina merme aún más su patrimonio vendiendo sus joyas personales. En esa tan diferente reacción Tirso perfila el lugar de los malos nobles y de los nobles fiables que el rey (el rey joven de su tiempo, Felipe IV) debe discernir, en bien personal y de su gobierno. Entre ambas actitudes es igualmente noble la del mercader segoviano que, a regañadientes, acepta las tocas de la dama como prenda de un empréstito para atender necesidades militares, y que guardará (en la línea de exaltación del personaje) como reliquias «de la santidad / de tal reina» (vv. 1635-1636). En todo este asunto de los bienes personales segregados o hipotecados surge el motivo del vaso de plata, como única —y simbólica— cosa que permanecerá en posesión de la reina, pues es recordatorio, antes y después de esta secuencia, de la prueba de cargo que tiene doña María contra sus enemigos y en defensa, primero, de su hijo, y, luego, de sí misma.

Esta situación dará pie, precisamente, al desenlace (segunda victoria de la Molina) de la jornada, cuando los nobles conspiradores están reunidos en torno a una suculenta cena (indicio de sus acumuladas riquezas) y son sorprendidos y detenidos por los leales de la regente. Para ello el dramaturgo tiene que volver a utilizar el contraste de fuerzas, que en boca del leal servidor don Melendo se plantea: no quedan en palacio ni los más elementales sustentos para dar de cenar a doña María mientras cerca de allí los nobles díscolos se preparan a deleitarse con opíparas viandas.

En tal comilona nos sitúa la acción seguidamente, con la conspiración en marcha, con las hábiles maniobras de don Juan y las sospechas de don Diego, el miembro de la nobleza al que le mueve sólo la pasión amorosa y no la pasión de mandar. Y en ella también doña María hace claro el mal de la Castilla que gobierna: saqueada económicamente por los nobles, que tras haber desposeído de bienes materiales a la realeza, la pueden asediar en procura de sus pretensiones y de sus privilegios.

Jornada tercera

En el intermedio madurativo entre este acto y el anterior han pasado algunos años (diez, si hemos de creer a don Juan), los suficientes para que el rey-niño haya alcanzado la preceptiva mayoría de edad que le permita gobernar y doña María pueda ya entregarle el poder que ha ido defendiendo con tanto celo y prudencia durante no poco tiempo, con algún que otro sobresalto, como se ha hecho manifiesto en los dos actos analizados.

Estamos en el salón del trono del alcázar madrileño (se desprende este dato por el contexto) y en la ceremonia de traspaso de poderes. El largo discurso de la reina declara una de las intenciones compositivas de Tirso, hacer un tratado escénico de educación de príncipes: como los consejos que hubiese podido dar el difunto Felipe III al inexperto y joven Felipe IV cuando se hace cargo del reino. Doña María le advierte a su hijo de los frentes abiertos que tiene el reino que le entrega (contra otros reinos y contra el infiel granadino), pero, sobre todo, le advierte de peligrosas disensiones interiores, como ha quedado palmario.

Sin embargo, en el resumen de hechos acaecidos que va haciendo la reina, le hace ver a su hijo y sucesor que le entrega un escenario político bien distinto del que se perfilaba a lo largo de las jornadas anteriores: dominado el musulmán, hechas las paces con los reinos limítrofes y hasta pactada una alianza matrimonial con Portugal. Y todo esto se debe entender como signos del excelente gobierno de doña María de Molina, que ha conseguido ese envidiable status («No hay guerra que el reino inquiete, / insulto con que se estrague, / villa que no os peche y pague, / vasallo que no os respete», vv. 2361-2364) a cambio de su propio esfuerzo humano y económico, pues al final de su mandato se ha quedado empobrecida, y sólo aspira a retirarse a alguna de las escasas aldeas que le quedan en su patrimonio. Que la reina subraye ahora el coste económico que ha supuesto para su capital personal la pacificación de Castilla es importante porque su última victoria sobre sus enemigos será precisamente demostrar esta honradez en las cuentas y en la administración del Estado.

La reina da como primer consejo de buen gobierno el ejercerlo dentro del respeto y la obediencia divinas, en el estricto marco de la fe católica. Si el rey sólo se debe, y responde, ante Dios, sea la segunda norma de buen gobierno evitar la dejación de ese mismo poder en el arbitrio de malos privados, asunto que preocupó enormemente a Tirso. Así, el buen monarca debe ser ecuánime, pero distante con los nobles, afable con el pueblo llano, cuidadoso y respetuoso con el ejército, no conceder cargos a gentes de dudosa casta cristiana, porque «suele la cristiandad / alcanzar más que la ciencia», aduce Tirso, en un indudable arrimo a las buenas relaciones Iglesia-Estado. Y practicar el reconocimiento, finalmente, de los leales servidores, en detrimento, claro está, de los que buscan su enriquecimiento y elevación personal.

Pero Tirso, para que su advertencia tenga más fuerza, hace que los buenos consejos recibidos, el inexperto y maleable Fernando los tenga poco presentes, en cuanto su regia madre da la vuelta. Los conspiradores no cejan, ni siquiera cuando el rey ya está ejerciendo su poder, y ahora quieren controlar una voluntad débil, aunque para ello han de intentar, y por tercera vez, arruinar la fortaleza moral y la prudencia de la reina. Y no hallan otro camino que el de la desacreditación. Se empieza por reiterar, como hecho negativo, que el reino ha estado, hasta ese momento, gobernado por una mujer, y se acabará acusando a esa mujer de cohecho y de apropiación indebida de fondos de la corona: «en derriballa / consiste nuestra ventura», dirá don Nuño en los vv. 2585-2586.

Inmediatamente Tirso coloca a Fernando IV en el rol del mal gobernante, que empieza por apartar de sí a los leales consejeros, para abrir los oídos sólo a halagadores interesados y tramposos. Y, a continuación, se apresura a abandonar sus más importantes responsabilidades de gobierno, entregándose a un ocio que resultará más culposo que oportuno (el ocio de la caza, del que tanto gustó en vida Felipe IV, y que le inclinaba a la dejación de responsabilidades en manos de sus validos, y en especial del Conde-Duque). Es precisamente en el ejercicio de esta tarea, en el laberinto de los montes toledanos, en donde el Infante don Juan intentará su tercer y definitivo asalto al poder y su nuevo reto a la figura de doña María. Revestido del disfraz de honrado labrador que vive en medio de la Naturaleza, y declarando que más aprecia la sinceridad de la aldea que las falsías de la corte, el tío del joven rey hace de sibilina tentación para malquistar al hijo con la madre y echar sobre la fama de la ex regente la mancha de depravada conducta en sus años de gobernadora. Don Juan rodea su insidia de una retórica que hace pasar la vileza por virtud, la deslealtad por honrado servicio a la verdad, la cobardía por abnegación. Con medida astucia sicológica el hipócrita Infante sabe halagar a quien en otro tiempo planeó asesinar y sugerir abiertamente una imagen considerablemente negativa de doña María de Molina. Entre él y don Enrique le hacen ver al inadvertido Fernando IV una conjura, adjudicada a los Carvajales y a la misma doña María, que coincide, casi literalmente, con la que ellos dos habían intentado llevar a cabo al comienzo de los tiempos, cuando habían dispuesto alianzas suficientes para repartirse la corona castellano-leonesa, desalojando de ella a quien era su legítimo heredero. Don Juan ha refinado su cualidad de envolvente traidor en la cárcel, y no va a ser leal con nadie, ni con el rey ni con los que aparecen como sus inmediatos cómplices (don Enrique, don Nuño y don Álvaro) pues al animarles a firmar un pacto de alianza con la reina, contra su hijo, en un ejemplo de mordaz y ladino doble juego, les está preparando una trampa que le conduciría a ser el único que se levantara con todo el poder.

Tirso ha llevado la situación a un momento alto de la intriga, del interés, que mantiene, refrenando el sucederse de los hechos, mediante una escena costumbrista en la villa de Becerril, adonde —simultáneamente al escenificado encuentro de tío y sobrino— se ha dirigido la reina. Y sabiamente coloca en boca de la regia dama una nueva laudatio de la vida de aldea, con el correlativo menosprecio de corte, que contrasta, por similitud de contenido, pero diferencia en la dimensión moral y la sinceridad del emisor, con la secuencia anterior en los montes toledanos. Tirso echa mano de la galería de personajes que suelen comparecer en las comedias villanescas, o en los entremeses (los pastores, el alcalde rústico) para tejer una secuencia de transición, que tiene doble finalidad: la comicidad a la que generalmente se presta (comicidad verbal, sobre todo, por el uso de los vulgarismos, de las prevaricaciones lingüísticas y del sayagués) y las muestras de sencilla, pero sincerísima, lealtad que manifiestan para con su reina y señora (o sea, la prueba concluyente de lo que don Juan había formulado con gruesa hipocresía: lo positivo de la vida aldeana, y que es allí en donde encontramos verdaderos valores morales, es decir, la inocencia de los campos frente a la vileza y maldad de las ciudades, y por extensión, de la corte).

Cerrado ese paréntesis, y en el mismo «locus amoenus» rural, se vuelve a la tensión entre las dos fuerzas en lucha, previa a la resolución final. Don Juan detiene, por orden real, a los Carvajales (se repite, invertida, la situación escénica que cerraba el acto segundo), los humilla, acusándolos de desleal conspiración, e intenta su último ardid con la reina, procurando hacerle caer en una nueva trampa que le beneficie. Con un osado cinismo, que completa el perfil moral del personaje, don Juan acusa a los detenidos de haber denunciado la misma teoría conspiratoria que él había adjudicado a la reina, pretendiendo intimidar a la brava mujer para ofrecerle una salida que sería humillante, fatal, para la dama, y productiva para su ambición: dominar a la reina por la vía del casorio interesado y hundir así su fama y dignidad. En esa estrategia vuelve a jugar un documento escrito (los objetos y su importancia en la escena tirsista) que don Juan entrega a doña María como prueba. Si en el acto segundo la reina había utilizado otro papel escrito para imponerse sobre su contrincante, ahora el Infante pretende devolverle la jugada, enseñándole el documento que cree dudas razonables en la ilustre dama ante sus leales, su hijo y sus enemigos, que le haga perder la seguridad y prudencia de que siempre hizo gala. Pero doña María es mucha doña María, sabe bien quién está poniendo a prueba su frialdad y prudencia, y rechaza—aparentemente—el comprometido documento, porque «si es malo, de un papel,

/ se ha de huir la compañía» (vv. 3408-3409). Doña María, pese a los esfuerzos de su oponente, se mantiene segura en su posición, confiada en que su prudencia, inteligencia, o protección divina le sigan facilitando la victoria en estas particulares batallas con la insidia, la astucia o la ambición de su cuñado («pero no espero / que en eso me deis cuidado, / pues vos mismo sois testigo / que en tres que hicistes conmigo, / siempre quedaste cargado», vv. 3425-3429). Se mantiene segura y hábil, pues ante la mirada atenta de don Juan finge romper el papel comprometedor, guardándolo como nueva prueba de cargo (antes había sido el cadáver del judío homicida) contra el noble traidor y sedicioso. Don Juan vuelve a sentirse superado sicológicamente por una mujer a la que no puede asediar ni mucho menos doblegar. Con la presencia inesperada del rey en el mismo lugar los acontecimientos se precipitan y dejan a don Juan con menor capacidad de maniobra. Tirso también aquí, como en las comedias de enredo, acelera en cierto modo el desenlace. Sólo le queda al intrigante cargar la mano en su falso testimonio y, sobre todo, evitar que madre e hijo se encuentren, que no se produzca careo alguno entre ellos, porque don Juan es consciente de que la habilidad de la dama hará saltar por los aires la enorme mentira que ha urdido: «Prendelda, señor, sin vella, / porque si venís a oílla, / yo sé que os ha de engañar» (vv. 3472-3474), dando por supuesto que la destreza de la reina es su peor contratiempo. Y así será. Con un golpe maestro doña María desarma, física y moralmente, al Infante, le quita por cuarta vez la careta (en el asedio a Toledo, en el intento de envenenamiento, en la cena con los conjurados, y ahora en el repaso de las cuentas del reino) y deja totalmente a salvo, y más aun, acrecida, su fama de mujer prudente y sabia. Todavía un epílogo, con la vuelta a la escena de los rústicos leales, rompe el clímax del desenlace y añade un ingrediente humorístico-festivo en el final, en el que el rey que había estado al borde de ser un pésimo gobernante, arrastrado por la influencia de peores validos, recobra su tino y justicia, pero no a solas, sino ejerciendo en colaboración con doña María, de la que resaltan, al final como al comienzo, las cualidades de clemencia y prudencia. Por tercera vez la reina evita la condena drástica de don Juan, pero nótese que en esa *prudente* actitud, reiterada al final de cada acto, se produce una gradación en sus veredictos: le perdona, con dádivas añadidas, en el primer caso; le manda encarcelar en sus tierras, en el segundo, y le destierra de Castilla y le despoja de las tierras entregadas en un principio, en esta tercera ocasión.

Doña María de Molina en Lope, Roca de Togores y Fernández y González

La figura de doña María de Molina no se agota, a pesar de su excelente retrato escénico, en el drama histórico de Tirso. Fue personaje ocasional al comienzo de la comedia que Lope dedicó a los hermanos Carvajales, como injustificadas víctimas de un mal rey, el Emplazado, en su comedia *La inocente sangre*, y volvió a ser centro de atención de un dramaturgo que escribía cuando había en España otra regente y una ley hereditaria puesta en cuestión, con las armas en la mano, por la facción carlista. A estas dos obras voy a referirme seguidamente, para completar el recorrido teatral de la destacada reina medieval. Y finalmente a la recreación de esta misma figura en la larga y enfadosa novela del prolífico Manuel Fernández y González *La buena madre*.

La fugaz aparición de la reina en la comedia de Lope (centrada en el irregular juicio, injusta condena y criminal ejecución de los hermanos Carvajales por orden de Fernando IV, y su repentina muerte en Martos) se limita a procurar la reconciliación de las facciones opuestas al poder real y la consecuente renuncia de don Alfonso de la Cerda a sus pretensiones al trono, dejando la cuestión en el justo juicio deslindado por los reyes de Aragón y Portugal, que fallan a favor de su hijo. El personaje de doña María aduce, en los versos de Lope, intereses nacionales frente al enemigo común —el moro— que deben situarse por encima de rencillas particulares, aunque esa particularidad alcance el rango de discutir la titularidad del primer reino cristiano peninsular. Como no podía ser de otro modo, ambos contendientes se avienen a la tregua propuesta por la reina, y esa primera contienda se obvia en el resto de la obra para centrarse en la historia de los hermanos Carvajal, ese asunto que anunciaba Tirso al final de *La prudencia,* y que tal vez esta escritura de Lope le animó a olvidar para siempre. Con la que enlaza esta comedia del Fénix, ya en el siglo XIX, es con la de Bretón de los Herreros *Don Fernando el Emplazado,* drama en cinco actos estrenado en el Teatro Príncipe de Madrid el 30 de noviembre de 1837, en la que, sin embargo, está ausente el personaje de María de Molina.

Ese mismo año 1837, en pleno recrudecimiento de la Primera Guerra Carlista y coincidiendo con la proclamación de la Constitución Liberal, se estrenó (y se publicó antes del estreno) el drama en cinco actos de Mariano Roca de Togores, Marqués de Molins, *Doña María de Molina*[51], que combinaba el verso y la prosa, al modo de otros canónicos dramas románticos del momento, como *El Trovador.* Realmente la obra se separa bastante de lo tratado por Tirso. Doña María es recibida, triunfalmente, en Valladolid, en el año de 1296, en las vísperas de la noche de San Juan. Pero entre quienes la aguardan, y bajo un disfraz, esperan dos de sus peores enemigos, don Juan y don Pedro, Infante de Aragón, que ansían hacerse

---

[51] La edición que he consultado, y por la que cito, es la del segundo volumen («dramas y comedias») de las *Obras de don Mariano Roca de Togores,* Madrid, Imprenta y Fundación Tello, 1881. La primera edición del drama fue en Madrid, Imprenta de Repullés 1837; otra edición en *Obras poéticas de D. Mariano Roca de Togores,* con prólogo de J. E. Hartzenbusch, Madrid, Imprenta de Tejada, 1857. Según informa la *Cartelera teatral madrileña I. Años 1830-1839* (Madrid, CSIC, 1961, pág. 52), la obra alcanzó ocho representaciones, tuvo una magnífica aceptación crítica, testimoniada por gacetilleros del *Semanario Pintoresco Español,* que elogiaron la puesta en escena, y se repuso varias veces en los años sucesivos. Se encargó de estrenarla la compañía de Romea-Luna en el teatro del Príncipe. En el reparto estuvieron presentes actrices como Bárbara Lamadrid y actores de renombre como Carlos Latorre, Luna, Julián Romea, Mate, etc. En el texto representado se hicieron bastantes supresiones con respecto al texto editado, especialmente en el último acto. Supresiones que —en opinión de Montserrat Ribao, que ha estudiado el asunto, comparando el texto editado con el *apunte* de la representación que hay en los fondos de la Biblioteca Municipal de Madrid— «van más allá de las habituales entre cualquier escrito dramático y el espectáculo teatral correspondiente» *(Textos y representación del drama histórico en el Romanticismo español,* Pamplona, EUNSA, 1999, pág. 150).

con el poder por la fuerza o por la vía matrimonial, como pretende el mencionado don Pedro. Junto a la regente destaca el grupo de leales, entre los que el dramaturgo destaca a don Diego López de Haro y a otra figura de gran relieve en este caso, un diputado a Cortes por Segovia, que responde al nombre de Alfonso Martínez, fiel colaborador de Guzmán el Bueno en el cerco de Tarifa, y que Molins pudo sacar de otro personaje homónimo mencionado en la *Crónica de Fernando IV*. Durante el recibimiento, alguien del pueblo canta algo que incita la conciencia de leal defensa de la legitimidad y exalta el pendón morado que se enarbola en favor de Fernando IV;

> A su aspecto mil tercios guerreros
> se alzarán en la invicta Castilla,
> y el Infante que a España mancilla
> temblará de mostrarse en la lid.
> ¿Quién contrasta sus fuertes aceros,
> si la Patria en su ayuda lo llama?
> Si una hermosa a sus pechos inflama
> ¿quién resiste a los hijos del Cid?

A los dos sediciosos ya conocidos (que han sido detenidos y perdonados por la reina, faceta que pone de relieve su generosidad y su prudencia, como en la obra tirsiana) se unen otros dos cómplices, el maniobrero don Enrique y —nótese la novedad y el dato— el Abad (una parte de la Iglesia en contra de la legitimidad heredera que representa el niño Fernando IV), quien informa que ha logrado introducir «nuestros parciales» en el séquito mismo de la reina: el parangón con la situación entre cristinos y carlista es evidente. El golpe de mano al que se preparan los conjurados es a impedir la reunión de Cortes en donde formalmente se reconozcan los derechos sucesorios del hijo de Sancho IV y la regencia de doña María de Molina. Es esto lo principal de lo aportado por los dos actos primeros, titulados respectivamente «La proclamación» y «Don Enrique». Este último comparece en la trama con un ayudante, que acaba revolviéndose contra él y chantajeándolo, que es el médico judío Tubal. Tal vez apoyándose en la invención tirsiana, don Enrique quiere que en el banquete que va a celebrarse antes de las Cortes, el galeno traidor envenene a la regente a y los otros dos conjurados —don Juan y don Pedro— que le molestan para sus pretensiones de poder. Así, en el acto III («El banquete») o cena de gala ofrecida por la reina para obsequiar a sus leales, y a los caballeros victoriosos en el torneo, surge el asunto de la puja del vaso de plata de la reina, y en donde don Enrique ha dispuesto que sea vertido el veneno. Quien lo alcanza es el diputado Alfonso Martínez, y tanto él como la reina se niegan a brindar con él porque lo ha tocado previamente la mano impura de un judío. El motivo del envenenamiento frustrado interrelaciona —¿por influencia, por casualidad?— los dos textos, el de Tirso y el de Molins. Superado el primer intento de atrapar el poder, surge un segundo cuando la reina rechaza la propuesta matrimonial de don Pedro, y éste la amenaza con la vida de su propio hijo, lo que nos llevará al agitado final del drama. El desenlace va llegando progresivamente a través de los actos cuarto —«La conjuración»— y quinto —«Las cortes»— para los que Roca imagina dos curiosos espacios escénicos que obligaban a un considerable desarrollo de la escenografía del momento: el monasterio vallisoletano de Las Huelgas, en donde está la estatua yacente de la reina (y Molins se inspira en ese monumento funerario para sugerir el vestido monjil de la augusta viuda en su obra) y el mismo semicírculo del Congreso, en donde se celebrarían unas Cortes castellanas y medievales, si bien parece claro que don Mariano Roca está pensando en las Cortes que él conoció (pues fue diputado del Partido Moderado y se distinguió como buen orador).

El primero de los dos espacios citados es genuino espacio del drama romántico: noche, iglesia a medio construir, sepulcro vacío en el centro de la escena y un retablo al fondo, cuyo paño central está cubierto por un cuadro que en un momento se ha de dejar caer (efecto parecido ocurre en el drama de Tirso) para dar paso a un personaje que estaba oculto tras él. Es el lugar de la cita de los conjurados (recuerdo de la obra pionera de Martínez de la Rosa) a los que Roca de Togores presenta como un grupo de desleales, maniobreros y traidores entre ellos mismos, procurando su total desacreditación. Se conjuran para matar a doña María y proclamar rey a don

83

Juan, disponiéndose ya a realizar el ritual sacro de la coronación, puesto que estamos en lo que poco después va a ser la iglesia de un reputado monasterio. En el momento más crítico de esa situación aparecen en aquel lugar doña María y sus leales, evitando este nuevo asalto al poder y atentado contra la legitimidad dinástica. La acotación de la pág. 211 (de la edición por la que cito) revela un diseño verdaderamente teatral del momento:

> Cuando don Juan va a subir al altar, y a poner sobre su cabeza la corona, y al mismo tiempo que resuena por la iglesia el viva de los conspiradores, el cuadro que cubre el nicho del retablo se desploma con estrépito: la reina aparece en él con una antorcha en la mano y en hábito de religiosa; detrás un caballero armado y encubierto [que luego identificaremos como don Enrique, el más hipócrita y hábil de los conjurados, que juega siempre a dos barajas]. Todos se aterran.

Notemos que la reina ha salido del mismo altar mayor, del lugar destinado a la divinidad, en el espacio sacro-simbólico del templo, lo que supone un cierto grado de mitificación del personaje. «La corona y el cetro caen de las manos del Infante —añade la acotación— y éste se arroja a los pies de la reina.» Y la tensión escénica va in crescendo hasta que unos instantes después se resuelve en el clímax de agitada y colectiva escena, según se describe en la acotación de la pág. 215, al tiempo que la reina ordena «¡Al pretendiente prended!»:

> Tubal arranca a don Pedro la daga del cinto y se dirige a la reina. Al mismo tiempo ambos canceles [de la puerta de entrada de la iglesia] caen: gran multitud del pueblo aparece con hachas encendidas, palos y toda especie de armas. Las tribunas se iluminan también y se ven las religiosas detrás de las rejas. Por la puertecilla de junto al altar sale Alfonso con la espada en la mano, y tres o cuatro que le siguen; hiere a Tubal cuando llega a asesinar a la reina.

En el último acto, y en un escenario que debe representar el salón de las Cortes, es la propia María de Molina la que dirige un grave discurso a los reunidos en el que se queja de la guerra que amenaza a la corona, y menciona a los dos «príncipes rebeldes» (don Juan y don Pedro). Tras los discursos parlamentarios (uno de ellos, en boca del leal Alfonso, sirve para desenmascarar el doble juego del hipócrita don Enrique y abogar por una monarquía legítima, justa y bienhechora) una grave situación se plantea en la escena: los rebeldes, teniendo como rehén al joven monarca heredero, se aprestan a sitiar las Cortes y obligar a la renuncia de la regente. Entramos en el terreno del melodrama. Una desgarrada doña María, que enloquece por el riesgo de muerte que pende sobre su hijo, anuncia que de aquella triste y violenta situación «guerra, discordia / do quiera sembrarán al noble grito / de reina y libertad» (pág. 251). El final es, con todo, esperanzador: el leal Alfonso ha logrado rescatar indemne el cuerpo de Fernando, que recibido por la madre, es coronado en lo que queda de aquellas Cortes violentadas. Y concluye el drama de Molins con estos versos que recita el abnegado y heroico Alfonso (que se corresponden, en cifra, con las recomendaciones que doña María da a su hijo al comienzo de la jornada tercera de *La prudencia en la mujer):* «Y sepa, en teniendo edad, / que no debe a cortesanos / sino a honrados ciudadanos / vida, trono y libertad.»

A lo largo de toda la obra se repiten expresiones como «patria y corona» o «patria y libertad», consignas que eran de curso frecuente durante la Primera Guerra Carlista, con la que, evidentemente, Roca de Togores quiere conectar su reconstrucción de los avatares de la regente doña María[52], pues, como en aquellos últimos años del siglo XIII y primeros del XIV, también en 1837 se estaba debatiendo un problema de legitimidad sucesoria entre el hijo/la hija del rey fallecido y las aspiraciones hereditarias (apoyadas en una parte de la nobleza y en una parte de la Iglesia) del hermano del monarca desaparecido. Esta coincidencia, que daba especial relieve a la representación en clave de la obra, la había captado plenamente un crítico como Donoso Cortés, que en el número 84 de *El*

---

[52] Una de las primeras composiciones poéticas de Molins fue una «Oda a la reina doña Cristina».

Porvenir, y examinando la escenificación de la obra de Molins, afirmaba:

> [...] por admirable instinto de poeta ha elegido un asunto que, perteneciendo a lo pasado, pertenece también a lo presente. También reina en España en nuestros días una huérfana, cuya cuna se mece en las turbulentas olas de mares irritantes [...] También una mujer, cuyo nombre vivirá puro, grande y glorioso en la Historia, preside con el cetro de oro la consumación de nuestros altos destinos; también los vándalos la maldicen, y los pueblos la vitorean[53].

Al parecer Roca negó haberse inspirado en el texto de Tirso:

> Mucho después de concluido este drama llegó a mis manos el que con el mismo argumento y bajo el título de *La Prudencia en la mujer* compuso dos siglos ha el célebre Tirso de Molina... Si hubiese sabido la existencia de esa admirable obra antes de comenzar la mía, probablemente no hubiera entablado una competencia en que he quedado vencido; pero en cambio, ignorante de ella, mi pobre drama no habrá perdido nada de su originalidad. Así pueden comprobarlo los que se tomen el trabajo de comparar una y otra composición[54].

Y desde luego resulta difícil de admitir que Roca desconociese la edición de la obra de Tirso hecha por su amigo Durán

---

[53] Montserrat Ribao Pereira ha hecho también una lectura política del drama de Roca de Togores, y concluye su análisis con este párrafo que suscribo: «Es evidente el carácter propagandístico del drama, en una dirección muy clara, y es evidente también el valor que, desde una postura claramente demagógica, se le confiere al pueblo en un momento histórico en el que se necesita de su fuerza y apoyo para sostener una guerra civil sangrienta por una cuestión dinástica. El teatro, plataforma de transmisión de contenidos e ideologías, se convierte en altavoz del bando legitimista y consigue, con títulos como éste, fortuna y aplauso, quizá porque la historia la escriben los vencedores y este drama es, finalmente, una proclama del bando que ostenta el poder» («La teorización política en el drama romántico: *Doña María de Molina* de Mariano Roca de Togores», *Los románticos teorizan sobre sí mismos,* Bolonia, Il Capitelo del Sole, 2002, págs. 179-192).

[54] «Tirso. *La prudencia en la mujer*», en sus *Obras,* Madrid, Tello, 1841, vol. III, págs. 163-190.

en la colección *Talía Española,* en 1834, y de la que trató —ya a toro pasado— en una conferencia pronunciada en el Ateneo madrileño, en 1841[55].

Por último el prolífico novelista Fernández y González trató el asunto de doña María de Molina en su novela *La buena madre* (Madrid, 1866, 2 vols.) enfadosa narración, llena de lances aventureros e imaginarios, que principia con la detallada crónica de la muerte de Sancho el Bravo en Toledo y acaba con el fallecimiento de doña María, tras haber sido regente y «buena madre» por dos veces. La acción empieza en Toledo, a donde ha acudido el rebelde Infante don Juan, creyéndose legal sucesor del trono, personaje al que el narrador le dedica pormenorizado tratamiento, resumiendo todo su pasado hasta aquella situación inicial, incluido el famoso episodio de Tarifa y todas sus veleidades con el enemigo mahometano. Terminado el largo prólogo, y tras la aventurera historia del caballero del Águila Roja y de la dama doña María de Granada, conocida también como la sultana Zayda Fátima —dos personajes que eran la misma persona— y de otros nuevos, la reina doña María se incorpora como un personaje más a la larga novela, a partir del segundo libro de la misma. Su secreta entrevista con don Lope Díaz de Haro, su negativa a contraer nuevo matrimonio, su furia al verse asediada por calumnias, su resistencia moral y su profunda fe en la Virgen María son algunos de los perfiles con los que la compone Fernández y González. Poco a poco el novelista decimonónico va perfilando una corte real que se corresponde con la presentada en el último acto de la comedia de Tirso, como resume este párrafo que copio de la pág. 341 del vol. I de la novela:

> Fernando IV era violento, había visto la violencia en su padre, y después de la muerte de éste, había acabado de irritarle

---

[55] La que se reproduce en el texto indicado en la nota anterior. El argumento de la obra de Togores gozó de más versiones en el periodo romántico. De hecho, Hartzenbusch (en el volumen en el que edita la comedia tirsista, pág. xxxiii) menciona una obra titulada *Doña María de Molina* con música de Ramón Carnicer, pero no facilita apenas nada acerca de su publicación o representación. Tal vez se tratase de una ópera de la que no nos han llegado suficientes datos.

las rebeldes violencias de los altos vasallos. Esta irritación de su carácter, las contrariedades que se veía obligado a sufrir, mal su grado, le habían hecho voluntarioso y asequible a los que, conociéndole y por explotarle, se sometían, como el infante don Juan su tío, a las exigencias de su enérgica voluntad. La reina doña María era una mártir completa; la aturdían, la desorientaban las continuas embestidas de tantos intereses encontrados, y por otra parte veía que su hijo no había heredado su prudencia y que tenía el carácter menos a propósito para aquella eterna y encarnizada lucha contra el egoísmo, la soberbia y la traición. Temía que, llegado a su mayor edad, se despeñase por su propio ímpetu e hiciese inútiles todos sus sacrificios de madre.

Todo el largo episodio del cerco de Mayorga, complicado con multitud de derivaciones novelescas (entre las que no falta el del progresivo empobrecimiento de las arcas reales y las medidas monetarias para hacer frente a la costosa situación) ocupan el largo libro tercero de la novela contenido en el primer volumen, que termina con el cerco que sufren doña María y su hijo en Valladolid, y la epidemia de peste negra que ayudó a levantar dicho cerco y a salvar, de momento, la causa de la reina. Al finalizar el libro cuarto, y tras un detallado análisis, al margen de la ficción narrativa, de los sucesos históricos sucedidos antes de que Fernando IV se hiciese con el poder, Fernández y González deja por escrito (pág. 231 del vol. II) semblanzas como la que sigue, que han ayudado a mantener el mito de la prudente y abnegada doña María:

> Doña María Alfonso de Molina, sin más amparo que su gran corazón, su grande alma, su infinita prudencia, su inmenso genio, su valor heroico y su incansable actividad, es una figura gigantesca y resplandeciente para el que lea la historia de su tiempo, avalore con corazón e inteligencia su lucha y su martirio, y establezca el paralelo entre aquella época y otras posteriores, enteramente semejantes entre sí, salva la diferencia de carácter.

El capítulo XVII del quinto libro se centra en el enjuiciamiento de honradez y buen gobierno a que se fue sometida la reina, componiendo Fernández y González una secuencia que se corresponde con lo dramatizado por Tirso en el acto tercero: el rendimiento de cuentas y levantamiento total de las sospechas que recaían sobre la soberana:

> El rey les mandó que volviesen a examinar escrupulosamente la cuenta para que resultase lo cierto, y ellos lo hicieron así, enviando al abad de Santander la cuenta con la orden de que la viese por menudo; y habiendo obedecido el abad de Santander, resultó justificada la cuenta de tal manera que nada pudieron decir ni el Infante ni don Juan Núñez, quedando patente que la reina había gastado, además de lo que había recibido de los reinos, más de dos cuentos de maravedises, que los había tomado prestados de ciertos hombres que se nombraban, para el servicio del rey, el cual préstamo tenía que pagar la reina de lo suyo, manifestando además que todas cuantas alhajas tenía la reina las había vendido para pagar la guerra, quedándose sólo con un vaso de plata que había sido del rey don Sancho, en que bebía, comiendo en escudillas de tierra, por haberse desprendido de su vajilla, que era de mucha valía y de gran mérito artístico (II, pág. 829)[56].

El libro sexto, y último, de la novela corresponde a la trayectoria de la reina que rebasa lo referido en la comedia tirsiana: los últimos años de reinado y muerte de Fernando IV, la nueva regencia de doña María y su testamento seguido de su muerte, si bien todo ello contado con indudable precipitación (lo que prueba que, pese al título, Fernández y González no se propuso hacer una novela centrada en la figura de la reina, sino una narración de aventuras colocada en el tiempo de aquel conflictivo reinado). La reacción de doña María ante la desaparición de su hijo y su segundo modo de arrostrar la responsabilidad política que le tocaba en suerte queda relegada al Epílogo de la larga narración, junto con la transcripción de su testamento.

---

[56] Unas páginas después el fecundísimo novelista rendía entregada pleitesía, reconociendo, como lo habría hecho Tirso que, «La reina doña María Alfonso de Molina, como doña Isabel la Católica y otras, son claras pruebas patentizadas por la Historia que desmienten a los que afirman que las mujeres ni saben ni pueden gobernar» (vol. II, pág. 440).

El recuento de formas métricas dispuestas por Tirso a lo largo de *La prudencia en la mujer* es el siguiente, acto a acto[57]:

ACTO I

vv.	1-96	octavas reales.
vv.	97-256	romance octosílabo en *-áa*.
vv.	257-376	octavas reales.
vv.	377-464	redondillas.
vv.	465-714	quintillas.
vv.	715-794	décimas.
vv.	795-874	cuartetas.
vv.	875-1002	romance *-áe*.
vv.	1003-1082	décimas.

ACTO II

vv.	1083-1406	redondillas.
vv.	1407-1641	quintillas.
vv.	1642-1709	redondillas.
vv.	1710-1719	décima.
vv.	1720-1819	redondillas.
vv.	1820-2014	quintillas.
vv.	2015-2078	octavas.
vv.	2079-2142	redondillas.
vv.	2143-2292	décimas.

---

[57] Recuérdese que existe, al respecto, el ya clásico estudio de S. Griswold Morley sobre la métrica de Tirso (hecho sobre 28 comedias auténticas y 24 de paternidad dudosa), «The use of verse-forms (strophes) by Tirso de Molina», *Bulletin Hispanique*, VII (1905), págs. 387-408 (versión española: «El uso de las combinaciones métricas en la comedia de Tirso de Molina»: aparecido en el núm. XVI, 1914, de la misma prestigiosa publicación *Bulletin Hispanique*, págs. 177-208).

Acto III

vv. 2293-2592 redondillas.
vv. 2593-2664 octavas reales.
vv. 2665-2689 quintillas.
vv. 2690-3029 romance -*áo*.
vv. 3030-3481 redondillas.
vv. 3482-3679 romance -*éa*.

Esta enumeración arroja, considerado ahora en su conjunto el texto de la comedia, los siguientes porcentajes de empleo de las diversas formas estróficas:

redondillas/cuartetas: 1476 vv. = 40,12 por 100.
romance: 826 vv. = 22,45 por 100.
quintillas: 705 vv. = 19,16 por 100.
octavas: 352 vv. = 9,57 por 100.
décimas: 320 vv. = 8,70 por 100.

A la vista de lo indicado se concluye que es la redondilla la estrofa más utilizada en la obra, viniendo a asumir todas las funciones que le asigna Lope en su *Arte nuevo*. El romance no se limita en este texto a las relaciones de sucesos ni al remate de la obra, sino que también se prodiga en el diálogo de exaltación de personajes. Se usa en cuatro ocasiones, cada una con distinta asonancia. La quintilla, no mencionada específicamente por Lope en su *Arte nuevo*, la usa Tirso en conversaciones, varias veces con la presencia de la reina. La octava aparece en relaciones, como recomienda Lope, así como en diálogos entre personajes de alta alcurnia (así en la imponente secuencia inicial del acto primero). No se produce cambio de metro en función de la entrada o salida de un personaje en escena, y —llamativamente— faltan en esta comedia los sonetos y los tercetos.

Esta edición

A falta de manuscrito de la comedia, se ha seguido como texto base el de la primera edición de la misma en la *Parte Tercera de las Comedias del Maestro Tirso de Molina* publicada por Pedro Escuer, en Tortosa y en 1634, modernizando grafías, puntuación y acentuación. Se han seguido, en general, las lecturas correctoras de las ediciones de Guzmán (1735), Durán (1834) o Hartzenbuch 1 y Hartzenbuch 2 (1840, 1848), así como las sugerencias textuales de Morel Fatio, cuando corregían una evidente errata de la *princeps* o eran soluciones textuales razonables. Se han tenido muy en cuenta las resoluciones textuales presentadas por las importantes y pioneras ediciones modernas de McFadden (1933) y Bushee-Stafford (1948) y las anotaciones textuales de esta última, así como las dos ediciones de María del Pilar Palomo (1968 y 2007). Igualmente se han tenido presentes todas las ponderadas y juiciosas observaciones elaboradas por X. A. Fernández en su importante trabajo *Las comedias de Tirso de Molina. Estudios y métodos de crítica textual*, Pamplona-Kassel, Reichenberger-Universidad de Navarra, 1991, págs. 577-603.

SIGLAS UTILIZADAS EN LAS NOTAS AL TEXTO
Y REFERIDAS A LAS DIVERSAS EDICIONES
RELACIONADAS DE LA COMEDIA

PT *Parte Tercera de las Comedias*, Madrid, 1634.
G   Ed. suelta de Teresa de Guzmán, Madrid, 1735.
D   Ed. de Agustín Durán, *Talía Española*, Madrid, 1834.

H   Ed. de J. E. Hartzenbusch, Madrid, Rivadeneyra (BAE), 1848.
M   Ed. de William McFadden, Liverpool, 1933.
BS Ed. de Bushee-Stafford, México, 1948.
P68 Ed. de María del Pilar Palomo, Barcelona, Vergara, 1968.
P07 Ed. de María del Pilar Palomo e Isabel Prieto, Madrid, Biblioteca Castro, 2007.

Bibliografía

RELACIÓN DE EDICIONES DE «LA PRUDENCIA EN LA MUJER»
POR ORDEN CRONOLÓGICO

1. *Parte Tercera de las Comedias del Maestro Tirso de Molina,* recogidas por don Francisco Lucas de Ávila, sobrino del autor. A Don Julio Monti, Caballero Milanés —Año 1634—. Con Licencia-Impresso en Tortosa, en la imprenta de Francisco Martorell, año 1634. A costa de Pedro Escuer, mercader de libros de Zaragoza. (La Aprobación de esta edición está fechada el 13 de septiembre de 1633. La pieza en cuestión ocupa el séptimo lugar, dentro de las doce allí reunidas, del folio 143v al 169r.)
2. Ed. suelta, Madrid, Teresa de Guzmán, 1735.
3. *Segunda Parte de las Comedias verdaderas del Maestro de las Ciencias don Miguel (sic) Tirso de Molina,* tercera impresión. Con privilegio. En Madrid, año de MDCCXXXVI. En la lonja de comedias de doña Teresa de Guzmán. Puerta del Sol (ocupa el puesto décimo en el conjunto de comedias editadas en este volumen). Ejemplar en la Biblioteca Menéndez Pelayo, sign. 293-11.
4. (Refundición) *Comedia nueva: La prudencia en la mujer y reina más perseguida,* a cargo de Vicente Cipriano de Segura, s.l., s.a. (Biblioteca Menéndez Pelayo, sign. 30841; Biblioteca Nacional de España, sign. T/19425).
5. *Talía Española o colección de dramas del antiguo teatro español, ordenada y recopilada por don Agustín Durán,* t. I, Madrid, Eusebio Aguado Impresor de Cámara, 1834, págs. 7-45.
6. *Tesoro del Teatro Español* de Eugenio de Ochoa, París, Baudry, 1838, vol. IV (segunda edición en París, 1898).
7. *Teatro Escogido de Fray Gabriel Téllez, conocido con el nombre de Tirso de Molina,* ed. a cargo de Juan Eugenio Hartzenbusch, Madrid, Yenes, 1840, vol. VI.

8. *Teatro Selecto de Tirso de Molina,* al cuidado de Juan Eugenio Hartzenbusch, Madrid, Rivadeneyra, 1848 (es reedición de la anterior).

9. *Colección Selecta del antiguo teatro español,* París, El Eco Hispanoamericano, 1854.

10. *Teatro selecto antiguo y moderno, nacional y extranjero,* ed. de Francisco J. Orellano, Barcelona, 1866-1868, vol. I.

11. *Colección de los mejores autores antiguos y modernos, nacionales y extranjeros,* Madrid, Imprenta Estenotipia y Galvanoplastia de Aribau, 1876; Biblioteca Universal, vol. XXIII (junto con *Los tres maridos burlados).*

12. Barcelona, 1885. Biblioteca de Ilustración Cubana (un ejemplar en la Biblioteca del Ateneo de Barcelona)[1].

13. (Refundición) *La prudencia en la mujer,* comedia de Tirso de Molina, refundida en cuatro actos y precedida por un discurso de Enrique Funes, Santa Cruz de Tenerife, 1889.

14. París, Garnier Hermanos, 1898 (reimpresión de la edición de Ochoa).

15. Madrid, Hernando y Compañía, 1902 (junto con *Los tres maridos burlados).*

16. (Refundición) Madrid, Rivadeneyra, 1902, refundición en tres jornadas y seis cuadros por J. E. Hartzenbusch (reeditada en Barcelona, Maucci, 1910).

17. *Comedia Semanal,* vol. II, Madrid, 1909.

18. *Biblioteca Literaria del Estudiante,* ed. de Samuel Gili Gaya, Madrid, 1922, vol. XIII.

19. Buenos Aires, Editora Internacional, 1924.

20. Liverpool, *Bulletin of Spanish Studies,* 1933 (ed. de William McFadden).

21. *Las cien obras maestras de la literatura y del pensamiento universal,* ed. de Pedro Henríquez Ureña, Buenos Aires, Losada, 1939 (junto con *El burlador de Sevilla* y *El condenado por desconfiado).*

22. *El teatro español: historia y antología (desde sus orígenes hasta el siglo XIX),* ed. a cargo de F. C. Sainz de Robles, Madrid, Aguilar, 1942, vol. II.

23. Madrid, Aguilar, col. Crisol, 1943 (junto con *El burlador de Sevilla* y *Don Gil de las calzas verdes).*

24. *Comedias históricas,* Madrid, Atlas, col. Cisneros, 1943 (junto con *El rey don Pedro en Madrid).*

---

[1] Ángeles Cardona, «Tirso de Molina en Barcelona», en I. Arellano, Blanca Oteiza y Miguel Zugasti (eds.), *El ingenio cómico de Tirso de Molina. Actas del II Congreso Internacional,* Pamplona, Universidad de Navarra, 1998, pág. 49.

25. Madrid, Espasa Calpe, col. Austral, 1943 (junto con *El condenado por desconfiado*).
26. Madrid, SAETA, 1945 (ed. y notas de José María Mohedano; junto con *Don Gil de las calzas verdes* y *El colmenero divino*).
27. *Obras Completas de Tirso de Molina*, edición a cargo de Blanca de los Ríos, Madrid, Aguilar, 1946, vol. III, págs. 904-951.
28. *La prudencia en la mujer*, Critical Text of the Princeps Edition in *Parte Tercera de las comedias del Maestro Tirso de Molina*, 1634, México, Imp. Nuevo Mundo, 1948 (edición crítica y anotación de Alice Huntington Bushee y Lorna Lavery Stafford).
29. México, Secretaría de Educación Pública 1949 (prólogo de Ubaldo Vargas Martínez).
30. Zaragoza, Ebro, 1950 (edición y anotación de E. Hors Bresmes).
31. Madrid, Aguilar, 1952 (ed. de F. C. Sainz de Robles; junto con *El burlador de Sevilla* y *Don Gil de las calzas verdes*).
32. Santiago de Chile, Editorial Universitaria, 1956 (introducción y notas de Alfonso M. Escudero; junto con *El condenado por desconfiado*).
33. México, Orión, Colección Literaria Cervantes, 1956 (prólogo de Luis Santullano).
34. Santiago de Chile, Zig-Zag, 1957 (prólogo y notas de Juan Loveluck).
35. México, Herrero Hermanos, 1961 (prólogo de Florentino M. Torner; junto con *El vergonzoso en palacio* y *El burlador de Sevilla*).
36. Madrid, Editora Nacional, 1963 (Obras del Teatro Español; texto adaptado por Cayetano Luca de Tena).
37. Nueva York, Dell Publishing, 1965 (introducción y notas de Raymond R. MacCurdy; junto con *El burlador de Sevilla*).
38. Milán, Ugo Murscio 1967 (ed. a cargo de Carmelo Samonà).
39. *Tirso de Molina. Obras*, ed. de María del Pilar Palomo, Barcelona, Vergara, 1968.
40. Barcelona, Bruguera, 1969 (ed. y notas de Amando C. Isasi Angulo; junto con *Don Gil de las calzas verdes* y *El condenado por desconfiado*).
41. Barcelona, Campos, 1969 (junto con *El condenado por desconfiado*).
42. México, Porrúa, 1969 (ed. de Juana de Ontañón).
43. Barcelona, Vosgos, 1973 (junto con *El condenado por desconfiado*).
44. *Selección de Comedias del Siglo de Oro Español*, ed. de Alma V. Ebersole, Universidad de Carolina del Norte/Editorial Castalia, 1973.
45. Barcelona, Plaza Janés, 1984 (ed. de Juan Manuel Oliver; junto con *El burlador de Sevilla*) (reedición en Madrid, Libertarias-Prodhufi, 2003).
46. Tirso de Molina, *Obras Completas. Tercera parte de las comedias*, edición de María del Pilar Palomo e Isabel Prieto, Madrid, Biblioteca Castro, 2007, vol. V.

Algunas traducciones o adaptaciones extranjeras

a) *La prudenza delle donne,* en *Teatro scelto spagnuolo antico e moderno racconto dei migliori drammi, commedie e tragedia,* Turín, 1858, vol. IV (adaptación libre hecha por Giovanni la Cecilia).
b) *La sagesse d'une fémm,* en *Théâtre du Tirso de Molina,* traducida por Alfonso Royer, París, 1863, en cinco actos.
c) *La prudenza nella donna,* Milán, Garzanti, 1950, versión a cargo de A. R. Ferrarin (junto con estas otras dos traducciones: *Il beffatore di Siviglia* y *Da Toledo a Madrid*).
d) *La prudenza nella donna,* versión italiana, introducción y notas de Antonio Gasparetti, Catania, Edizioni Paoline, 1967.

ESTUDIOS SOBRE «LA PRUDENCIA EN LA MUJER»
(INCLUIDAS MONOGRAFÍAS SOBRE EL PERIODO HISTÓRICO
Y LA FIGURA DE DOÑA MARÍA DE MOLINA)

ÁLVAREZ CASTAÑO, Emilio J., «Religiosidad y política en *La pruden-cia en la mujer*», *Anuario del Mediodía: Revista de Filología,* VI, 6 (1998), págs. 48-56.
ARAUJO COSTA, Luis, «Representación de *La prudencia en la mujer* de Tirso de Molina», *La raza española,* núms. 141-142 (1930), págs. 24-29.
ARMAS, Frederick A. de, «La figura del niño rey, en *La prudencia en la mujer*», *Bulletin Hispanique,* 80 (1978), págs. 175-189.
ARTEAGA, Almudena de, *María de Molina. Tres coronas medievales,* Madrid, Martínez Roca, 2004.
BUSHEE, Alice H., «Bibliography of *La prudencia en la mujer*», *Hispanic Review,* 1 (1933), págs. 271-283.
— «Notes on Various Editions of Tirso's Plays», *Three Centuries of Tirso de Molina,* Filadelfia, University of Pennsylvania Press, 1939.
CARMONA RUIZ, María Antonia, *María de Molina,* Barcelona, Plaza & Janés, 2005.
COE, Ada M., *Catálogo bibliográfico y crítico de las comedias anunciadas en los periódicos de Madrid desde 1661 hasta 1819,* Baltimore, Johns Hopkins Press, 1935.
FUCILLA, G., «The Ismael Episode in Tirso's *La prudencia*», *Bulletin of the Comediantes,* 13 (1961), págs. 3-5.
GAIBROIS RIAÑO, Mercedes, *María de Molina,* Madrid, Espasa Calpe, 1936.

García Payer, María Josefa, «Tirso de Molina y Mariano Roca de Togores: conexiones en un mismo tema: Doña María de Molina», *Al-Basit: Revista de Estudios Albacetenses,* 12 (1983), págs. 5-26.

García Rodríguez, J. M., *Doña María de Molina,* Barcelona, 1942.

Gregg, Karl C., «The probable source for Tirso's Jewish Doctor», *Romance Notes,* XVII, 1 (1976-1977), págs. 302-304.

Hoyos, M. de los, «Doña María de Molina», *Boletín de la Institución Fernán González,* 179-180 (1972-1973).

Jones, Cyril A., «Tirso de Molina and country life», *Philological Quarterly,* 51 (1972), págs. 197-204.

Kennedy, Ruth L., «Studies for the cronology of Tirso's Theatre», *Hispanic Review,* II (1943), págs. 17-46.

— «*La prudencia en la mujer* y el ambiente que la produjo», *Estudios,* 13, 14, 15, págs. 223-293 [es traducción de *«La prudencia en la mujer* and the ambient that brought it forth», *PMLA,* 63 (1948), págs. 1131-1190].

— «Las *tocas* en las comedias de Tirso, *La prudencia en la mujer* y *La mujer que manda en casa:* su valor simbólico», *Estudios sobre el Siglo de Oro en homenaje a Raymond R. MacCurdy,* Cátedra/Universidad de Nuevo México, 1983 págs. 205-212.

Lida de Malkiel, María Rosa, «Lope de Vega y los judíos», *Bulletin Hispanique,* 75 (1973).

Lista, Alberto, «Galería dramática. Teatro escogido de T. de M.», *Ensayos literarios y críticos,* vol. II, 1844, págs. 95-136

Maurel, Serge, *L'univers dramatique de Tirso de Molina,* Publicaciones de la Universidad de Poitiers, 1971, págs. 139-142 y 363-371.

Morel-Fatio, Alfred, «La prudencia en la mujer», *Bulletin Hispanique,* 2 (1900), págs. 85-109; 178-203 (reproducido en *Etudes sur l'Espagne, troisième série,* París, E. Bouillon, Libraire Editeur, 1904, págs. 27-72).

Oliver Cabañas, Juan Manuel, «Estudio de *La prudencia en la mujer*», prólogo a la edición de la comedia en Barcelona, Plaza & Janés, 1984, págs. 61-76.

Palomo, María del Pilar, *Estudios tirsistas,* Universidad de Málaga, 1999.

— «Tirso y la Historia», introducción al volumen V de las *Obras Completas* de Tirso de Molina, *Tercera parte de las comedias,* Madrid, Biblioteca Castro, 2007, págs. IX-XX.

Penedo Rey, Manuel, «Almazán y Madrid en la bibliografía de Tirso de Molina», *Estudios,* 1 (1945), págs. 172-175.

Ribao Pereira, Montserrat, «La teorización política en el drama romántico: *Doña María de Molina* de Mariano Roca de Togores», *Los románticos teorizan sobre sí mismos,* Bolonia, Il Capitello del Sole, 2002, págs. 179-192.

Ríos, Blanca de los, «Prólogo a la representación de *La prudencia en la mujer*», *La raza española,* núms. 141-142 (1930), págs. 30-38.

RODRÍGUEZ ARANGO, A., «María de Molina, reina y personaje dramático», *Galería palentina para cuatro reinas*, Palencia, 1975.

RULL FERNÁNDEZ, E., «En torno a la estructura de *La prudencia en la mujer*», *Segismundo*, 33-34 (1981), págs. 227-236.

SAMONÁ, C., «Premesse ad uno studio di *La prudencia en la mujer*», en el volumen *Studi Tirsiani*, Milán, Feltrinelli Editore, 1958, págs. 129-145.

— «*La prudencia en la mujer* de Tirso de Molina e i problemi del dramma storico», Rome, E. de Santis, 1965.

STAFFORD, Lorna L., «Historia crítica y dramática de *La prudencia en la mujer*», *Estudios Hispánicos. Homenaje a Archer M. Huntington*, Wellesley (Mass.), 1952, págs. 575-584.

TEMPLIN, Ernest H., «Another Instance of Tirso's self-plagiarism», *Hispanic Review*, 5 (1937), págs. 176-180.

VALLE CURIESES, R. del, *María de Molina. El soberano ejercicio de la concordia (1260-1321)*, Madrid, Aldebarán, 2000.

WEIMER, Christopher B., «Los retratos salvadores en dos comedias de Tirso de Molina», Eva Galar y Blanca Oteiza (eds.), *El sustento de los discretos: la dramaturgia áulica de T. de Molina*, 2003, págs. 149-158.

WILSON, M., *Tirso de Molina*, Boston, Twayne, 1977, págs. 90-94.

Comedia famosa
La prudencia en la mujer

PERSONAS DELLA[1]

DON ENRIQUE[2]
DON JUAN[3]

---

[1] Se transcribe la lista de «dramatis personae» tal como la presenta el texto de *Parte Tercera* (1634) (en adelante PT) con la salvedad indicada en la nota 9.

[2] Tercer hijo de Fernando III y de doña Beatriz de Suabia, hermano, por tanto, de Alfonso X y tío carnal de Sancho IV. Habiendo conspirado contra Alfonso X, fue expulsado del reino. Tras cuatro años en Marruecos, Túnez y Sicilia, se trasladó a Roma en donde fue nombrado senador y después fue hecho prisionero en medio de una serie de disturbios en Francia. Veintiséis años después regresó a Castilla, cuando la muerte de su sobrino Sancho IV. A pesar de sus setenta años se mantenía propicio a la intriga (fue «gran bolliciador» dice la *Crónica de F. IV*, 94b), y en los *Anales de la Corona de Aragón*, de Jerónimo de Zurita, se dice de este personaje que era «no sólo muy vario y mudable en sus consejos: pero maligno, y de grandes tratos y doblezes...». Se implicó en continuas insidias contra el joven rey y fue quien denunció ante el Papa la posible ilegitimidad del matrimonio de Sancho IV. Falleció en Roa en 1203, a los setenta y tres años (edad demasiado avanzada para la expectativa de vida de la época) volviendo a la corona todas las posesiones que había acumulado durante sus años de vanas pretensiones a la realeza, pues su influencia en aquel momento se había desvanecido casi del todo.

[3] El cuarto hijo de Alfonso X y uno de los personajes más despreciables de los que se tratan en la *Crónica de los reyes de Castilla*. A él se le atribuyen no pocas crueldades. Cuando Alfonso X estaba en Lombardía, don Juan hizo una aparente alianza con Fernando de la Cerda, pero a la muerte de este último se alió con su otro hermano, don Sancho, para apoyarle en sus pretensiones al trono. Durante algunos años don Juan alternó su alianza con el rey don Sancho y su alineación con una serie de nobles contra el mismo monarca. Propuso al rey de Marruecos Yusuf la reconquista de Tarifa, cuando la ciudad estaba gobernada por don Alfonso Pérez de Guzmán. Corría el año de 1294. El hijo de este gobernador fue apresado por don Juan, y entonces sucedió el dramático hecho que todos conocemos (y que doña María se encargará de recor-

Don Diego[4]
Carrillo, criado
Don Luis
Un Mayordomo
Don Nuño[5]

---

darle y echarle en cara) referido así por la *Crónica de Sancho IV:* «E don Alfonso Pérez le dijo que la villa que gela non darie; que cuanto por la muerte de
su fijo, que él le daria el cuchillo con que lo matase; e alanzóles de encima del
adarve un cuchillo, e dijo que ante quería que le matasen aquel fijo e otros cinco si los toviese, que non darle la villa del rey su señor, de que él ficiera homenaje; e el infante don Juan con saña mandó matar su fijo ante él, e con
todo esto nunca pudo tomar la villa» (89a). Tras la muerte de su hermano,
don Juan se autoproclamó rey de Castilla y León y envió cartas a la reina regente en las que le decía que podía detener las insidias de don Enrique, de los
Lara y de los Haros, proponiéndose a sí mismo como guía, colaborador y ga-
rantía del reino. Pero doña María, con gran sabiduría y tacto, sospechó de esas
intenciones y logró que don Juan «recibió... al rey don Fernando por su rey e
por su señor natural, e besóle la mano ante todos...» *(Crónica de Sancho IV,* 96b).
Un mes después intentó en León y Extremadura proclamarse rey y repartir
el reino entre él mismo y don Alfonso de la Cerda. Para los cuatro años siguientes la *Crónica* habla de él como «el Infante don Juan que se llamaba rey de
León», pero cuando en 1301 la reina logra la dispensa papal pendiente, legitimando así su matrimonio, el Infante decide renunciar a sus pretensiones y reafir-
mar su alianza al rey heredero por tercera vez. La siguiente intriga urdida por don
Enrique, don Juan y don Juan Núñez de Lara fue separar al rey de su madre, pre-
sentándosela como una mujer lujuriosa y entregada al irresponsable divertimen-
to y abandono del gobierno *(Crónica de Fernando IV,* 120a). Aunque este nefasto
plan tuvo éxito en el ánimo del joven rey *(ibíd.,* 123-124), nunca logró que la reina se enfrentase abiertamente a su hijo, incluso cuando, impulsado por don Juan
y los Lara, el rey exige que su madre le rinda cuentas de su periodo como reina, lo que se recoge muy bien en el acto tercero de la comedia.

[4] Don Diego López de Haro fue hermano de don Lope Díaz de Haro, privado de Sancho IV, a quien sin embargo el rey mandó matar en Alfaro, en 1288.
Siempre estuvo deseoso de recuperar el señorío de Vizcaya, desde 1294, lo-
grándolo tras la muerte de Sancho IV y por reconocimiento de la regente, a la
que siempre permaneció fiel. Murió en la fallida toma de Algeciras (1310). Inicialmente formó parte, aliado con los Infantes de la Cerda, del grupo opositor
a Sancho IV. Su familia, una de las más poderosas de la España medieval, estaba emparentada con la realeza, pues doña Urraca, hermana de Fernando III,
fue la abuela de este personaje. Y su hermano, don Lope, había casado con
una hermana de doña María de Molina. Don Diego fue cuñado de Sancho IV,
al contraer matrimonio con doña Violante, hija de Alfonso X.

[5] El personaje que figura con este nombre viene a ser una síntesis de los
hermanos Juan Núñez de Lara y Nuño González de Lara. Mantuvieron siempre una postura ambigua, ya a favor de doña María, ya en contra.

Don Melendo[6]
El Rey de diecisiete años
Garrote, pastor
La Reina Doña María[7]
El Rey Fernando IV
Un Criado
Don Juan Alonso Caravajal
Don Pedro, su hermano[8]
Don Juan Benavides[9]
Un Hebreo médico[10]

---

[6] Según las editoras Alice H. Bushee y Lorna Lavery Stafford (1948) este personaje lo pudo concebir Tirso basándose en el anónimo *dispensero* de don Enrique referido en el *Compendio historial* de Garibay, 1628.

[7] Doña María Alfonso de Meneses, protagonista de la obra, era hija del infante don Alfonso de Molina, hermano del monarca Fernando III, y de doña Mayor Téllez de Meneses, con la que aquél casó en terceras nupcias. Sobre aspectos biográficos de este personaje que inciden en el argumento de la obra de Tirso me extiendo en la Introducción a la presente edición.

[8] Según el *Nobiliario genealógico de los reyes y títulos de España* (Madrid, 1622) de Alonso López de Haro, la familia Carvajal descendía de D. Bermudo II, rey de León. El mismo autor dice de los dos hermanos mencionados en la obra lo que sigue: «Alonso Yáñez de Carvajal... fue en tiempo de los reyes don Sancho Cuarto y don Fernando Cuarto su hijo, a los quales sirvió con mucha fidelidad, mostrando en todo el valor de su persona y la clara sangre de sus mayores... tuvo por sus hijos a Juan Alonso de Carvajal, y a Pedro Alonso de Carvajal... Juan Alonso de Carvajal fue caballero generoso y de grande valor en la disciplina militar, sirvió al rey don Fernando el Cuarto, en las guerras contra moros y en todas las ocasiones de su tiempo». Según la leyenda, un miembro de la familia Benavides fue hallado muerto cerca del palacio real, en Palencia. Y un rumor identificó a los hermanos Carvajales como los asesinos, y el rey ordenó arrojarlos desde una peña en la localidad jiennense de Martos. Ambos nobles aseguraron su inocencia en vano y finalmente emplazaron al rey Fernando IV a que compareciera ante Dios antes de treinta días; en efecto, el rey falleció el día señalado por aquella premonición.

[9] El nombre de este personaje, como los de don Tello, Padilla y Chacón, no figuran en el reparto de personajes de la PT. Don Juan Alfonso Benavides fue el privado favorito de Fernando IV, que murió en oscuras circunstancias, y siendo acusados de tal muerte los hermanos Carvajal, como secuela de antiguas rencillas familiares, asunto al que se alude luego en el texto de la comedia.

[10] El nombre de este personaje de tan negativas connotaciones (aunque también próximas al ridículo) procede sin duda del recuerdo del personaje bíblico del mismo nombre, hijo de la esclava Agar, que aparece rodeado de las cualidades de persona antisocial y con instintos asesinos. Así se le caracteriza

Un Mercader
Don Álvaro.
Chacón
Don Tello
Padilla
Torbisco, pastor
Berrocal, pastor
Cristina, pastora
Nisiro, pastor

---

en una obra de Lope—*Las paces de los reyes*— que ha sido puesta en relación con esta de Tirso, según este comentario del rey-niño, y hablando de la judía Raquel: «Que de aquesta esclava Agar / saldrá algún Ismael / tan bastardo como él / que me pretenda matar» (tomo el dato del trabajo de Frederick A. de Armas, 1978). El tratamiento de este personaje revela el antisemitismo de época y más concretamente de Tirso, reflejado en otros textos más intensamente, como en la comedia *El árbol de mejor fruto*. Respecto a posibles modelos históricos en los que Tirso pudo inspirarse, Morel-Fatio (1904) apunta que el mercedario trasladó a su trama el episodio del físico judío Simuel que ocupó el cargo de galeno en la corte de Fernando IV, sin negar que también hubiesen podido influir en la conformación del personaje otros médicos judíos, como don Abraham, del reinado de Sancho IV, o don Çag, o Isaac, hermano del anterior, y María Rosa Lida (1973) se inclina por este último. Posteriormente Kart C Gregg (1976) aporta otra fuente literaria que cree más verosímil, la de la obra de Damián Salucio del Poyo *Próspera fortuna de Ruy López Ávalos*, a partir de una antigua sugerencia del mismo Hartzenbusch en su edición del *Teatro Selecto de Fray Gabriel Téllez* (sugerencia que conocían igualmente Morel-Fatio y R. L. Kennedy) obra que se representó antes de 1605 y en la que el referido personaje, por nombre don Mair, declara haber sido médico personal de varios reyes (de Pedro I a Enrique III, en un arco temporal de 1334 a 1406) y que fue sospechoso de practicar algún que otro envenenamiento. En la «casa del infante don Fernando» fue nombrado médico personal del niño el maestre Alfonso de Paredes, y como almojarife (administrador económico) el judío Samuel de Vilforado.

Jornada primera

(Sale Don Enrique)[11].

Enrique.   Será la viuda reina esposa mía,
            y darame Castilla su corona

---

[11] *«Sala en el alcaçar de Toledo»* (BS).

2 Las pretensiones de los tres personajes que comparecen en esta primera
secuencia está atestiguada en el primer capítulo de la *Crónica de Fernando IV*
(cito siempre por la recopilación de Cayetano Rosell *Crónicas de los Reyes de
Castilla*, BAE, LXVI, Madrid, Atlas, 1953, indicando página y columna): «e estando en Toledo [doña María] llególe mandado de commo el infante don
Juan, que era en Granada, que se quería llamar rey de los reinos de Castilla e
de León, e que quería venir a la tierra con gran poder de los moros. Otrosí le
llegó mandado de commo don Diego López de Haro, que era en Aragón,
entraba con muy grand poder de gentes por Castilla e demandaba Vizcaya»
(pág. 93b). Por su parte, Mariana —otra de las probables fuentes de Tirso—
inicia el libro XV de su *Historia* exponiendo la situación de inestabilidad con
la que se enfrenta doña María, tras la muerte de su marido: «En Castilla no podían las cosas tener sosiego: los nobles divididos en parcialidades, cada cual se
tomaba tanta mano en el gobierno y pretendía tener tanta autoridad cuantas
eran sus fuerzas [...] La reina era menospreciada por ser mujer, el rey por su
tierna edad no tenía autoridad ni fuerzas, puesto que luego el siguiente día
después que su padre falleció en Toledo, le alzaron por rey [...] Los príncipes
comarcanos por su gran codicia y ambición casi todos estaban con las armas
a punto para correr a la presa, sin que hobiese quien se lo estorbase [...] El Infante don Enrique por su larga prisión más mal acondicionado y desabrido de
lo que de suyo era, inconstante y usado a malas mañas, como tal pretendía
apoderarse del gobierno [...] Diego López de Haro por la parte de Navarra entró con grande furia en aquella provincia [Vizcaya] y se apoderó de todos los
pueblos della, parte por fuerza, parte por voluntad [...] El infante Don Juan,
tío del rey, desde África, donde hasta esta sazón se detuvo, dio la vuelta a Gra-

o España volverá a llorar el día
que al conde Don Julián traidor pregona.
¿Con quién puede casar Doña María,   5
si de valor y hazañas se aficiona,
como conmigo, sin hacerme agravio?
Enrique soy; mi hermano Alfonso el
                                    [Sabio.

(Sale DON JUAN.)

JUAN.   La reina y la corona pertenece
          a Don Juan, de Don Sancho el Bravo
                                    [hermano.   10
          Mientras el niño rey Fernando crece,
          yo he de regir el cetro castellano.

---

nada para pretender el reino de Castilla [...] a causa de que el nuevo rey don
Fernando no era nacido de legítimo matrimonio [...] El rey Dionisio de Portugal le favorecía y estaba declarado por su parte» (cito por *Obras del P. Juan de
Mariana,* BAE, XXX y XXXI, Madrid, Atlas, 1950. La presente cita corresponde a la pág. 428ab del vol. I).

4 Don Julián (nombre más conocido del legendario Olbán en la tradición
romancística) según la leyenda y el Romancero, fue el gobernador de Ceuta
que, para vengarse de la deshonra inferida a su hija Florinda, La Cava, por el
último rey godo Don Rodrigo, cometió la traición de facilitar el paso a las tropas de Tarik que derrotaron al monarca en las orillas del próximo río Guada-
lete. Personaje vinculado al motivo histórico-literario de «la pérdida de España», combinado con el motivo legendario de «Rodrigo, el último godo», bien
estudiado por Menéndez Pidal *(Floresta de leyendas heroicas españolas: Rodrigo, el
último godo,* Madrid, 1925-1926, en dos volúmenes de la colección «Clásicos
Castellanos»).

7 «agravio»: 'afrenta hecha por una persona que tiene mayor rango o poder
que la persona a la que se lo infiere'.

8 El infante don Enrique era ya hombre de edad provecta cuando pretendió
alzarse con el trono castellano mediante su desposorio con la reina viuda, de
la que era tío político. Fue apodado «el Senador», cargo que había ostentado en
Roma.

10 Como uno de los hijos de Alfonso X, don Juan podía usar el título de
Infante con toda propiedad. Aduce, por edad y por proximidad sanguínea al
fallecido, mayores derechos a ser el nuevo rey que su tío don Enrique.

12 Parece que frente a las pretensiones de ser coronado rey de don Enrique,
don Juan se conforma con ser sólo el titular de la regencia mientras dure la minoría de su sobrino; pero en la realidad histórica sucedió al contrario.

Pruebe, si algún traidor se desvanece,
a quitarme la espada de la mano;
que mientras gobernare su cuchilla,   15
sólo Don Juan gobernará a Castilla.

(Sale DON DIEGO.)*

DIEGO.   Está vivo Don Diego López de Haro,
que vuestras pretensiones tendrá a raya,
y, dando al tierno rey seguro amparo,
casará con su madre, y cuando vaya   20
algún traidor contra el derecho claro
que defiendo, señor soy de Vizcaya.

---

13 «se desvanece»: 'se envanece', 'se muestra atrevido', y también 'se muestra
alocado', pues en algunos autores se documenta el verbo con el significado de 'perder el seso por presunción y vanidad'. Covarrubias define «desvanecerse» como
«entonarse demasiado con el favor, con la riqueza, o con el cargo y mando».

15 La voz «cuchilla» es sinónima de «acero» o de la «espada» mencionada
en el verso anterior: el instrumento que simboliza el poder que tiene quien la
porta en su mano y puede usarla.

17 Diego López III de Haro. Hijo de Lope Díaz de Haro y de Constanza
de Bearne, fue octavo señor de Vizcaya entre 1254 y 1288. Ostentó los muy
valorados cargos de mayordomo real, canciller y alférez mayor del reino. Y había casado con doña Violante, cuñada de doña María, por lo que era tío político del joven heredero. El alférez mayor tenía a su cargo la jefatura de la casa
militar del rey, y del ejército, pero en realidad se había convertido en un cargo honorífico muy bien retribuido, al que aspiraban sólo los pertenecientes a
los más altos linajes del reino. Don Diego se incorporó a tierras castellanas,
procedente del reino de Aragón, cuando comprendió que el final del reinado
de Sancho era inminente, con ánimo de proseguir en sus pretensiones y obs-
taculizar la transmisión de la corona al hijo varón del rey.

20 «cuando»: 'en el caso de que'.

21 «derecho claro»: 'justo', 'nítidamente codificado', 'totalmente legítimo'.

22 El «señorío» que ostenta don Diego era un título nobiliario y de poder
sobre una comarca o demarcación determinada, que ya fijaba el código de las
Partidas, en donde se dice que recibía el título de «señor» «aquel que a man-
damiento e poderío sobre todos aquellos, que viven en su tierra. E a este atal
deben todos llamar señor, también sus naturales, como los otros que vienen a
él, o a su tierra» (IV, XXV, 1). Inicialmente don Diego López de Haro actuó
en contra de doña María y de su hijo, movido tanto por el rencor causado por el
asesinato de su hermano don Lope en Alfaro (1288) a instancias de Sancho IV
como por recuperar el señorío de Vizcaya, en poder del infante don Enrique,
hermano de Fernando IV.

	Minas son las entrañas de sus cerros,	
	que hierro dan con que castigue yerros.	
ENRIQUE.	¿Qué es esto, Infante? ¿Vos osáis	
	[conmigo	25
	oponeros al reino? ¿Y vos, Don Diego,	
	conmigo competís, y sois mi amigo?	
JUAN.	Yo de mi parte la justicia alego.	
DIEGO.	De mi lealtad a España haré testigo.	
ENRIQUE.	A la reina pretendo.	
JUAN.	De su fuego	30
	soy mariposa.	
DIEGO.	Yo del sol que miro,	
	yerba amorosa que a sus rayos giro.	
ENRIQUE.	Tío, Don Juan, soy vuestro, y de Fernando	
	el Santo que ganó a Sevilla, hijo.	
JUAN.	Yo nieto suyo: Alfonso me está dando	35
	sangre y valor con que reinar colijo.	
DIEGO.	Primo soy del rey muerto; pero cuando	
	no alegue el árbol real con que, prolijo,	

---

24 El personaje juega con la paronomasia del vocablo para indicar su oposición frontal, desde su lealtad y desde la fuerza de sus armas («hierros») a cualquier tipo de pretensión ilegal representada por los otros dos personajes («yerros»).

25 El título de «Infante» adjudicado al hijo del rey ya está recogido y reconocido en las *Partidas* (II, vii, 1). Distinto valor tenía en la época del *Cantar de Mio Cid*, en donde comparecen los infantes de Carrión, pues entonces dicho término designaba a todos los miembros de la nobleza, sin necesidad de descendencia real directa.

30-32 Tanto don Juan como don Diego se manifiestan más que atraídos por la reina (que también) fieles absolutos a ella, siendo para el uno como la llama a la mariposa, y para el otro como el girasol que permanentemente orienta sus hojas a la luz del astro. Esta imagen comparativa la usa también Tirso en *El vergonzoso en palacio*, en relación con el mito de Clicie/Clitia: «La mayor [...] puede dar / otra vez a Clicie celos, / si el sol la sale a mirar» (I, vv. 852-858). La mencionada ninfa, enamorada de Apolo, al ver que éste prefería a Leucótoe, se abandonó a una intensa pena, consolándose sólo con estar siempre mirando a su amante el Sol, hasta metamorfosearse en la planta que tiene similar comportamiento.

35 Ese «Alfonso» es Alfonso X.

37 El abuelo de don Diego López de Haro fue don Lope Díaz de Haro, casado con doña Urraca, medio hermana del abuelo de Sancho IV, el rey Fernando III, y por tanto este personaje era primo segundo de dicho monarca.

38 Es frecuente el uso de este vocablo, y del próximo «tronco», para indicar la importancia del linaje legítimo, vinculado con la realeza, en la obra. «prolijo»: 'cuidadoso', 'diligente'.

	el coronista mi ascendencia pinta,	
	alegará el acero de la cinta.	40
ENRIQUE.	Vos, caballero pobre, cuyo estado	
	cuatro silvestres son, toscos y rudos,	
	montes de hierro, para el vil arado,	
	hidalgos por Adán, como él desnudos,	
	adonde, en vez de Baco sazonado,	45
	manzanos llenos de groseros ñudos	
	dan mosto insulso, siendo silla rica,	
	en vez de trono, el árbol de Garnica,	
	¿intentáis de la reina ser consorte,	
	sabiendo que pretende Don Enrique	50
	casar con ella, ennoblecer su corte,	
	y que por rey España le publique?	

---

40 «alegaré» (H). El personaje advierte que si sus pretensiones no se justifi-
can por la ascendencia, entroncada con la realeza, que su árbol genealógico
demuestra, lo hará acudiendo a la fuerza, o sea, a la espada que pende de su
cinto.

42 «mudos» (PT y G, que conserva BS; corrige M).

41-44 Don Enrique, con su característico y soberbio orgullo, marca muy
bien algunas de las distinciones del rango nobiliario referidas a don Diego,
al tiempo que hace cierto sarcasmo con la alcurnia aludida antes por el personaje. En el mundo medieval se distinguía muy bien entre *ricos omes (condes y potestades)* frente a otros caballeros de menor importancia, denomina-
dos *infanzones* y *fijosdalgos*. El código de las *Partidas* exigía para el título de
caballeros «que fuesen omes de buen linaje» y en su *Libro de los Estados* don
Juan Manuel acredita que el grado de *caballero* «es el postrimer estado que
ha entre los fijosdalgo, et es la mayor honra a que home fijodalgo puede llegar». La fórmula «hidalgos por Adán» tiene un marcado significado irónico,
pues se quiere indicar que la nobleza propugnada por el personaje no tiene
base alguna, o es la común a todos los mortales, pues todos descendemos
del primer hombre creado por Dios. Fue un recurso irónico-burlesco muy
utilizado en la literatura de la época.

45 Campos pletóricos de vides.

47 Ese «mosto insulso» es la sidra, «insulto» (PT y G; corrige D).

48 El emblemático «árbol de Guernica», añoso roble, símbolo del territorio y del pueblo vasco, bajo el cual juraban sus cargos los señores de aquel
territorio y en donde se reconocían sus fueros. Fue también el símbolo de
la independencia vasca. Se insiste sobre este simbolismo unos versos más
adelante.

JUAN.   Cuando su intento loco no reporte
      y edificios quiméricos fabrique,
      mientras el reino gozo y su hermosura, 55
      se podrá desposar con su locura.
DIEGO.   Infantes, de mi Estado la aspereza
      conserva limpia la primera gloria
      que la dio, en vez del rey, Naturaleza,
      sin que sus rayas pase la vitoria. 60
      Un nieto de Noé la dio nobleza,
      que su hidalguía no es de ejecutoria,
      ni mezcla con su sangre, lengua o traje
      mosaica infamia que la suya ultraje.
      Cuatro bárbaros tengo por vasallos, 65
      a quien Roma jamás conquistar pudo,
      que sin armas, sin muros, sin caballos,
      libres conservan su valor desnudo.

---

53 «reporte»: 'contenga, renuncie a él'.

57 Ese «Estado» es el de Vizcaya.

60 «rayas» 'límites', 'fronteras'.

61 Alusión a Tubal, hijo de Jafet, descendiente del patriarca bíblico que, según la leyenda fundamentada en Flavio Josefo, fue el fundador de la raza que habitó la Península Ibérica, y de la que se hace directo descendiente al pueblo vasco. Se le cita en Génesis, 10, 3.

62 Don Diego quiere significar que la nobleza de los vascos lo es por transmisión hereditaria de generación en generación, por razones de linaje, y no litigada o comprada por dinero. La *ejecutoria* era un título legal de hidalguía o nobleza librado por la Sala de los Hijosdalgo de las respectivas Reales Chancillerías, tras un juicio en el que el litigante obtenía una sentencia en la que se declaraba su limpieza de sangre y, por consiguiente, su condición de hidalgo. *Autoridades* define «hidalgo de ejecutoria» como «el que ha litigado su hidalguía y salido con ella, a diferencia del que es de privilegio, así dicho por haberle hecho el rey la gracia de exención de pechar».

64 La «mosaica infamia» alude a la ley judía o mosaica y, por tanto, el personaje se refiere a que entre los vascos, a diferencia de lo que ocurre en las otras regiones de España, no hay ni judíos ni conversos, sino sólo cristianos viejos. Ya Américo Castro se refería al prurito de inmunidad y de no contaminación de los montañeses y vascos del norte peninsular (cfr. su muy conocida obra *Origen, ser y existir de los españoles,* Madrid, 1958).

66 Las provincias vascas mostraron siempre un celoso sentimiento de independencia, lo que dificultó la romanización e impidió del todo la invasión musulmana.

Montes de yerro habitan que, a estimallos,
valiente en obras, y en palabras mudo,   70
a sus minas guardárades decoro,
pues por su hierro España goza su oro.
Si su aspereza tosca no cultiva
alanzadas a Baco, hazas a Ceres,
es porque Venus huya, que lasciva   75
hipoteca en sus frutos sus placeres.
La encina hercúlea, no la blanda oliva,
teje coronas para sus mujeres,
que aunque diversas en el sexo y nombres,
en guerra y paz se igualan a sus hombres.   80

---

69 Las preciadas minas de hierro vascas, base de las preciadas armas blancas fabricadas en los obradores toledanos.

70 Excelente verso bimembre en el que se sintetizan dos cualidades muy vascas, tal como se reputaban en la época: tan valientes y decididos en sus actos físi-
cos como lacónicos en sus manifestaciones verbales. Pese a remitir a un antecedente en plural (el elíptico sujeto de «habitan») el singular viene justificado por la
rima de la octava. Unamuno se hizo eco de este parlamento de don Diego en el
artículo «Alma Vasca» publicado en *Alma Española*, II, 10 (3 de enero de 1904),
págs. 3-5, reconociendo en primer lugar que en estos cuarenta versos Tirso había
explicado el modo de ser y actuar de los vascos «lo que en cuarenta volúmenes no
se ha dicho después», y añadía que «hasta nuestras palabras suelen ser acción
—que lo diga, recientemente, el vasco Grandmontagne— y confío en Dios en
que cuando se nos rompan por completo los labios, y hagamos oír nuestra voz en
la literatura española, será nuestro pensamiento corto en palabras y en obras largo».

71 «miras» (H, y admite M).

72 La producción de hierro de las minas vascas, y el prestigio del mineral
extraído, contribuyó eficazmente a mantener las arcas del erario público del
reino de Castilla.

74-76 «aranzadas» (D y M). En el v. 74, PT lee «heces», errata corregida por H.
Don Diego da réplica a la pobreza de cultivos de las tierras vascas que antes
ha señalado don Enrique. La «alançada» es «cierta medida de tierra que está
puesta de viñas» según Covarrubias, y que equivalía aproximadamente a 4 áreas.
Las «haces» («heces» en PT) son campos de cereales. La explicación de esa falta de cultivos que apunta Tirso la encontramos curiosamente explicada por
F. Rodríguez García en el siguiente pasaje de la *Crónica del señorío de Vizcaya*
(Madrid, 1865, pág. 38): «por miedo de que los naturales dándose con extremo a la bebida de su zumo, de parcos y virtuosos que eran, se convirtiesen en
hombres licenciosos, desordenados y corrompidos, prohibieron terminante-
mente plantar viñas en Vizcaya, ni aun bajo el pretexto de comer fruto de sus
racimos». Y la que da don Lope es todavía más llamativa, pues asocia la ferti-
lidad de los campos con la molicie y sensualidad de sus gentes.

80 La reciedumbre, resistencia y carácter espartano de la raza vasca.

El árbol de Garnica ha conservado
la antigüedad que ilustra a sus señores,
sin que tiranos le hayan deshojado,
ni haga sombra a confesos ni a traidores.
En su tronco, no en silla real sentado,   85
nobles, puesto que pobres, electores
a sus señores juran, cuyas leyes
libres conservan de tiranos reyes.
Suyo lo soy agora, y del rey tío,
leal en defendelle, y pretendiente   90
de su madre, a quien dar la mano fío,
aunque la deslealtad su ofensa intente.
Infantes, si a la lengua iguala el brío,
intérprete es la espada del valiente:

---

81 «Garnija» (PT; corrige G). Evidente alusión al roble de la villa de Guernica, bajo cuya amplia copa los reyes juraban guardar los fueros vascos. Según
C. Samonà (1967) Tirso parece aludir a la supervivencia de la justicia patriar-
cal y del derecho consuetudinario en zonas de España, como aquélla, que más
se escapaban a la centralización legislativa.

84 «conversos» por 'judíos conversos', lo que equivale a afirmar una vez
más la orgullosa pureza de casta —sólo cristianos viejos— del lar vasco.

85-88 Extraña concordancia entre el singular «sentado» del primer verso y
el plural «señores» del tercero. Para solucionar esta anomalía Durán se inven-
tó un tercer verso de distinta redacción *(tan sólo un señor juran, cuyas leyes)* que
no se ha admitido por otros editores posteriores, salvo Mcfadden, que lo hace
parcialmente, ni tampoco se admite en esta ocasión. Otra solución más próxima a la lectura de la princeps (que es la que mantengo) fue la de McFadden:
a su señor le juran, cuyas leyes. La expresión «puesto que» del v. 86 equivale a la
conjunción adversativa «aunque» («Fernando, su hermano heroico, / puesto
que preso en España, / dará a sus reyes un nieto / que vuelva a resucitarla»
(Tirso, *Amazonas en las Indias,* vv. 3236-3239). Era uso frecuente en la lengua
del XVII. Se alude, en definitiva, al ritual de la elección y jura de los gobernantes del pueblo vasco bajo el árbol sagrado de Guernica. Se afirma además que
en esa tierra todos eligen y son elegidos libremente. El régimen foral vasco en-
tendido como una forma de gobierno democrática frente al absolutismo monárquico vigente en el momento en que Tirso escribe este drama histórico.
Para la aparición por vez primera del vocablo «tronco» en el v. 85, véase lo señalado en la nota al v. 38.

89 «suyo»: 'su leal defensor' (zeugma), adelantando la declaración que se sigue en el verso siguiente. Y don Diego podía con todo rigor considerarse tío
político del rey-niño, pues había contraído matrimonio con doña Violante,
hija de Alfonso X y, por tanto, hermana del fallecido rey don Sancho. «agora»
es forma antigua, etimológica de «ahora» (< *hac hora*).

el hierro es vizcaíno que os encargo,   95
corto en palabras, pero en obras largo.

(Sale la REINA *de viuda.)*

REINA.   ¿Qué es aquesto, caballeros,
                      defensa y valor de España,
                      espejos de la lealtad,
                      gloria y luz de las hazañas?   100
                      Cuando muere el rey Don Sancho,
                      mi esposo y señor, las galas
                      truecan León y Castilla
                      en jergas negras y bastas;

---

95 'la espada que os encomiendo, que os ofrezco'. No deja de extrañar este forzado hipérbaton que se da en la princeps. El editor de la ed. de 1876 («Biblioteca Universal») lo evita, y repone de este modo: *vizcaíno es el hierro que os encargo,* propuesta que acepta McFadden. Xavier A. Fernández (pág. 579) sugiere que posiblemente hubiese una intencionalidad expresiva en Tirso al construir así el verso, pues ya que habla un noble vasco, se acoge al tópico de que los vizcaínos «eran tachados de confundir los géneros de los nombres, artículos, personas de los verbos y también del hipérbaton ridículo».

96 Por fuerza hemos de enlazar este verso bimembre con lo dicho en el v. 70, de modo que la espada que porta el caballero vasco se tiñe de las cualidades que adornan a su propietario. Los vascos eran proverbialmente parcos en el hablar.

99 Durán pensó que había hipermetría y propuso la lectura «espejos de lealtad», que aceptó H. Pero podría entenderse que se produce sinéresis en la voz «lealtad», por lo que se mantiene la lectura de PT, de acuerdo con casi todos los editores modernos.

101 «muerto» (lectura de H que sigue M y P68, si bien BS y P07 mantienen la lectura de la *princeps*).

102-104 Era costumbre arraigada en Castilla, al menos desde el siglo XV —no antes— manifestar el duelo y el luto no sólo con prendas de color negro, sino que éstas debían de ser, además, de un tejido tosco y de escasa calidad, como la sarga. Por ello el contraste entre «galas» y «jergas» reforzado con el adjetivo «bastas». Bushee-Stafford traen a colación un texto de Esteban de Garibay referido al funeral en honor del príncipe don Juan (1497) hijo de los Reyes Católicos, en donde se anota que «en todos los reinos de Castilla y Aragón hubo tanto sentimiento de su muerte que los Caballeros y ministros de las justicias, y gentes de mucha cuenta, por mayor luto se vistieron de marraga negra y, a falta suya, de los paños más bajos que hallaban *(Compendio historial,* XIX, cap. 6). En el v. 104, D prefiere «por» (que aceptan H, P68 y P07) a «en», lectura de PT que aquí se mantiene (como hacen M y BS).

cuando el moro granadino   105
moriscos pendones saca
contra el reino sin cabeza,
y las fronteras asalta
por la lealtad defendidas,
y abriéndose su granada,   110
por las católicas vegas
blasfemos granos derrama,
¡en civiles competencias
pretensiones mal fundadas,
bandos que la paz destruyen,   115
ambiciosas arrogancias,
cubrís de temor los reinos,
tiranizáis vuestra patria,
dando en vuestra ofensa lenguas
a las naciones contrarias!   120
¿Ser mis esposos queréis,
y como mujer ganada
en buena guerra, al derecho
me reducís de las armas?

---

106 Tirso no utiliza aquí el término «morisco» con la propiedad semántica
que ya tenía en su momento (el musulmán convertido al cristianismo, y que
fue expulsado de España en los años, precisamente, de escritura de la pieza, es
decir, 1609-1614), sino como simple sinónimo de «moro», aludiendo a los
que, entonces, todavía estaban presentes en la Península, en una buena parte
de Al-Ándalus o «Reino de Granada».

110-112 La reina hace un curioso juego de palabras: la *granada,* el fruto en
balausta del granado, lleno de granos que, al abrirse, se desprenden y se ingie-
ren, con la expansión de moros granadinos que intentan conquistar tierras
que han quedado sin la protección de un poder fuerte. Nótese la oposición
«católicas vegas» frente a «blasfemos [infieles] granos».

113 «civiles competencias»: 'contiendas domésticas'. La voz «civil» tenía entonces la acepción que hoy solemos aplicar a su voz contraria, «incivil», es decir,
'vil y baxa' como quería Juan de Valdés. Y se la podría también asociar con el
adjetivo «cruel», según la clasificación de las guerras que hace Alfonso X en las
Partidas.

120 «dar lenguas»: 'acarrear murmuraciones o habladurías' o 'suscitar pretensiones injustas y oportunistas'.

122-124 Las *Partidas* preveían la posibilidad de que las mujeres fuesen bo-
tín de guerra. Doña María plantea si ella, en tanto que regente, ha de some-
terse a la fuerza de los tres competidores.

116

¡Casarme intentáis por fuerza   125
y ilustrándoos sangre hidalga,
la libertad de mi gusto
hacéis pechera y villana!
¿Qué veis en mí, ricoshombres?
¿Qué liviandad en mí mancha   130
la conyugal continencia
que ha inmortalizado a tantas?
¿Tan poco amor tuve al rey?
¿Viví con él mal casada?
¿Quise bien a otro, doncella?   135
¿A quién, viuda, di palabra?
Ayer murió el rey mi esposo,
aún no está su sangre helada

---

128 La digna reina se compara con la mujer plebeya que ha de pagar, con
la anulación de su libertad en elegir estado, el impuesto (el pecho) a quien
quiere tener poder absoluto sobre ella.

129 «Ricos omes segund constumbre de España son llamados los que en
las otras tierras dizen condes o barones» (*Partidas*, IV, xxv).

134 Que la reina aluda a la posible acusación de «mal casada» puede rela-
cionarse con el controvertido parentesco de sangre que tenía con quien había
sido su esposo, y que —según se ha expuesto en la Introducción— puso en
duda la legalidad de aquel matrimonio, y por tanto la legalidad de Fernando IV como heredero del trono de su padre, tempranamente desaparecido.

135-136 Doña María declara y defiende su absoluta fidelidad y castidad en
todo momento: como mujer soltera, casada y ahora viuda. Remito al v. 148.
Para esta encendida defensa de su integridad moral como viuda Tirso pudo
inspirarse en las palabras que le hace decir al personaje el historiador Mariana
(libro XV, cap. I de su *Historia*) en contestación a las pretensiones del Infante
don Enrique: «Afuera, señor, tal mengua; no me mentéis cosa de tanta deshonra e infamia; nunca me podré persuadir de conservar el reino a mi hijo
con agraviar a su padre, ni tengo para qué imitar ejemplos de señoras foraste-
ras, pues hay tantos de mujeres ilustres en nuestra nación que conservaron la
integridad de su fama, y con vida casta y limpia en su viudez mantuvieron en
pie los estados de sus hijos en el tiempo de su corta edad. No faltarán socorros
y fuerzas, no fallecerá la divina clemencia y una inocente vida prestará más
que todas las artes. Cuando todo corra turbio y el peligro sea cierto, yo tengo
de perseverar en este buen propósito. No quiero amancillar la majestad de mi
hijo con flaqueza semejante» (ed. cit., vol. I, pág. 429b).

138-140 'hace tan poco tiempo que ha muerto mi esposo, que aún respeto
su recuerdo' («reliquias vivas»). Sancho IV había fallecido en 1295. Según se
ha recordado en la Introducción, cuando el año anterior regresaba de una

de suerte que no conserve
reliquias vivas del alma.   140
Pues cuando en viudez llorosa
la mujer más ordinaria
al más ingrato marido
respeto un año le guarda;
cuando apenas el monjil   145
adornan las tocas blancas,
y juntan con la tristeza
gloria del vivir casta,
yo, que soy reina, y no menos
al rey don Sancho obligada   150
que Artemisa a su Mauseolo,

---

campaña en tierras vascas, para reprimir las aspiraciones de don Diego López de
Haro, se sintió enfermo de cuidado y fue atendido por sus médicos de cámara
en la aldea de Quintadueñas; luego trasladado en grave estado a Valladolid y,
para huir de los intensos fríos castellanos, conducido muy lentamente hacia Toledo. En enero de 1295 dictó testamento en el que confiaba la minoría de edad
de su heredero a su esposa: «e que desque él finase avría muy grand discordia en
la su tierra por la guarda del mozo, conosciendo este rey don Sancho en como la
reina doña María, su mujer, era de grand entendimiento, diole la tutoría del Infante don Fernando, su fijo, e diole la guarda de todos los sus reinos, que lo toviese todo fasta que oviese edad complida, e desto fizo facer pleito e omenaje a
todos los de la tierra» *(Crónica de Sancho IV,* en *Crónicas de los Reyes de Castilla,* colección ordenada por Cayetano Rosell, ed. cit., pág. 89b). Poco después, finali-
zando abril, el rey falleció en el alcázar toledano.
141 Ese «cuando» y el siguiente del v. 145 tiene valor concesivo ('aunque')
muy frecuente en la época.
145-146 'cuando apenas ha tenido tiempo de iniciar el periodo de luto'. El
monjil era el velo de color negro que monjas y viudas se ponían sobre las tocas blancas. Tal vez Tirso pudo inspirarse en la estatua yacente de doña María
que figura en Santa María la Real de Las Huelgas, en Valladolid, en donde se
sabe que estuvo Tirso hacia 1619 (cfr. Manuel Penedo, «Muerte documentada
del padre maestro fray Gabriel Téllez en Almazán y otras referencia biográfi-
cas», *Estudios,* I [1945], págs. 192-204). Las referidas «tocas» «son el símbolo de
lealtad que guarda a su marido, el rey Sancho IV, que acaba de morir», según
puntualiza Ruth L. Kennedy (1983, pág. 206). Las referencias a las «tocas blancas» que viste doña María, en señal de luto, o símbolo de autoridad, son bastante frecuentes a lo largo de los dos primeros actos de la comedia (cuento
hasta ocho menciones directas o indirectas).
148 «castas» (PT); «la gloria de vivir» (M).
151 Artemisa fue reina de Caria y esposa del sátrapa Mausolo, que mandó
levantar una grandiosa tumba en memoria de su marido en Halicarnaso (de

que a su Pericles Aspasia,
¿querréis, grandes de Castilla,
que desde el túmulo vaya
al tálamo incontinente?   155
¿De la virtud a la infamia?
¿Conoceisme, ricoshombres?
¿Sabéis que el mundo me llama
la reina Doña María?
¿Que soy legítima rama   160
del tronco real de León,
y como tal, si me agravian,
seré leona ofendida,
que, muerto su esposo, brama?
Ya yo sé que no el amor,   165
sino la codicia avara
del reino que defendéis,
os da bárbara esperanza
de que he de ser vuestra esposa;
que en ver la corona sacra   170

---

donde procede la voz «mausoleo») que luego fue considerada una de las siete maravillas del mundo.

152 Aspasia, cortesana ateniense nacida en Mileto, amante de Pericles y amiga de Sócrates. Fue mujer de gran fama entre los griegos del siglo V por su inteligencia, belleza y virtud. No deja de ser curioso que doña María, que está defendiendo su castidad femenina, se compare con quien fue cortesana y sufrió ataques y sátiras de sus coetáneos, aunque siempre tuvo la defensa y la confianza de Pericles.

153 G y H corrigen «queréis», corrección que apoya M y acepta P68, pero no P07; BS mantiene la lectura de PT. No encuentro necesaria la corrección y mantengo, por tanto, la lectura de la *princeps*.

156 Cuando, según la *Crónica de Fernando IV* (103a), el Infante don Enrique presiona a la reina viuda para que contraiga matrimonio «político» con don Pedro de Aragón, poniéndole como ejemplo los casos de otras reinas viudas que habían vuelto a casarse, doña María le recuerda a su vez otros casos de reinas que, habiendo permanecido fieles a la memoria de sus difuntos maridos, no cometieron ese error: «ca non tomaría dellas enjemplo si non de las que ficieron bien, que fueron muchas...».

159 Doña María, en tanto que nieta de Alfonso IX de León, se siente de «legítima rama» en el árbol genealógico de la realeza leonesa.

167 «pretendéis» (D y M).

170 «que al ver» (H).

sobre las sienes pueriles
de un niño, a quien su rey llama
Castilla, y en quien Don Sancho
su valor cifra y retrata,
aunque yo su madre sea,   175
me tendréis por tan liviana
que al torpe amor reducida
en fe de una infame hazaña,
dalle la muerte consienta
porque reinéis con su falta.   180
Engañaisos, caballeros,
que no está desamparada
destos reinos la corona,
ni del rey la tierna infancia.
Don Sancho el Bravo aún no es muerto;   185
que, como me entregó el alma,
en mi pecho le conservan
fieles y amorosas llamas.
Si porque es su rey un niño
y una mujer quien le ampara,   190
os atrevéis ambiciosos
contra la fe castellana,
tres almas viven en mí:
la de Sancho, que Dios haya;
la de mi hijo, que habita   195
en mis maternas entrañas,
y la mía, en quien se suman
esotras dos. Ved si basta
a la defensa de un reino

172-173 La proclamación de Fernando como heredero del trono de su padre, Sancho IV, se hizo por primera vez en las Cortes de Valladolid, en 1295,
pese a los intentos obstruccionistas de su tío abuelo don Enrique, los Lara y
don Diego López de Haro.
174 'cifra y representa'.
179 El sujeto de «consienta» es la primera persona de singular, la propia reina.
187 «se conservan» (D, H).
189 «el rey» (H).
198 «bastan» (PT y G). Corrigió H, y aceptó M. Corrección que debe ad-
mitirse, puesto que el sujeto es singular («una mujer»).

una mujer con tres almas.   200
Intentad guerras civiles,
sacad gentes en campaña,
vuestra deslealtad pregonen
contra vuestro rey las cajas;
que aunque mujer, ya sabré,   205
en vez de las tocas largas
y el negro monjil, vestirme
el arnés y la celada.
Infanta soy de León:
salgan traidores a caza   210
del hijo de una leona
que el reino ha puesto en su guarda.
Veréis si en vez de la aguja
sabrá ejercitar la espada,
y abatir lienzos de muros   215
quien labra lienzos de Holanda.

(*Descúbrese sobre un trono el* REY DON FERNANDO, *niño y coronado.*)

---

204 Las «cajas» eran tambores militares. Metonimia por 'hombres de armas', 'ejércitos'.

205-208 En estos versos, como señaló R. L. Kennedy (1983, pág. 207, n. 3) se sintetiza la rápida y decidida transición de doña María de doliente viuda enlutecida a varona guerrera, sustituyendo las prendas que indician el primer estado por las que perfilan el segundo: el arnés (la armadura que se ceñía al pecho con correas y hebillas) y la celada (la pieza de la armadura que cubría y defendía la cabeza). En el v. 205, D y M cambian «ya» por «yo», cambio que no considero necesario.

210-211 Sale a colación por primera vez el motivo de la caza, que luego tanta relevancia escénica tiene en el último acto de la comedia, pues es durante las prácticas cinegéticas del joven rey cuando se intenta malquistarlo interesadamente con su madre, en un nuevo y definitivo asedio a la fama y entereza de la abnegada reina.

216 El lienzo procedente de Holanda tenía en aquel tiempo una fama de calidad excelsa. Era el tejido del que se elaboraban las más delicadas telas con las que cubrir los cuerpos o los lechos. Sin embargo, no debe pasar por alto el lector que es totalmente anacrónico que sea nombrada este tipo de tela por una mujer del siglo XIII.

REINA.   Vuestro natural señor
               es éste, y la semejanza
               de Don Sancho de Castilla;
               Fernando cuarto se llama.   220
               Al sello real obedecen,
               sólo por tener sus armas,
               los que su lealtad estiman,
               con ser un poco de plata.
               El que veis es sello vivo   225
               en quien su ser mismo graba
               vuestro rey, que es padre suyo:
               su sangre las armas labran.
               Respetadle aunque es pequeño,
               que el sello nunca se iguala   230
               al dueño en la cantidad:
               que tenga su forma basta.
               Firma es suya el niño rey;
               llegue el traidor a borralla,
               rompa el desleal el sello,   235
               conspire la envidia ingrata.
               Ea, lobos ambiciosos,
               un cordero simple bala;

---

218 «semejanza»: 'imagen de', 'el retrato mismo'.

233 H corrigió «forma», y siguieron esa corrección BS y P68, pero no M ni P07. Parece razonable admitir la voz «firma», puesto que el rey la utiliza, además del sello, y por otra parte se evitaría la repetición de un mismo vocablo en dos versos seguidos, como propone H. Por su parte X. A. Fernández (581) añade que la palabra «borralla» del v. 234 «indica que se trata de la firma. Se borra la firma, se rompe el sello».

237 Tirso utiliza la metáfora del lobo amenazando al cordero para referirse a los enemigos de la patria. Igual hace en la comedia *Desde Toledo a Madrid*: «Dicen que en tiempos pasados / seguro el león dormía, / viéndose en la posesión / pacífica de su imperio; / juzgaron a vituperio / los lobos que ansí el león / en los dos mundos tuviese / imperio tan absoluto.» En la obra, también de Tirso, *La dama del olivar* se hace el siguiente reparto de simbolismos: el burlador le corresponde al lobo y la honra inocente al cordero. Y en *La república al revés* el personaje Leoncio exclama, con idéntica correspondencia simbólica: «¡Ah lobo vil, que el cordero / despedazas de mi honor! / ¿Qué injuria te hice jamás / que así mi sangre deshonras?» Se reitera esta relación metafórica entre lobos y corderos, por parte de doña María, en los vv. 341-344.

122

	haced presa en su inocencia,	
	probad en él vuestra rabia,	240
	despedazad el vellón	
	con que le ha cubierto España,	
	y privalde de la vida,	
	si a esquilmar venís su lana,	
	pues cuando vivan Caínes,	245
	al cielo la sangre clama	
	de Abeles a traición muertos	
	que apresuran su venganza.	
	Si muere, morirá rey,	
	y yo con él abrazada,	250
	sin ofender las cenizas	
	de mi esposo, siempre casta,	
	daré la vida contenta	
	antes que el mundo en mi infamia	
	diga que otro que Don Sancho	255
	esposa suya me llama.	
JUAN.	Infanta, ya no reina, la licencia	
	que de mujer tenéis, os da seguro	
	para hablar arrogante y sin prudencia,	

241-242 Con la voz *vellón* se indica, en primera instancia, la lana que cubre al cordero-niño-rey, que se cobra al esquilarlo, o se destruye, y también la moneda de escaso valor que se robaría al esquilmar, por ambición, el patrimonio real y el patrimonio castellano. Luego se aludirá a la pobreza que llega a atenazar a la reina por defender la independencia del territorio sobre el que ha de gobernar su hijo. Por ello en el v. 244 se utiliza el verbo «esquilmar», asociándolo casi paronomásicamente con «esquilar».

243 Metátesis por «privadle» normal en la lengua clásica. Hay varios casos más en el texto de la comedia que ya no señalaré. Sobre la extensión de su uso ya opinaba Juan de Valdés en el *Diálogo de la lengua* (II): «También pertenece a la gramática el saber juntar el pronombre con el verbo, en lo qual veo un cierto uso, no sé dónde sea nacido, y es que muchos dizen *poneldo* y *embialdo* por decir *ponedlo* y *embiadlo*, porque el *poned* y *embiad* es el verbo, y el *lo* es el pronombre; no sé cuál sea la causa por que lo mezclan desta manera.»

252 «siempre castas» (PT) Error ya advertido por G, que admite M, pero que, sin embargo, mantiene BS, pues las cenizas del rey (antecedente que justificaría la forma de plural) no tienen por qué ser castas, sino la viuda doña María.

259 Nótese cómo el personaje se atreve, paradójicamente, a calificar a doña María de imprudente, cuando Tirso la va a proponer como paradigma de la infrecuente «prudencia femenina».

de donde vuestro daño conjeturo.   260
Quise casar con vos, porque la herencia
del reino me compete; que procuro,
dispensándolo el Papa, de mi hermano
el llanto consolar, que hacéis en vano.
Pero, pues despreciáis la buena suerte   265
con que mi amor vuestra hermosura
                                                      [estima,
guardad vuestra viudez, llorad su muerte,
que es loable el respeto que os anima.
Pero advertid también que el reino
                                                      [advierte
que, siendo vos del rey Don Sancho prima, 270
y sin dispensación con él casada,
perdéis la acción del reino deseada.
Vuestro hijo el Infante no le hereda,
de matrimonio ilícito nacido;
que la Iglesia hasta el cuarto grado veda 275
el título amoroso de marido.
No siendo, pues, legítimo, ya queda
Fernando de la acción real excluido,
y yo amparado en ella, como hermano

261-264 El hermano de Sancho IV hace valer sus derechos dinásticos, que
niega a la esposa de aquél (por ello se ha dirigido a María como «infanta», ne-
gándole el título de reina), pero le ofrece matrimonio, mediando la dispensa
papal, pues él, como Sancho, es primo de doña María, y en tales casos de consanguinidad era imprescindible el consentimiento de Roma. Y además son cu-
ñados. En el v. 263, PT lee «dispensando», y hace, por tanto, un endecasílabo
hipométrico que regularizó Durán con el pronombre inclítico que mantengo.
269-280 Pronto advertimos que tras las razonables y corteses palabras anteriores se desliza la amenaza. Don Juan conoce que el matrimonio de su hermano se hizo sin la obligada y previa licencia papal —exigida hasta el cuarto
grado de consanguinidad, según disposición del IV Concilio de Letrán— lo
que llevaría a considerarlo nulo, y por tanto inexistentes también los derechos
hereditarios del joven Fernando, como afirma don Juan en estos versos, creyéndose él directo beneficiario de la ley («amparado en ella» del v. 279). Sin
embargo, la dispensa del tercer grado, que era el que había afectado a los contrayentes, se obtuvo, póstumamente, en 1301, devolviendo toda la legalidad a
los derechos sucesorios del hijo de Sancho y María de Molina. La voz «acción» del v. 272 equivale a 'derecho legal'. Es voz del ámbito judicial, que rea-
parece en el v. 284.

del rey Don Sancho en deudo más
     [cercano. 280
Del reino desistid, si es que sois cuerda,
que yo le daré estados en que viva
como hacen los Infantes de la Cerda,
aunque su acción en más derecho estriba.
Y no intentéis que con la vida pierda 285
en tiernos años la ambición que os priva

---

282 «estados», 'señoríos' y su título correspondiente.

283 El Infante don Fernando de la Cerda fue el hijo mayor de Alfonso X, casado con doña Blanca, hija del rey francés San Luis, y hermana de Felipe IV, y con quien tuvo dos hijos. Cuando don Alfonso marcha a Francia para recibir el condado de Lombardía, deja al gobierno de Castilla a su hijo Fernando y obliga a ambos hijos a que le juren lealtad. En agosto de 1275 muere Alfonso, dejando al mayor de sus hijos al cuidado del noble Juan Núñez de Lara. Tras el regreso de Alfonso X, su segundo hijo don Sancho se enfrenta en Toledo a su padre por el asunto de la sucesión. Las Cortes convocadas en Valladolid intentan aclarar la situación, nombrando a Sancho como heredero y rey de Castilla y León. En noviembre de 1283, cinco meses antes de su muerte, Alfonso X, rechazando la decisión de las Cortes, deshereda a don Sancho. En abril de 1284 muere Alfonso X y su hijo toma posesión del reino como Sancho IV. Sus dos sobrinos, los Infantes de la Cerda, fueron encarcelados en Aragón en donde permanecieron hasta 1288. Una vez liberado, el mayor de ellos, Alfonso de la Cerda, se proclama a sí mismo soberano de los mismos reinos, usando de estandarte y declarando la guerra a su tío, con ayuda de Francia. Aunque fue derrotado, con el apoyo de algunos nobles se mantuvo como una constante amenaza contra don Sancho y también lo fue para doña María de Molina, cuando ejerció su regencia. En 1305 se le concedieron ciertas villas y rentas con la condición «que de allí en adelante non se llamase rey de ningunt de los señoríos de los reinos de Castilla e León, nin crujiese armas derechas, nin ficiese moneda, nin fuese contra el Rey en ninguna cosa» como se dice en la *Crónica de Fernando IV* (136a).

284 Porque los Infantes de la Cerda eran hijos del primogénito de Alfonso X.

285 Durán propuso otra lectura para este verso, que no considero necesaria: *y no intente que aquí la vida pierda,* lectura que acepta P 68. Rechazaron esa enmienda M y BS. P07 propone: «y no intentéis que aquí la vida pierda». Prefiero mantener la lectura de la princeps.

286-288 Paradójicamente el ambicioso Infante está proyectando en la figura de la reina la ambición que le mueve a él mismo y acusa a la digna mujer de una locura que es sólo valor y dignidad, v. 286: «que os priva» (PT). Reordeno los vv. 287-288: «ni pretendáis que la sangre de un inocente afrente a mi valor». Nótese el hipérbaton del v. 288, que debe entenderse como «que afrente mi valor la sangre de un inocente». Por cierto, en ese verso se acuña el título —*La inocente sangre*— de la comedia de Lope que se ha referido en la Introducción.

	de la razón, ni pretendáis que afrente	
	la sangre mi valor de un inocente.	
REINA.	Muera, que no será el Abel primero	
	que al cielo contra vos venganza pida.	290

de la razón, ni pretendáis que afrente
la sangre mi valor de un inocente.

REINA. Muera, que no será el Abel primero
que al cielo contra vos venganza pida.   290
Id a Tarifa, que el Guzmán cordero
ofrece a la lealtad la cara vida.
Si el padre noble os arrojó el acero
con que a la hazaña bárbara os convida
que hicisteis a favor del sarraceno,   295
dando a Guzmán el título de Bueno,
honrándoos con el título de malo,
dad muerte a vuestro rey tierno y sencillo;
que yo, que a su español valor me igualo,
arrojaros también sabré el cuchillo,   300
mas no la libertad con que señalo
el alma que a mi muerto esposo humillo,
pues no he de dar la mano a quien la
                                    [toma
contra Dios en ayuda de Mahoma.

289-304 Al llamarlo «Abel primero» lo está colocando en un ámbito de referencias bíblicas que es fácil desplazar hasta el de las referencias cristológicas, pues luego compara a su hijo con un cordero amenazado por los lobos. Doña María basa su contestación en parangonar su situación y la de su hijo con un tópico histórico (en su momento oportuna y reciente actualidad) cual era el del sacrificio ordenado por Alfonso Pérez de Guzmán («Guzmán el Bueno») y que consistió en la muerte de su propio hijo para defender la plaza de Tarifa, que tenía confiada, frente a la presión sarracena (1294), cerco al que contribuyó, como recuerda la reina, el mismo don Juan. Gesto heroico que subrayó el mencionado gobernador arrojando él mismo, desde la almena de la muralla, el puñal para que el traidor Infante ejecutara a su propio hijo. Nótese el contraste entre la heroica lealtad de Guzmán, evocada por la reina con toda propiedad histórica, y la traición inferida por don Julián, comentada en el v. 4. Fue un motivo muy reiterado, desde el Romancero, en los textos de la época. El dramaturgo Vélez de Guevara dramatizó el asunto, probablemente con la intención de elogiar a Olivares (pues, al fin el Conde-Duque se apellidaba Guzmán y descendía del héroe de Tarifa) en su comedia *Más pesa el rey que la sangre*. Puede consultarse al respecto el ya clásico trabajo de Isabel Millé Jiménez, «Guzmán el Bueno en la historia y en la literatura», *Revue Hispanique,* 78 (1930), págs. 311-488, y más recientemente el libro de Wenceslao Segura, *Guzmán el bueno en la poesía española,* Tarifa, Grafisur, 1997. El elogio del apellido Guzmán podría interpretarse también como elogio al Conde-

Legítimo es mi hijo, y ya dispensa   305
el Papa, vice Dios, en el prohibido
grado, si en él fundáis vuestra defensa,
a mi poder las bulas han venido.
Traidor y desleal es el que piensa,
por verse rey, llamarse mi marido.   310

Duque, de ese apellido, lo que contravendría la hipótesis interpretativa de Kennedy según la cual esta comedia sería un ataque al importante valido de Felipe IV. La historia aludida está relacionada con el único hecho de armas importante que llevó a cabo Sancho IV en la reconquista andaluza. Tarifa se rindió a las tropas castellanas el 21 de septiembre de 1292. Pero transcurridos menos de dos años, en la primavera de 1294, los benimerines asediaron la plaza, mientras los moros del reino nazarí hacían campañas de asolamiento por buena parte de Andalucía. En la expedición del rey Abu Yaqub figuraba el infante don Juan que, tras ser expulsado de Portugal, se había alistado como voluntario en Marruecos. El alcaide de Tarifa Pérez de Guzmán consintió la ejecución de su hijo —rehén de los sitiadores— vil hecho en el que tuvo especial responsabilidad el infante castellano, quien (dice la *Crónica de Sancho IV*) «envió decir a este don Alfonso Pérez que le diese la villa, e si non, que le mataría el fijo que él tenía. E don Alfonso Pérez le dijo que la villa que se la non daríe; que cuanto por la muerte de su fijo, que él le daría el cuchillo con que lo matase; e alanzóles de encima del adarve un cuchillo, e dijo que antes quería que le matasen aquel fijo e otros cinco, si los toviese, que non darle la villa del rey su señor, que él le ficiera omenaje; e el Infante don Juan con saña mandó matar su fijo ante él» (ed. cit. cap. XI, pág. 89a). La voz «sencillo» del v. 298 debe entenderse como 'ingenuo, inocente'; y la voz «español» del v. 289 es una evidente anacronía pronunciada por un personaje de finales del siglo XIII o principios del XIV.

305-337 Como se indicaba en la anotación a unos versos anteriores, y según se recoge en la *Crónica de Fernando IV*, en noviembre de 1301, y estando en Segovia, la reina recibió la bula de Bonifacio VIII que declaraba la dispensa matrimonial solicitada, que otorgaba por tanto legalidad al matrimonio y legitimidad a la sucesión de Fernando. Dice la *Crónica* de Jofré de Loaysa: «Et cum in prohibito consanguinitatis gradu predicti desponsati essent, obtenta fuit demum super hoc et super legitimacione predicti regis Fernandi et fratrum suorum a sumo pontiffice papa Boniffacio octavo plena dispensacio et gracia specialis» («Y como los desposados tenían impedimento de consaguinidad se logró al fin sobre este punto y sobre la legitimación del rey Fernando y de sus hermanos la dispensa total y la gracia especial del papa Bonifacio VIII», cito por la traducción y edición de Antonio García Martínez de la obra del maestre Jofré de Loaysa, *Crónica de los Reyes de Castilla*, Murcia, Diputación, 1961, págs. 180-181). En la recopilación de Rosell leemos: «e desque llegaron a Burgos vinieron ý los mandaderos que fueran a la corte de Roma e traían las cartas de las dispensaciones e de las gracias que el Papa les ficiera, e señaladamente las facía todas a la reina doña María» (119b).

	Sed todos contra aquesta intención casta,
	que, como Dios me ampare, Él solo basta.
JUAN.	Alto, pues: la justicia, que me esfuerza
	a Castilla conquiste, pues la heredo;
	que mi esposa seréis de grado o fuerza, 315
	y lo que amor no hizo, lo hará el miedo.
	Yo haré que vuestra voluntad se tuerza,
	cuando veáis la vega de Toledo
	llena de moros, y en mi ayuda todos,
	asentarme en la silla de los godos. 320

(Vase.)

ENRIQUE.	El rey de Portugal es mi sobrino;
	el derecho que tengo al reino ampara.
	Pues que juzgáis mi amor a desatino,
	cuando creí que cuerda os obligara,
	enarbolar las quinas determino, 325
	triunfando en ellas mi justicia clara,
	aunque fueran sus muros de diamantes,
	contra su Alcázar real y San Cervantes.

(Vase.)

---

320 En efecto, a la sazón el Infante don Juan, que estaba asentado «en tierras de moros por temor al rey [don Sancho]», como señala la *Crónica* de Loaysa, y desde allí «cepit discurrere et guerram facere quibusdam villis et locis regis pueri supradicti» («comenzó a hacer incursiones y guerra a algunas villas y lugares del rey niño», ed. cit. págs. 156-157). «Godos» como sinónimo de 'cristianos' en oposición a los 'moros' de opuesta religión.

321-322 Alusión al rey portugués don Dionís (1261-1325) que, según don Enrique, apoyaría su pretensión al reino de Castilla, pues siendo hijo de Beatriz de Castilla, hija a su vez de Alfonso X, era por tanto sobrino nieto de don Enrique, sobrino de Sancho IV y de don Juan, y primo hermano del rey-niño.

323 «a desatino»: 'de forma desconsiderada'.

325 Alusión al escudo del reino portugués que ostentaba cinco escudos pequeños («quinas») de color azul, que según una antiquísima tradición simbolizaban las cinco llagas de Cristo. Este nombre dio lugar a una de las más conocidas piezas históricas tirsianas, ya comentada en la Introducción: *Las quinas de Portugal*.

328 «Sobre tu» (D) y «contra tu» (H). Alusión a dos dependencias reales toledanas. En primer lugar el Alcázar, primitiva fortaleza romana y visigótica, que fue residencia real sucesivamente de Alfonso VII, Alfonso VIII, Alfonso X,

DIEGO.	Reina, Aragón mi intento favorece,
	Vizcaya es mía, y de Navarra espero 330
	ayuda cierta. Si mi amor merece
	la mano hermosa que adoré primero,
	favor seguro al niño rey ofrece
	contra Enrique, Don Juan y el mundo
	[entero.
	Despacio consultad vuestro cuidado 335
	mientras por la respuesta vuelvo armado.

(Vase.)

REINA.	¡Ea, vasallos!: una mujer sola,
	y un niño rey que apenas hablar sabe,
	hoy prueban la lealtad en que acrisola
	el oro del valor con que os alabe. 340
	La traición sus banderas enarbola.
	Si amor de ley en vuestros pechos cabe,
	volved por los peligros que amenazan

Fernando III, la reina doña Juana y hasta de los mismos Reyes Católicos. En segundo, el castillo de San Cervantes o de San Servando, que fue, inicialmente, una basílica visigoda, destruida en 1085 y restaurada por Alfonso VI como monasterio cisterciense, y luego monasterio templario en tiempos de Alfonso VIII. Estas referencias harían deducir que la acción de esta jornada primera transcurre en Toledo, en donde había muerto Sancho IV en 1295.

330 Pese a lo que hace afirmar Tirso a su personaje, Navarra, en tanto que dependía en gran parte de Francia, debió ser territorio contrario a Sancho IV, y por tanto difícilmente podía prestar lealtad y apoyo incondicionales a la entronización de su hijo.

333 El sujeto de este verbo «ofrece» es «mi amor».

335 El término «cuidado» era polivalente y frecuentísimo, empleado muchas veces con el significado de 'preocupación, recelo' como en este caso.

337 Señalaba con razón Samonà (1967) que la llamada a la acción de la reina, cuando está sola en escena, se debe entender como asomada a una ventana de la sala y dirigiéndose al pueblo que, de allí a poco, se rebelará a favor de su reina.

341 La voz «bandera» aparece registrada y descrita en las *Partidas* como «otra seña cuadrada, que es más luenga que ancha» (II, xxiii).

343-344 «volved a un cordero»: 'cuidar de un cordero', o sea, del joven príncipe. Sobre el príncipe como cordero amenazado por los lobos, véase lo apuntado en la nota a los vv. 237 y ss. Los lobos como símbolo de los ene-

<pre>
            a un cordero que lobos despedazan;
            si la memoria de Fernando el Santo   345
            os obliga a amparar a su biznieto,
            Fernando como él; si puede tanto
            de un Sabio Alfonso el natural respeto;
            si un rey Don Sancho os mueve, si mi
                                          [llanto,
            si un ángel tierno a vuestro amor sujeto, 350
            conservalde leales en su silla.
</pre>

(Gritan de dentro.)

UNOS.	¡Viva Enrique!
OTROS.	¡Don Juan, rey de Castilla!
REINA.	Por Don Enrique y por Don Juan pregona
	la deslealtad, el reino alborotado.
FERNANDO.	Madre, infinito pesa esta corona. 355
	Abájeme de aquí, que estoy cansado.

(Bájale.)

REINA.	¿Pesa, hijo? Decís bien, pues ocasiona
	su peso la lealtad que os ha negado
	el interés que a la razón cautiva.

---

migos de España (representada por el león) ya figuran en la comedia *Desde Toledo a Madrid:* «Dicen que en tiempos pasados / seguro el léon dormía, / viéndose en la posesión / pacífica de su imperio; / juzgaron a vituperio / los lobos
que ansí el león / en los dos mundos tuviese / imperio tan absoluto.»

349 El verbo «mueve» de ese endecasílabo afecta a las tres oraciones: ha de
influir y obligar a la protección el recuerdo del padre, el llanto de la madre y
la propia debilidad del niño, visto como «ángel tierno».

355-356 En otras obras teatrales del XVII aparece un monarca niño, que luego crece, como en ésta: así en la comedia de Lope *Las paces de los reyes,* en cuyo
acto primero aparece, como niño, Alfonso VIII. La misma figura real comparece, en edad infantil, en la comedia de Belmonte Bermúdez, *El sastre del Cam-
pillo* y en otra del mismo título de Bances Candamo, si bien en tales títulos el
personaje no evoluciona hasta presentarse como adulto en el mismo texto.
Otras comedias con rey niño son *El primer Benavides* de Lope (se trata otra vez
de Fernando IV) y *Averígüelo Vargas* de Tirso. «baxenme» (v. 356) en G.

UNOS.	¡Castilla por Don Juan![12]
OTROS.	¡Enrique viva! 360
FERNANDO.	Diga, madre, ¿qué voces serán éstas?
	¿Está mi corte acaso alborotada?
REINA.	Sí, mi Fernando.
FERNANDO.	Haranme todos fiestas
	porque ven mi cabeza coronada.
REINA.	Traidores contra vos las dan molestas. 365
FERNANDO.	¿Traidores contra mí? Deme una espada.
	Por vida de quien soy...
REINA.	¡Ay, hijo mío!
	De vuestro padre el rey es ese brío.

(Sale un criado.)

CRIADO.	¿Qué aguarda, gran señora, Vuestra Alteza?
	Del Alcázar Don Juan se ha apoderado, 370
	y Don Enrique de la fortaleza
	de San Cervantes, y han determinado
	prenderos.
FERNANDO.	Cortarelos la cabeza,
	por vida de mi padre.

---

[12] «*[Dentro]*» (BS).

365 «las dan molestas», alude a las voces que los traidores lanzan como anuncio de su traición al trono.

369 «gran señor» (PT y G), pero entonces faltaría una sílaba. H restaura el endecasílabo intercalando el temporal «ya» (*¿Qué aguarda gran señor, ya, vuestra alteza?*), corrección que aceptaron los editores siguientes (BS, pág. 68). Elijo por ser más razonable, la propuesta que hace Xavier A. Fernández (pág. 583): que la pregunta va dirigida a la reina, y no al niño-rey (incapaz de tomar decisiones por sí mismo) y por tanto es preferible la forma femenina «señora» para el vocativo de la oración interrogativa. Solución que adopta también P07. Sólo hay un pequeño escollo respecto a que esa fuera la intención del dramaturgo: el que supone emplear el título de «Alteza», pues dicho título fue el tratamiento exclusivo del titular de la corona hasta la llegada de Carlos V, como emperador, que es cuando se generaliza el tratamiento de «Majestad». Claro que durante la minoría de Fernando el papel de rey, en efectivo, lo ejerce doña María.

373 Mantengo la forma loísta, muy común en Tirso, pese a que H corrigió en «cortaréles».

REINA.   ¡Ay, hijo amado!
                    Huyamos a León, que es patria mía.   375
FERNANDO.   Pagármelo han, traidores, algún día.

(Vanse.)

(Salen DON JUAN ALONSO CARAVAJAL, DON PEDRO su
hermano y CARRILLO criado)[13].

CARAVAJAL.   Don Pedro, ¡hermosa mujer!
PEDRO.   Presto della te despides.
CARAVAJAL.   A Don Juan de Benavides
                    aguarda; que a no temer   380
                    su venida, un siglo entero
                    juzgara por un instante.
PEDRO.   ¿Ya es tu esposa?
CARAVAJAL.   Y más constante
                    yo en amalla que primero.
CARRILLO.   El primero amante has sido   385
                    que, dando alcance a la presa,
                    se levanta de la mesa
                    con hambre, habiendo comido;
                    que la costumbre de amar
                    agora, si tienes cuenta,   390
                    es de postillón en venta:
                    beber un trago, y picar.

---

[13] «*[Vista exterior de Valencia de Alcántara]*» (BS, error por Valencia de Don Juan).

376 «pagaréismelo» (D).
378 «se» (PT); corrige G.
380-381 Sobre los Carvajales y los Benavides, que tanto protagonismo adquieren en la obra a partir de este momento, ya me he extendido en la Introducción. Los datos sobre ambos pudo tomarlos Tirso —en opinión de Morel-Fatio— de Argote de Molina y su documentada obra *Nobleza del Andaluzía*.
382 «por un infante» (PT); corrige G.
383-384 El personaje se define como el mejor, el primero, en ofrecer constancia y fidelidad a la dama. Nadie podría señalarse que le aventajara en esa cualidad.
391-392 La moda en el amor es la inconstancia. Actuar como el correo («postillón en venta») que hace breves paradas de descanso en las ventas del

CARAVAJAL.	No es manjar Doña Teresa
	de Benavides, de modo
	que aunque satisfaga en todo, 395
	cause fastidio su mesa.
	Cuando con el apetito
	la voluntad está unida,
	da gusto toda la vida.
CARRILLO.	Siempre amor muere de ahíto, 400
	pues por más que satisfaga
	y cause gusto mayor,
	siendo él dulce, y niño amor,
	fácilmente se empalaga.
	Pero comiste de priesa, 405
	y te levantas picado.
PEDRO.	En fin, la mano le has dado
	de esposo a Doña Teresa
CARAVAJAL.	Ya tuvieron fin mis males.
	¿Cómo albricias no me pides? 410

---

camino («beber un trago») y vuelve enseguida a reanudar la carrera («picar [el estribo]»).

393-394 Este aludido personaje femenino, que no aparece en escena, fue invención de Tirso, pues no está identificada con tal nombre en los textos cronísticos, si bien hubo suficientes modelos en dicha familia en los que pudo basarse el dramaturgo, ya que la madre de don Juan de Benavides se llamó Teresa Rodríguez, su mujer Teresa Godínez, y Teresa Rodríguez de Biedma se llamó así mismo una sobrina nieta que contrajo matrimonio con el nieto de don Juan Alonso de Carvajal, uno de los hermanos ejecutados en Martos por don Fernando IV. Esta rivalidad familiar estaba en la base de la leyenda del «emplazamiento a juicio ante Dios» que se asoció con la figura de Fernando IV, llamado por eso «el Emplazado». El refundidor Cipriano de Segura sí la convirtió en un personaje escénico de cuerpo entero, junto con la criadita Flora.

397-398 «voluntad» equivale a 'entendimiento amoroso' unido al «gusto» o mero apetito carnal.

400 'de hartura'.

404 «empelega» (PT); corrige G.

406 En sentido figurado, 'excitado por el amor no plenamente satisfecho'.

407-408 El «darse las manos» era el gesto que simbolizaba la promesa matrimonial. Y quienes han juntado sus manos con esa intención podían llamarse, con toda propiedad, «esposos», como en este caso.

410 '¿no te alegras de la noticia?'. Las «albricias» era el regalo o premio que se esperaba como portador de una noticia grata o esperada, «lo que se da al

PEDRO.	Somos, si ella Benavides,	
	vos y yo Caravajales	
	Ni ganastes con su amor	
	ni perdistes.	
CARAVAJAL.	Su belleza,	
	aunque no aumenta nobleza,	415
	don Pedro, a nuestro valor,	
	basta para enriquecer	
	la voluntad que la adora.	
PEDRO.	Como cesasen agora,	
	por medio desta mujer,	420
	los bandos y enemistades	
	de su linaje y el nuestro,	
	contento con tu amor muestro.	
CARAVAJAL.	Noblezas y calidades	
	en el reino de León	425
	los Benavides abonan,	
	y nuestro valor pregonan	
	los que honran nuestro blasón.	
	De la descendencia real	
	que ilustra a los Benavides,	430
	viene, si la nuestra mides,	
	la casa Caravajal.	
	Don Alfonso, rey leonés,	
	de Fernando Santo hermano,	
	andando a caza un verano,	435
	y perdiéndose después,	
	en una serrana tuvo	

---

que nos trae algunas buenas nuevas» (Covarrubias). Aquí, como en la mayoría de las ocasiones, es un uso fosilizado de la expresión.

423 'me felicito por tu amor' «nuestro» (PT y G), error ya corregido por D, quien además proponía la lectura «contento por», que no sigo.

426 «abonan»: 'acreditan'.

433-434 Con las razones que se arguyen a partir de estos versos queda argumentada la común raíz de las dos familias nobiliarias en liza, siguiendo a Argote, y se prepara la inmediata alianza de ambas en defensa de la causa de doña María y de su hijo. En efecto, el último rey de León, Alfonso IX, fue el padre —no el hermano, como dice equivocadamente el texto— de Fernando III el Santo.

	dos hijos, progenitores	
	de nuestros antecesores;	
	y porque el mayor estuvo	440
	heredado en Benavides,	
	el nombre de él adquirió,	
	y el otro, que se igualó	
	en las hazañas a Alcides,	
	por ser de Caravajal	445
	señor, tomó su apellido.	
	Si de un tronco hemos nacido,	
	no le estará a Don Juan mal	
	que me case con su hermana.	
CARRILLO.	Mal o bien, ya estáis los dos	450
	bajo de un yugo, pardiós	
	Ya bosteza la mañana	
	crepúsculos clariobscuros.	
	¿Qué es lo que hacemos aquí?	
CARAVAJAL.	Lo que intentaba adquirí.	455
	Temores, vivid seguros,	
	pues Doña Teresa es mía.	
PEDRO.	Guarda he sido de tu amor.	
CARAVAJAL.	Eres mi hermano menor,	
	y del alma que se fía	460
	de ti, mi Don Pedro, el dueño.	

---

441 «heredado», 'afincado'. La localidad de Benavides está situada cerca de Astorga, en la provincia de León. La villa y señorío de Benavides fueron concedidos por Alfonso VII a su hijo, el primero que ostentó tal título.

444 Alcides es otro de los nombres que recibe Hércules en la mitología. Sus «hazañas» fueron los legendarios «doce trabajos» atribuidos al mitológico personaje.

445 La villa de Carvajal está situada en la provincia de Zamora, próxima a la capital, y por tanto perteneciente al antiguo reino de León.

451 «debajo de un» (PT) pero debe corregirse por hipermetría, como ya hizo G.

452-453 Adviértase el ligero conceptismo de la observación de Carrillo, que pinta el amanecer como un aparente atardecer, incluida la antropomorfización implícita en el verbo «bostezar», con ciertos matices cómicos propios del personaje que se acerca al tipo del gracioso. Recuérdese la monografía de María Rosa Lida «El amanecer mitológico en la poesía narrativa española», en *NRFH* (1946).

CARRILLO.	Vámonos de aquí a acostar; que tengo que repasar ciertas cuentas con el sueño.

(Vanse.)

(Salen DON JUAN DE BENAVIDES *y* CHACÓN *criado.)*

BENAVIDES.	Tarde salí de León,	465
	pero ya estamos en casa.	
CHACÓN.	Terrible es tu condición,	
	pues me da el sueño por tasa.	
BENAVIDES.	Todo hoy dormirás, Chacón.	
CHACÓN.	¿Qué importara que estuvieras	470
	esta noche en la ciudad,	
	y en saliendo el sol vinieras?	
BENAVIDES.	Sospechas de calidad	
	me asombran con mil quimeras.	
	Las dos leguas que hasta aquí	475
	hay de León, he venido	
	tan fuera, Chacón, de mí,	
	que ni el camino he sentido,	
	ni dónde estoy.	
CHACÓN.	¿Cómo ansí?	
BENAVIDES.	Siempre de ti me he fiado.	480
	Ya sabes que aquí, en Valencia	
	de Alcántara, está fundado	
	el solar de mi ascendencia.	

---

468 Tirso hace que ambos graciosos se quejen de lo mismo, del cansancio y falta de sueño por las andanzas de sus señores. «por tasa»: 'por ración', 'por pago o recompensa'.

473 «de calidad», 'bien fundadas'.

475 Ese deíctico «aquí» se refiere a Valencia de Don Juan, que es en donde se ubicaría la acción, como luego se puntualiza en los vv. 481-482, aunque con el error geográfico de referirse a un localidad fronteriza, pero del noroeste de Cáceres.

481-482 En absoluto puede ser el lugar referido por don Juan de Benavides la localidad cacereña que hoy conocemos como Valencia de Alcántara, casi en la frontera portuguesa, pues quedaría muy lejos del espacio geográfico en el

CHACÓN.	En él eres estimado	
	por nieto del rey famoso	485
	de León, Alfonso.	
BENAVIDES.	¡Ay cielos!	

CHACÓN.   En él eres estimado
            por nieto del rey famoso   485
            de León, Alfonso.
BENAVIDES.   ¡Ay cielos!
            ¡Lo que un hombre generoso
            padece, si con desvelos
            anda su honor sospechoso!
            Ya sabes que aquí también,   490
            tienen los Caravajales
            su casa...
CHACÓN.   Sí, sé. ¿Pues, bien...?
BENAVIDES. Y que con bandos parciales,
            en dos cuadrillas se ven
            cuantos en Valencia habitan   495
            divididos.
CHACÓN.   Heredastes
            los enojos que os incitan
            con la leche que mamastes.
BENAVIDES. Ellos el gusto me quitan.
            En León supe, Chacón,   500
            que Don Juan Caravajal

---

que se supone que transcurre la acción —aledaños de León— sino la ciudad
leonesa de Valencia de Ocampo, hoy Valencia de Don Juan, llamada así por
el Infante don Juan a quien perteneció la plaza desde 1281. Así lo vio ya Enrique Funes en su refundición de la obra, y Morel-Fatio apunta que el error de
Tirso procedía, en realidad, de la indicación, igualmente equivocada, de Argote de Molina (una de las fuentes del dramaturgo).

483 El «solar» era la «casa solariega», o sea, el espacio en el que situar el
punto de origen de una familia noble o de una estirpe.

485-486 Tirso basa esta filiación en la información de Argote de Molina,
que hace al Benavides descendiente de un hijo bastardo de Alfonso IX de
León, hermano de Fernando III de Castilla: «según escribe Martín López
de Leçana, era descendiente de un hijo del rey don Alonso de León avido de
ganancia y hermano del sancto rey don Fernando [...] Y fue el primero deste
linaje, que se llamó de Benavides, por la villa de Benavides, de que fue señor»
(*Nobleza del Andalucía*, libro segundo, cap. XCV, pág. 222, cito por la edición
facsimilar de la edición sevillana de 1588; Geor Olms Verlag Hildesheim,
Nueva York, 1975).

487 «generoso», cultismo con el significado de «noble y de ilustre prosapia»
(*Dic. Aut.*).

496 «excedastes» (PT y G) corregido por D.

	tiene a mi hermana afición,	
	y contra el odio mortal	
	que sustenta mi opinión,	
	casarse en secreto intenta	505
	con ella.	
CHACÓN.	Por ese medio	
	vuestra enemistad sangrienta	
	hallará en la paz remedio.	
BENAVIDES.	No puede venirme afrenta,	
	en esta ocasión, igual.	510
CHACÓN.	Pasiones es bien que olvides.	
BENAVIDES.	Antes que la sangre real	
	que ilustra a los Benavides,	
	con sangre Caravajal	
	se mezcle, de un vil pastor	515
	será mi hermana mujer,	
	de un oficial sin valor,	
	de un alarbe mercader,	
	de un confeso, que es peor.	
	Mientras que mi enojo vive,	520
	no ha de quedar en Castilla	
	en quien su memoria estribe,	
	ni casa en ciudad o villa,	
	ni piedra que no derribe.	
	Y a saber yo ser verdad	525
	lo que sé por opinión,	
	y tenerle voluntad	
	Doña Teresa, un Nerón,	

---

504 «opinión»: 'honor', 'reputación', 'buen nombre'.

517 «oficial»: 'operario', 'artesano'.

518 De un mercader moro. «Alarbe» es equivalente a «árabe». Esta voz la define así el *Diccionario de Autoridades:* «vale tanto como hombre bárbaro, rudo, áspero, bestial o sumamente ignorante. Dícese por comparación a la brutalidad y fiereza que se experimenta en los árabes o alárabes que poseyeron a España, de suerte que Alarbe es una síncopa de Alárabe».

519 'judío converso', de tan marcada connotación peyorativa en el XVII.

522 «estribe»: 'permanezca en el recuerdo'.

526 Aquí la voz «opinión» se usa en el sentido de 'maledicencia o murmuración de otros'.

527 «voluntad» equivale a 'amor correspondido'.

	un Fálaris en crueldad	
	mi enojo resucitara.	530
	Fuego en esta casa pusiera	
	en que viva la abrasara;	
	sus cenizas me bebiera,	
	de sal su casa sembrara,	
	y huyendo a un monte grosero	535
	no osara entrar en poblado	
	hasta vengarme primero,	
	ni del blasón heredado	
	usara de caballero.	
CHACÓN.	¡Dios me libre de enojarte!	540
	Extraña es tu condición.	
BENAVIDES.	Esta sospecha fue parte	
	para salir de León	
	a tal hora. ¿Por qué parte	
	podremos entrar en casa	545
	sin avisar mi venida,	
	para saber lo que pasa	
	y quitarla con la vida	
	el torpe amor que la abrasa?	
CHACÓN.	Aquesta pared de enfrente	550
	está baja, y da en la huerta;	
	pero nunca el que es prudente	
	cree una sospecha incierta.	
BENAVIDES.	Espera, que viene gente.	

---

529 Fálaris fue el nombre de un tirano de Agrigento notable por su inhumana crueldad. Véase también nota a los vv. 1351-1354.

534 Regar de sal una tierra o un espacio era simbolismo de infertilidad. Es una cita de procedencia o resonancias bíblicas (Jueces, 9, 45).

541 «condición»: 'carácter', 'temperamento'.

542 «parte»: 'motivo', 'razón por la que'.

548-549 La crueldad que revelan estas amenazas del noble Benavides con respecto a su hermana aproximan el personaje a los celosos maridos calderonianos, y recuerdan parecidas amenazas de muerte por parte del hermano de Febea en la comedia inaugural del género *Himenea*, de Torres Naharro.

552-553 Discreto razonamiento del gracioso, jugando además con un vocablo fundamental en el drama desde el título, «prudencia». En el v. 553, D propone «cree en una», corrección que no considero necesaria.

(Salen CARAVAJAL, DON PEDRO *y* CARRILLO.)

CARAVAJAL[14].	Si el hermano de mi esposa,	555
	como dicen, ha sabido	
	nuestra intención amorosa,	
	y de León ha venido,	
	no es amante el que reposa	
	y deja en tan manifiesto	560
	peligro a quien sirve y ama.	
	A saberlo estoy dispuesto	
	de su casa. Hermano, llama.	
BENAVIDES.	Chacón, ¿no adviertes en esto?	
	Ciertas mis sospechas son.	565
PEDRO.	Don Juan Benavides tiene	
	tan mala la condición,	
	que si acaso a saber viene	
	que gozas la posesión	
	de su amor, y lo que pasa,	570
	le ha de dar muerte cruel;	
	y, así, el sacarla de casa	
	para asegurarla dél,	
	es cordura.	
BENAVIDES.	¡Ay suerte escasa!	
	¡Mi deshonra averigüé!	575
	¿Cómo mi enojo resisto?	
CARAVAJAL.	Que viene a vengarse sé	
	de quien informalle ha visto	
	que esta noche la gocé.	
	Y ansí quiero diligente,	580
	pues es mi esposa, libralla	
	de su cólera impaciente;	

---

[14] «*[hablando con su hermano, sin ver a Benavides y Chacón]*» (BS).

567 «tan mala condición» (PT) pero entonces el verso sería hipométrico. Así corrigió H. Durán, por su parte, había propuesto la lectura «tan terrible condición», que se separa más aún, e innecesariamente, del texto de la *princeps*.

573 'para librarla de la violencia fratricida del Benavides'.

	que bien podremos guardalla	
	de todo el mundo, aunque intente	
	sacarla de mi poder.	585
PEDRO.	Cuando por bien no lo lleve,	
	si nos quisiere ofender,	
	junte deudos, y armas pruebe;	
	que en volviéndose a encender	
	los bandos que sustentamos,	590
	tantos parientes tenemos	
	como él.	
CARAVAJAL.	Llama; no perdamos	
	la ocasión que pretendemos,	
	pues a sus puertas estamos.	
BENAVIDES.	Ya no basta el sufrimiento.	595

(Habla con ellos.)

      Los que caballeros son,
      nunca intentan casamiento
      a escuras, como el ladrón
      de infame merecimiento.
      Su sangre y nobleza ofende   600
      quien honras hurtar porfía
      a escuras, si no es que entiende
      que no merece de día
      lo que de noche pretende.
      Y no en balde conjeturo   605
      de aquí vuestro menosprecio,
      y valor poco seguro;
      que no tiene mucho precio
      lo que se vende a lo escuro.

---

585 'alejarla de mi influencia', 'arrebatármela'.
586 'si no lo toma a bien', 'si no lo acepta de buena gana'.
588 'reúna parientes y pruebe armas'.
598 «a escuras»: 'clandestinamente', 'a escondidas'.
599 'de infame cualidad'.
609 Evidentemente que el personaje está aludiendo a una práctica fraudulenta de mercaderes de la época, práctica ya señalada en el *Rimado de Palacio*

Como mi puerta ennoblece 610
el barreado león,
que en campo de plata ofrece
a mi sangre el real blasón
que vuestra envidia apetece,
temistes verle de día; 615
y como ausente me hallastes,
y que él la puerta os tenía,
por las paredes entrastes
de noche, en fe que dormía.
Mas como me vio ofendido, 620
bramando en esta ocasión,
me sacó con su bramido
un león de otro León,
donde estaba divertido.
A satisfacer la fama 625
que me habéis hurtado vengo;
mi agravio es león que brama:
un león por armas tengo,
y Benavides se llama.
De vuestros torpes amores 630
dará venganza a mi enojo,
mostrando a mis sucesores

---

de López de Ayala: «Fazen escuras sus tiendas e poca lumbre les dan; / por Brujas muestran Ipre e por Mellinas Roán; / los paños violetes bermejos paresçerán; / al contar de los dineros las finiestras abrirán» (copla 311, cito por la edición de Jacques Joset, Madrid, Alhambra, 1978, pág. 155). Y por supuesto hay multitud de referencias irónicas en la literatura coetánea a esta obra. Por ejemplo, en *El sueño de la muerte*, de Quevedo, al referirse a un mercader, el personaje visitador del infierno se pregunta: «¿Quién duda que la obscuridad de sus tiendas les prometía estas tinieblas?»; véase también vv. 647-649.

611-613 El escudo nobiliario de la familia Benavides ofrecía un león en torno al cual se enlazaban tres barras de oro, en campo argentado, según lo dibuja y comenta Argote en su *Nobleza del Andaluzía* (II, xcv). El «real blasón» aludido consistía, desde la unión de Castilla y León bajo el mandato de Fernando III, en un escudo con cuatro campos, con dos leones y dos torres distribuidos en ellos.

619 Se refiere, metafóricamente, al león que, desde el escudo nobiliario, guarda la casa de los Benavides. La llamada del león del escudo, o sea del honor familiar, le hizo volver a tierras de León.

624 «divertido»: 'ocupado en otras actividades'.

	la nobleza de un león rojo	
	en sangre de dos traidores.	
CARAVAJAL.	Como ya sois mi cuñado,	635
	ni de palabras me afrento,	
	ni de mi enojo heredado	
	tomar la venganza intento,	
	de que ocasión me habéis dado.	
	Tengoos ya por sangre mía,	640
	y como es fuego el amor	
	que en mí vuestra hermana cría,	
	la luz que trae mi valor	
	se aventaja a la del día.	
	Si, como se usa, llegara	645
	a afrentar vuestra opinión,	
	y a Doña Teresa hurtara	
	la honra, fuera ladrón	
	que vuestra casa escalara;	
	pero siendo esposa mía,	650
	ni deshonraros procuro,	
	ni es mi amor mercadería,	
	que quien la compra a lo escuro,	
	la desestima de día.	
	Si un león es el blasón	655
	que a vuestras puertas ponéis	
	en guarda de su opinión,	
	porque de un rey descendéis,	
	el mismo rey de León	

633-634 Puesto que el Benavides está dispuesto a vengar su afrenta hiriendo a los hermanos Carvajal, a partir de ese momento el león de su escudo nobiliario será de color rojo, en recuerdo de la derramada sangre enemiga. Para evitar la hipermetría debe leerse «león» como diptongo en el v. 633.

646 «opinión»: 'reputación'.

655 La voz «opinión» equivale aquí a 'honor'.

656 Carvajal, como ya se ha indicado antes, alude al blasón referido en los vv. 611-613. Y Tirso también acepta que ambos contendientes procedían del mismo tronco real leonés, dando por hecho una información que no le facilita Argote, pero que le interesa explotar literariamente, porque permite el entendimiento de las dos familias y posterior alianza en defensa de doña María. Probablemente la obra proyectada por Tirso sobre los Carvajales, y aludida al terminar *La prudencia,* ampliaba estas posibilidades.

me da nobleza estimada 660
por su nieto y descendiente,
y como el de esa portada
me conoció por pariente,
dejome libre la entrada.
Si dio bramidos, sería, 665
no del furor que os abrasa,
sino en señal de alegría;
por verme honrar vuestra casa
festejándoos bramaría.
Cuanto y más que, en tal demanda, 670
no temo vuestro león,
mientras en mi defensa anda,
dando a mis armas blasón,
una onça sobre una banda;
porque para no temelle, 675
cuando mi amor amenace,
tengo, si llega a ofendelle,
onça que le despedace,
y banda con que prendelle.

PEDRO. Don Juan, esposo es mi hermano 680
de Doña Teresa ya,
y sin dar quejas en vano,
la paz y la guerra está
desde agora en vuestra mano.
Si venís en lo primero, 685
parentesco y amistad
eterna ofreceros quiero;
si en lo segundo, dejad
palabras, y hable el acero;
que en campo y batalla igual, 690

673-674 El escudo de los Carvajales es descrito así por Argote de Molina
(lib. II): «Precianse venir de los Reyes de León, pero de esto no he visto escritura. Sus primeras armas fueron en escudo de oro una banda negra y una onça
asomada encima de la banda, y por orla en campo de plata un ramo de encina en torno con hojas verdes y bellotas pardas.» La *onça* era una especie de ga-
topardo. La banda fue la parte del escudo que mediaba entre dos líneas para-
lelas que se trazaban, en diagonal, desde la izquierda a la derecha del escudo.

	probando fuerzas y ardides,	
	daréis a España señal	
	vos del valor Benavides,	
	y nos del Caravajal.	
BENAVIDES.	Mil veces digo que aceto	695
	el propuesto desafío.	
CARAVAJAL.	Póngase, pues, en efeto,	
	que del valor en que fío	
	la vitoria me prometo.	
BENAVIDES.	Pues aguardad.	
CARAVAJAL.	Eso no;	700
	que el enojo que os abrasa,	
	vuestra hermana receló;	
	y si entráis en vuestra casa,	
	juzgando que os agravió,	
	procuraréis ofendella.	705
	O dejádmela sacar,	
	o no habéis de entrar en ella.	
BENAVIDES.	Todo eso es acumular	
	agravios a mi querella.	
CARAVAJAL.	Vive en ella mi esperanza.	710
BENAVIDES.	Haced mi enojo mayor,	
	que el castigo y su tardanza	
	dé filos a mi valor	
	y aceros a mi venganza.	

(Sale la REINA DOÑA MARÍA)[15].

REINA.	Ilustres Caravajales,	715
	Benavides excelentes,	
	mis deudos sois y parientes,	

---

[15] «*[y después el rey]*» (BS).

694 «vos» (PT y G). Corrigió D.
698 «amor» (PT).
713 D propone «da filos». «Dar filos» equivale a 'animar', 'incitar'.
717 Doña María los puede llamar con toda propiedad «parientes», porque al ser tanto Carvajal como Benavides descendientes de un hijo ilegítimo de Alfonso IX, vienen a ser primos hermanos de la reina.

blasones os honran reales:
mostrad hoy que sois leales.
Un árbol sirve de silla   720
a la inocencia sencilla
de vuestro rey incapaz.

(Descubre al REY NIÑO *coronado en el tronco de un árbol)*[16].

No permitáis que en agraz
os le malogre Castilla.
Como la aurora, amanece   725
entre la tiniebla escura
de la traición, que procura
matárosle y le obscurece.
Si este tierno sol merece
glorias de una ilustre hazaña,   730
lograd el que os acompaña,

---

[16] La aparición del personaje en el interior de un tronco de árbol, que lo esconde protegiéndolo, simbolizando al mismo tiempo su legitimidad (teniendo en cuenta las veces que luego doña María alude al árbol genealógico de sus leales) hace que el binomio léxico «árbol-tronco», como señaló en su momento Frederick A. de Armas (1978, 180), sirva para expresar la importancia de ese linaje señorial que es leal a la causa de la legitimidad de Fernando IV. Así se ha subrayado más arriba en las palabras de la reina recogidas en los vv. 715-722. Una situación análoga a la aquí descrita notamos en la obra tirsiana *La república al revés*, al final, cuando la emperatriz Irene se interesa por su nieto, y el pastor Tarso le informa que «Escondido / en un roble le he tenido, / temiendo el mortal aprieto / en que la persecución / nos puso de Constantino» (III, vv. 1050-1054). Y recordemos que puede aquí sugerirse ya una equiparación entre el niño-rey y Cristo-niño (parangón que más adelante se connota de forma más expresa) pues según la leyenda cristológica, el Niño Jesús había sido escondido por sus padres en el interior de una verde retama para escapar a la persecución genocida de Herodes. Por otra parte, y siguiendo también la sugerencia de F. A. de Armas (pág. 182) «podemos vislumbrar en el árbol que sirve de silla al niño, el árbol bíblico de Jesé. El arte religioso de la Edad Media dibujaba una y otra vez el árbol de Jesé con Cristo sentado en lo más alto. Hacia fines del medievo, este Cristo no era ya representado como hombre mayor, sino como niño». H y M proponen la lectura «encerrado en el tronco de un árbol».

720 «silla» es metáfora de 'trono'.
723 «en agraz»: 'prematuramente'.
729-731 Carmelo Samonà (1967) anota estos tres versos, que considera de difícil interpretación, pues —dice el citado comentarista y editor— el «tierno sol

	y con valor español	
	defended los dos un sol	
	que os da el oriente de España.	
BENAVIDES.	¡Oh retrato del amor,	735
	niño rey, humilde Alteza!,	
	con tu angélica belleza	
	se enternece mi rigor.	
	No tuviera yo valor,	
	si el socorro que me pides	740
	a las perlas que despides	
	negaran mis fieles labios.	
	Por los tuyos, sus agravios	
	olvidan los Benavides.	
	Famosos Caravajales,	745
	treguas al enojo demos,	
	y para después dejemos	
	guerras y bandos parciales.	
	No salgan los desleales	
	con su bárbaro consejo.	750
	A estos pies mi agravio dejo,	
	para volverle a tomar,	
	que mal se podrá olvidar	
	el odio heredado y viejo.	
	Juntemos nuestros amigos,	755
	y de dos un campo hagamos;	

---

apenas nacido (metáfora del niño-rey) sugeriría que esta escena sucede al alba, y que a ese sol naciente le acompañan estos dos vasallos fieles.» Y subraya cómo la voz «logrado» se relaciona, oponiéndose, al verbo «malogre» del v. 724.

732 «y con amor español» (PT y G) La corrección de H fue aceptada por todos los editores posteriores.

733 Como se ha dicho en la nota anterior, ese «sol» es metáfora del rey-niño. El vocablo *sol* también solía ser metáfora alusiva de la nobleza, pero sobre todo de la monarquía. Véase también el v. 2830.

735 Porque a Cupido siempre se le representa como un infante alado y dotado de carcaj y flechas para infundir el amor.

741 Manida metáfora de las lágrimas.

749-750 'No se salgan los contrarios con lo que pretenden' (acabar con la monarquía de Fernando IV). «consejo» con el valor de 'pretensión', 'medio de conseguir una cosa', 'plan'.

756 La voz militar «campo» como 'ejércitos', 'fuerzas militares', 'bandos'. «Se llama así mismo el ejército formado, que está al descubierto. Díjose por el

que mientras al rey sirvamos,
no hemos de ser enemigos.
Serán los cielos testigos,
para ilustrarnos después,   760
de que hoy el valor leonés,
con lealtad y con amor,
el bien del rey, su señor,
antepone a su interés.

CARAVAJAL.   Fénix de España, nacido   765
para que su gloria aumente,
pájaro sois inocente,
en ese árbol como en nido.
¿Quién, mi perla, os ha escondido
de esa suerte?

FERNANDO.   Hanme quitado   770
mi reino, y no me han dejado
aún la cuna en que nací;
y como a Herodes temí,
vengo huyendo al despoblado.

PEDRO.   No temáis del gavilán,   775
pájaro tierno y hermoso,

---

sitio que ocupa, y se suele explicar; nuestro campo, el campo enemigo; esto es, nuestro ejército o el del contrario» *(Dic. Aut.)*.

765 Se llama al rey-niño «Fénix de España» como un elogio a su singularidad, a su excelencia, pero también como recuerdo al Ave Fénix indestructible, pues siempre renace de sus cenizas.

769 Mediante esa metáfora se alude al rey-niño que, como la perla real escondida dentro de la ostra, también él está guarecido bajo la copa del árbol y bajo las haldas de su madre, la reina doña María. También vale entender la expresión «os ha escondido» como 'os intenta ignorar, anular como rey'.

772 Fernando IV nació en Sevilla en diciembre de 1295, como se atestigua en la *Crónica de Sancho IV* y se ha referido en la Introducción.

773-774 El joven rey, equiparándose con el mismo Mesías, teme por su infantil seguridad, igual que temieron los padres de Cristo ante las severas órdenes genocidas del gobernador romano Herodes, lo que motivó el asunto literario, también tratado en el teatro primitivo, de «la huida a Egipto» (recuérdese el auto anónimo del siglo XV). Se da un paso más en la equiparación simbólica del rey-niño como cordero, pues ahora se recoge el simbolismo cristológico de tal animal. Y recordemos que Tirso escribió una obra sobre tal personaje bíblico: *La vida y la muerte de Herodes*.

775-778 El «don Juan» equiparado con el gavilán, como ave depredadora, no es otro que el tío del futuro rey, el ya conocido Infante don Juan.

148

	por más que intente ambicioso	
	hacer presa en vos Don Juan.	
BENAVIDES.	Todos por ti morirán,	
	sol de España, hasta que quedes	780
	libre de las viles redes	
	de ambiciosos cazadores.	
FERNANDO.	Vengadme de estos traidores,	
	que yo os juro hacer mercedes.	
CARAVAJAL.	Dadnos a besar la mano,	785
	cifra de la discreción.	
BENAVIDES.	Alto, hidalgos, a León;	
	muera el Infante tirano.	
	Y vos, ejemplo cristiano,	
	regidnos desde este día,	790
	y será, pues de vos fía	
	el cielo una ilustre hazaña,	
	la Semíramis de España	
	la reina Doña María.	

(Vanse.)

---

782 Con esa calificación, «ambiciosos cazadores» Benavides se está adelantando a la secuencia, en el acto III, en la que el rey, marchando de caza y prestando oídos a su tío, se une a este grupo de «cazadores» contrarios a doña María.

785 Besar las manos como acto simbólico de obediencia y pleitesía ya lo había recogido Covarrubias: «Es [...] el beso seña de reverencia, reconocimiento, obediencia y servitud [...] Cuando se juran los reyes, en señal de que los vasallos reciben por su señor al rey jurado, le besan la mano [...] También suelen usar esta ceremonia los señores particulares». (Ya se había reseñado este rito en las *Partidas,* IV, XXV, 5.)

786 «cifra»: 'emblema', 'modelo'.

789 Ese «vos» va dirigido a la reina.

791-794 'Y pues el cielo fía de vos una ilustre hazaña, la reina doña María será la Semíramis de España'. Alusión a la legendaria reina de los asirios y de los babilonios, famosa por sus hazañas militares. Tras enviudar de Salmanassar III dirigió el Imperio, a título de regente, durante la minoría de su hijo, y lo hizo con gran energía, como la reina doña María de la comedia. Este personaje es reelaborado por Calderón en su conocido drama *La hija del aire.*

(Salen DON ENRIQUE, *y* DON JUAN, *y otros caballeros, y música)*[17].

ENRIQUE.	Goce Vuestra Majestad	795
	de este reino de León	
	mil años la posesión.	
JUAN.	Con larga felicidad	
	Vuestra Majestad posea	
	el de Murcia y de Sevilla,	800
	y dilatando su silla,	
	sujeto a su nombre vea	
	el de Granada y Arjona;	
	que yo, mientras que viviere	
	Don Fernando, y pretendiere	805
	su madre nuestra corona,	
	tenerme por rey no puedo.	
ENRIQUE.	Ya no hay de quién recelar.	
	No le ha quedado lugar	

---

[17] BS añadía una localización que no se justifica en el diálogo —*«[Sala en el palacio de León]»*—, pues es en León en donde se ha refugiado doña María. La localización de esta escena debería ser en Toledo.

795 El tratamiento de «Majestad» es un anacronismo léxico de Tirso, pues dicho tratamiento no se generaliza en el español hasta el siglo XVI.

795-800 Don Enrique saluda a su sobrino don Juan según se autointitulaba —dato aportado por la crónica correspondiente— «rey de León, de Galicia e de Sevilla». Y por su parte el Infante don Juan saluda a su tío con los títulos que el personaje se adjudicaba en la misma crónica: «rey de Castilla, e de Toledo e de Córdoba, e de Murcia e de Jahén».

800-803 Murcia y Sevilla eran en aquellos años territorios ya reconquistados a los árabes, en tanto que Arjona y Granada seguían perteneciendo a los invasores africanos. El reino moro de Arjona se fundó en 1230, si bien se incorpora al reino de Granada desde 1238. Los vv. 801-802 deben entenderse como el deseo de que don Enrique 'extienda sus posesiones —«dilatando su silla»— con nuevas conquistas'.

809-822 La situación política interna de Castilla-León que resume don Alfonso ha sido tratada en el trasfondo histórico de la pieza referido en la Introducción, a la que se remite, v. 809: «Ni ya ha quedado lugar» es la lectura propuesta por D que creo injustificada.

	desde Tarifa a Toledo,	810
	ni desde él hasta Galicia,	
	que rey a Fernando nombre,	
	ni caballero o ricohombre,	
	que en fe de nuestra justicia,	
	a Don Juan y a Don Enrique	815
	no ofrezca el blasón real.	
	Aragón y Portugal,	
	porque más se justifique,	
	en nuestro favor tenemos;	
	nuestro amigo el navarro es;	820
	ampáranos el francés;	
	con gentes y armas nos vemos.	
	¿Dónde irá Doña María,	
	que nuestro amigo no sea?	
JUAN.	No es bien que el reino posea	825
	el bastardo hijo que cría.	
	Casose en grado prohibido	
	con ella mi hermano el rey;	
	no legitima la ley	
	al que de incesto ha nacido.	830
	El derecho que me toca,	
	defenderé hasta morir.	
ENRIQUE.	Reina pudiera vivir,	
	a no ser la infanta loca,	
	si no nos menospreciara,	835
	y con uno de los dos	
	se casara.	

---

816 PT dice «ofrezcan», de acuerdo con los dos sujetos referidos, pero impidiendo la sinalefa, en función de la cual se evitaría la hipermetría, salvo que se haga un diptongo en «real».

821 «amparamos» (PT) que corrige G.

830 Fernando IV estuvo un tiempo bajo sospecha de ilegitimidad —por ello se podría asimilar su condición a la de «bastardo» (v. 826)— porque el matrimonio de Sancho IV y María de Molina se había realizado sin obtener la previa y obligatoria «dispensa papal», por ser los contrayentes parientes en segundo grado de consanguinidad: de ahí lo de «grado prohibido» (v. 827) e incluso la acusación, a todas luces exagerada y malintencionada, de «incesto» aducida en este v. 830.

151

JUAN.	Vuelve Dios
	por nuestra justicia clara.
	Pero mientras en prisión
	el hijo y madre no estén,	840
	aunque obediencia me den
	Toledo, Castilla, León,
	no puedo vivir seguro,
	y así a buscarlos me parto.

(De dentro con música.)

UNOS.	¡Viva Don Fernando el Cuarto,	845
	rey legítimo!
JUAN.	En el muro
	suenan voces.
OTROS.	¡Viva el rey
	Don Fernando de León!
	Y los Infames que son,
	en ofensa de su ley,	850
	desleales, ¡mueran!
TODOS.	¡Mueran!
ENRIQUE.	Ingratos cielos, ¿qué es esto?

(Sale un criado.)

CRIADO.	Socorred la ciudad presto,
	que sus vecinos se alteran.
	Ya al rey niño han admitido	855
	en el Alcázar, cercado
	de mil hombres, que han juntado
	por todo aqueste partido

---

853 La intervención del criado del Infante a partir de este verso debe ponerse en conexión con otra intervención similar del criado de doña María en los vv. 369 y ss.

855 «Ya el rey» (PT). Corrige D.

856 Ese «Alcázar» debe de ser el Alcázar toledano, de modo que la acción, como se indicaba antes, se localiza en Toledo, en donde se habían hecho fuertes don Enrique y don Juan, al obligar la salida de doña María con su hijo.

858 «partido», en el sentido de 'zona', 'territorio'. La acepción hoy recogida en la terminología jurídico-geográfica de «partido judicial».

	Juan Alfonso Benavides	
	y los dos Caravajales	860
ENRIQUE.	Si al encuentro no los sales,	

ENRIQUE.   Si al encuentro no los sales,
            y aqueste alboroto impides,
            Infante Don Juan, no creas
            que en León logres tu silla,
            ni que en Murcia y en Sevilla,   865
            Don Enrique, rey te veas.

JUAN.   Enrique, alto, a la defensa:
            que dos pobres escuderos,
            que ayer no eran caballeros,
            no nos han de hacer ofensa.   870

ENRIQUE.   Ni una mujer desarmada
            es bien que temor nos dé
            con un niño.

JUAN.   Moriré
            diciendo: «O César, o nada.»

(Salen BENAVIDES *y los dos* CARAVAJALES *con otros.)*

CARAVAJAL. Volvió Dios por la justicia   875
            del hermoso y tierno infante;
            castigó desobedientes,
            dio vitoria a los leales.
            Dense los dos a prisión.

865-866 X. A. Fernández (pág. 586) considera que estos dos versos deben
ser dichos por don Juan, y no por don Enrique, siguiendo solución adoptada
por D, y que acepta P68. BS los adjudica a don Enrique, y también otros editores, como P07. Creo que no es necesario adjudicar esos versos a otro sujeto,
sino que bien podrían ser dichos por don Enrique, mencionándose a sí mismo, como quien se contempla en un espejo revestido de rey (a ello ayuda la
expresión «te veas»).

868-869 Con esas referencias, que expresan desprecio, se refiere a los Benavides y a los Carvajales.

874 Esta conocida divisa («aut Caesar aut nihil») como expresión de ambición y tiranía se le atribuyó durante mucho tiempo a César Borgia, pero posteriores investigaciones han negado dicha atribución al famoso condotiero ita-
liano. Algunos biógrafos hablan de que en una serie de monedas acuñadas a
la muerte del personaje, figuraba al reverso esta divisa, que podría proceder del
epigrama de Faustus Evangelista: «Borgia Caesar erat factis et nomine Caesar,
/ au nihil aut Caesar dixit: utrumque fuit.»

JUAN.	¿Cómo dar a prisión? Antes	880
	las vidas, y morir reyes.	
BENAVIDES.	Ya será imposible, Infantes.	
	Vuestras gentes están rotas,	
	y los fieles estandartes,	
	por Fernando de León	885
	tremolan los homenajes.	

(Quítanles las armas)[18].

CARAVAJAL.	Vuestras Altezas, señores,	
	puesto que puedan llamarse	
	más fuertes que venturosos	
	en este infelice trance,	890
	culpen la poca justicia	
	con que han querido quitalle	
	a un rey legítimo el reino,	
	noble herencia de sus padres;	
	y de la reina María,	895
	cuyos presos son; alaben	
	la vitoriosa entereza,	
	y condición agradable;	
	que de su piadoso pecho,	
	como lleguen a humillarse	900
	por vasallos del rey niño,	
	su amor cristiano es tan grande	
	que como a parientes suyos,	
	cuando la cerviz abajen	
	y sus sacras manos besen,	905
	les dará las suyas reales	

---

[18] Esta acotación figura desplazada en PT, a continuación del v. 894

884-886 «Los estandartes fieles» es metonimia de los soldados leales a la causa de Fernando IV, ahora designado como «Fernando de León» (cuando lo era realmente de León y de Castilla) banderas que ahora tremolan desde las torres de homenaje de las diferentes fortalezas que han sido ganadas al Infante don Juan. «Y en los fieles estandartes» (D).
897 'ser justa en la victoria'.
906 «darán» es la corrección equivocada de G y D, pues el sujeto es el rey.

	libertad que los oblige	
	y perdón que los espante.	
JUAN.	Si el deseo de reinar,	
	que tantos insultos hace	910
	como cuentan las historias,	
	fuera disculpa bastante,	
	yo quedara satisfecho;	
	pero no hay razón que baste	
	contra la poca que tuve	915
	en venir a coronarme.	
	Su indignación justa temo;	
	que es mujer, y en ellas arde	
	la ira, y con el poder	
	del límite justo salen.	920
	Que a no recelar su enojo,	
	hoy viera León echarme	
	a sus vitoriosos pies.	
BENAVIDES.	La clemencia siempre nace	
	del valor y la vitoria,	925
	porque es la venganza infame.	
ENRIQUE.	La reina Doña María	
	no es mujer, pues vencer sabe	
	los rebeldes de su reino,	
	sin que peligros la espanten.	930
	Echémonos a sus pies;	

---

907 «que los obliguen» (PT) corregido por G.

908 Con esta afirmación se está adelantando, pese a que Tirso juegue con la apariencia contraria, la prudente magnanimidad de la reina.

910 «Insultos» como 'fechorías', 'equivocaciones', 'errores'.

920 El personaje aplica a la reina el tópico de la mujer irracional e imprudente, precisamente para que reluzca más en el particular caso de doña María de Molina esa cualidad que es excepcional —la prudencia— de la imagen femenina en la literatura de aquel tiempo. El sujeto elíptico de «salen» es, claramente, «las mujeres».

927-930 Don Enrique también argumenta acerca de la excepcionalidad de doña María, que niega, en sus cualidades y actuaciones como gobernante y militar, los tópicos contrarios atribuibles a la mujer.

931 «Omildosamente fincados los ynojos, e con pocas palabras deben pedir merced al rey los que la han menester» *(Partidas,* III, xxiv), pero también se dice en el mismo lugar que «otrosí non deben pedir merced al rey, que perdone a ome que fuesse judgado por traydor o por alevoso» (III, xxiv).

155

que siendo los dos su sangre,
y ella tan cuerda y piadosa,
sentirá que se derrame.
Y soldando nuestras quiebras,   935
fieles desde aquí adelante,
procuraremos servirla
porque nuestro honor restaure.
Dios ampara al rey Fernando,
y pelea por su madre.   940
¿Qué armas, gentes ni favores
podrá haber que a Dios contrasten?
El dulce nombre de rey
vino ambicioso a cegarme;
diome el desengaño vista,   945
la reina será la imagen
de cuyos piadosos pies
libre espero levantarme,
para que a su nombre ilustre
dedique estatuas y altares.   950

PEDRO.   ¡Noble determinación!,
aunque por hoy se dilate;
que no permite la reina
que vuestras altezas la hablen.
Mientras que se desenoja,   955
será esta torre su cárcel.

JUAN.   Y no estrecha, si vos sois
della, Don Pedro, el alcaide.

PEDRO.   Con este título me honra.

---

934 el sujeto de «derrame» es la sangre antes aludida.

935 «quiebras»: metáfora por 'opiniones diferentes'.

942 «contrasten»: 'resistan', 'se enfrenten a'. El *Diccionario de Autoridades* define el verbo «contrastar» como 'resistir, estar con firmeza y constancia, manteniéndose contra alguna cosa'.

945 El desengaño le hace ver claro.

952 'aunque todavía haya de esperar para llevarse a cabo'.

958 Este cargo, de procedencia léxica y militar árabe, era el guardián o responsable de un castillo o fortaleza, y tenía a su cargo los prisioneros que allí quedaban encerrados. Su estatuto fue regulado en *Partidas*, II, xviii.

959 El sujeto de «honra» es la reina.

(Sale DON LUIS)[19].

LUIS.	La reina ha mandado, Infantes,	960
	que entréis en esa capilla,	
	donde os esperan dos padres	
	que vuestras almas dispongan,	
	porque quiere en esta tarde	
	mostrar a España del modo	965
	que allanar rebeldes sabe.	
ENRIQUE.	La reina, nuestra señora,	
	¿es posible que eso mande?	
	¡La piadosa! ¡La clemente!	
	¡A dos primos! ¡A dos grandes!	970
	¡Ah, mujeres! ¡Qué bien hizo	
	naturaleza admirable	
	en no entregaros las armas!	
JUAN.	Cuando darnos muerte mande,	
	y por medio del rigor	975
	a Fernando el reino allane,	
	puesto que con los rendidos	
	es medio el amor más fácil,	
	Portugal y Aragón tienen	
	reyes de nuestro linaje	980
	que nuestra muerte la pidan	
	y castiguen sus crueldades.	

---

[19] BS añade *«[con una fuente]»* que luego, tras el v. 991 indica el texto de PT.

962-963 Alusión a la inminente condena a muerte por rebeldía injustifica-da a que serán condenados don Juan y don Enrique.

972-973 En contradicción con el elogio antes señalado (vv. 927-930) don Enrique, asustado por la inminente condena a la máxima pena, se revuelve contra la reina, acusándola de participar de las tópicas limitaciones femeniles para cuestiones de gobierno.

978 Nótese la irregularidad que se produce con la rima asonante *-áe*. Ocurre circunstancia similar en el v. 1002.

981 Don Juan amenaza, a la desesperada, con que sus aliados reclamarán responsabilidades a la reina por haber ejercido una represión tan contun-dente.

ENRIQUE.	Ya no es tiempo de querellas.
	Ofender las majestades
	en daño de su corona 985
	es crimen mortal y grave.
	Pues que como caballeros
	hemos peleado, Infante,
	el morir como cristianos
	es hoy hazaña importante. 990
LUIS.	Aquí está vuestra sentencia.

(Un papel en una fuente de plata.)

JUAN.	¿Con ella el plato nos hace?
	¿En una fuente la envía?
	Pues tiempo vendrá en que pague
	la costa deste banquete, 995
	cuando lleguen a aprecialle
	con lanzas en vez de plumas
	los que nuestro valor saben.
ENRIQUE.	Dejádmela ver primero.
	¡Oh muerte fiera! ¡Que bastes 1000

984-986 Se describe el delito conocido como «crimen de lesa majestad», que según el código de las *Partidas* «tanto quiere dezir en romance, como yerro de traycion que faze ome contra la persona del rey...» (VII, ii). Y señala cuatro modos de cometer dicho delito: «la primera e la mayor, e la que mas fuertemente debe ser escarmentada, es, si se trabaja algund ome de muerte de su rey, o de fazerle perder en vida la honrra de su dignidad... que su señor sea desapoderado del reyno» (VII, ii); «cualquier ome, que fiziere alguna cosa de las maneras de traycion que diximos [...] deba morir por ello» (VII, ii).

992 Irónicamente don Juan pregunta si la reina va a obsequiarlos con el manjar de su propia condena, al mostrárseles el texto de la misma servido en un plato.

995-1002 En estos versos, en los que se juega metafóricamente con la condena como un convite y la muerte como un frágil papel de letales efectos, Tirso está sembrando en la memoria del espectador dos hechos que sucederán en los respectivos desenlaces de los dos actos siguientes: en la segunda jornada doña María vuelve a quedar victoriosa de sus parientes sediciosos, sorprendiéndolos en una cena en la que se conjura contra ella. Y el desenlace final, que restaura la honorabilidad de la reina ante su hijo y ante el reino, se produce por la habilidad de doña María, con un escrito que es, al mismo tiempo, la condena moral definitiva del Infante don Juan.

a asombrar pechos de bronce,
sólo con un papel frágil!

(Lee.)

«Doña María Alfonso[20], reina y gobernadora
de Castilla, León, etc., por el rey Don Fernando cuarto deste nombre, su hijo, etc. Para
confusión de sediciosos y premio de leales,
manda que los Infantes de Castilla, sus primos, salgan libres de la fortaleza en que están presos, se les restituyan sus estados, y
demás desto hace merced al Infante don
Enrique de las villas de Feria, Mora, Morón
y Santisteban de Gormaz; y al Infante don
Juan de Aillón, Astudillo, Curiel y Cáceres,
con esperanza, si se redujeren, de mayores
acrecentamientos, y certidumbre, si la ofen-
dieren, de que le queda valor para defenderse,
y ánimo para pagar nuevos deservicios con
nuevos galardones.» *La Reina gobernadora*[21].

(Sobre un trono se aparece la REINA *en pie, coronada, con
peto y espaldar, echados los cabellos, y una espada desnuda en
la mano)*[22].

REINA.   La reina Doña María
          castiga de aquesta suerte
          delitos dignos de muerte.   1005

---

[20]   La propia reina se nombra como hija del Infante don Alfonso (adjuntar
el patronímico al nombre de pila era uso frecuente en los documentos medievales).
[21]   Aillón, Astudillo, Curiel y Santisteban de Gormaz formaron parte de la
dote de doña Violante, madre tanto de Sancho IV como del Infante don Juan.
Feria es población de Badajoz, Mora de Toledo, Morón de Sevilla, Santisteban de Jaén, Aillón de Segovia, Astudillo de Palencia y Curiel de Valladolid.
[22]   La dama aparece como «mujer guerrera» preparada para administrar justicia y demostrar su fuerza y poder.

Contra vuestra alevosía,
en armas y en cortesía
os ha venido a vencer,
siendo hombres, una mujer,
a daros vida resuelta, 1010
como quien la caza suelta
para volverla a coger.
Si pensáis que por temor
que a los que os amparan tengo,
a daros libertad vengo, 1015
ofenderéis mi valor.
Para confusión mayor
vuestra, he querido premiaros;
porque si acaso a inquietaros
vuestra ambición os volviere, 1020
cuanto agora más os diere,
tendré después que quitaros.
Poco estima a su enemigo
quien le vence y vuelve a armar;
que en el noble es premio el dar, 1025
como el recebir, castigo.
Si dándoos vida os obligo,
por vuestra opinión volved,
y si no, guerra me haced.
Veamos quién es más firme: 1030
vosotros en deservirme,
o yo en haceros merced.

JUAN.   No olvide jamás España
tu magnánimo valor,

1011-1012 Estos versos por un lado muestran la magnanimidad y confianza en sí y en la Providencia que tiene la reina y, por otro, son como una advertencia premonitoria con la que el dramaturgo juega, porque sabe de la reincidencia criminal de estos traidores hasta el último momento del drama. Por otra parte, la alusión que se hace, metafóricamente, a la caza se concretará en el contexto de la jornada tercera en la que don Juan intentará su nueva y última insidia contra la reina, durante la práctica cinegética del nuevo rey. Recordemos que Benavides había llamado a los traidores Infantes «ambiciosos cazadores» (v. 782).

1024 «y vuelve a amar» lee erróneamente G, corrigiendo por «armar» D. En PT se lee «aumar».

1028 «por vuestra opinión»: 'la idea o actitud anteriormente sostenida'.

	pues juntas con el temor	1035
	la piedad que te acompaña.	
	Eternicen esta hazaña	
	pinceles y plumas cuantas	
	celebran memorias santas,	
	pues que reprehendiendo obligas,	1040
	haciendo merced castigas,	
	y derribando levantas;	
	que yo desde aquí adelante,	
	desta merced pregonero,	
	seré en servirte el primero.	1045
ENRIQUE.	Y yo, leal y constante,	
	con satisfacción bastante...	
REINA.	Venid, y al rey besaréis	
	las manos.	
JUAN.	Desde hoy podéis	
	regir nuestros corazones,	1050
	que obligan más galardones,	
	que las armas que traéis.	
REINA.	Benavides os llamáis:	
	a Benavides os doy.	
BENAVIDES.	Tu vasallo y siervo soy.	1055
REINA.	Si servirme deseáis,	
	quiero que por bien tengáis	
	que vuestra hermana sea esposa	
	de Don Juan, y en amorosa	
	paz vuestros bandos troquéis.	1060
BENAVIDES.	¿Qué imposible intentaréis	
	que no acabéis, reina hermosa?	

1035 'por el temor que infunde a quien, como don Juan, se ha visto juzgado y a la vez perdonado'.

1053-1054 La villa leonesa de Benavides de Órbigo fue el solar del señorío de los Benavides, señorío que se inicia con la figura de don Juan Alfonso de Benavides, hijo natural del rey Alfonso VII. El Benavides al que le hace la concesión doña María fue, en realidad, el sexto señor de la villa, al que Fernando IV concedió en 1306 los privilegios de jurisdicción civil y penal y un «mercado de los jueves», el más importante de la zona y motor de la economía de la población.

REINA.	Dalde, pues, Don Juan la mano;	
	que en dote os doy la encomienda	
	de Martos.	
CARAVAJAL.	Jamás ofenda	1065
	tu vida el tiempo tirano.	
REINA.	A Don Pedro, vuestro hermano,	
	mi merino hago mayor	
	de León.	
PEDRO.	Por tal favor	
	los pies mil veces te beso.	1070
REINA.	No me contento con eso;	
	yo honraré vuestro valor.	
	Don Diego López de Haro	
	cercado tiene a Almazán,	
	porque de Aragón le dan	1075
	las reales barras amparo.	

1064-1065 Las «Encomiendas» eran los beneficios de usufructo territorial que tenían aparejados los miembros de las órdenes militares, en este caso la orden de Calatrava, la más antigua de las tales, a la que le correspondió la encomienda de Martos. Esta villa jiennense fue conquistada por Fernando III en 1225, y en su famosa Peña fueron, tiempo después, ejecutados los hermanos Carvajal, precisamente por orden del rey Fernando IV. Tal vez por ello Tirso, al que parecía atraerle aquel argumento, eligió este lugar. Recuérdese que al final de la obra Tirso anuncia otra comedia sobre los mencionados nobles, en la que probablemente iba a tratar de su alevosa muerte.

1068-1069 «Merino es nome antiguo de España, que quiere tanto decir, como ome que ha mayoría para fazer justicia sobre algún logar señalado, assí como villa o tierra: e estos son en dos maneras. Ca unos ý ha, que pone el rey de su mano, en lugar de Adelantado, a que llaman Merino mayor; e este ha tan grand poder como el Adelantado» Era, por tanto, el *merino mayor* el juez de un territorio nombrado directamente por el rey e investido de amplios poderes jurisdiccionales (*Partidas,* II, ix). Hubo *merindades* en Castilla, León y Galicia.

1073 «Don Diego Díaz de Haro» (PT): error mantenido por G y corregido por D.

1074-1076 Almazán es villa soriana en la frontera entre Castilla y Aragón, y fue por tanto lugar que alternativamente perteneció a un reino o al otro. Fue, además, el lugar de muerte del mercedario Tirso, en un afamado convento de la orden, sito en aquel lugar, y en 1648. Se hace referencia también a las barras que ornan el escudo aragonés, cinco doradas y otras tantas rojas, que simbolizan el ejército de ese reino. En 1298 la villa fue conquistada por don Fernando de la Cerda, que la retuvo en su poder hasta 1305. Antes había sido talada por soldados de Sancho IV en 1296.

162

Partamos a su reparo,
y mostrad, Infantes, hoy
que es la libertad que os doy
por los dos agradecida.   1080

JUAN.   Pagarela con la vida.
ENRIQUE.   Dispuesto a servirte estoy.

FIN DE LA JORNADA PRIMERA

1077 «reparo»: 'reparación', 'defensa'.

Jornada segunda

(Salen DON JUAN, INFANTE, *e* ISMAEL, *judío.)*

JUAN.	De reinar tengo esperanza	
	con traidora o fiel acción;	
	mas no juzgo por traición	1085
	la que una corona alcanza.	
	Reine yo, Ismael, por ti,	
	y venga lo que viniere.	
ISMAEL.	Si el niño Fernando muere,	
	cuya vida estriba en mí,	1090
	no hay quien te haga competencia.	
JUAN.	De viruelas malo está;	
	fácil de cumplir será	
	mi deseo, si a tu ciencia	
	juntas el mucho provecho	1095
	que, de hacer lo que te pido,	
	se te sigue.	

1085-1086 Manera particular que tiene el personaje de aplicarse el lema maquiavélico de que «el fin justifica los medios», tradición que se recoge también en el tratado de Mariana *De rege et regis institutione* (1605) que Tirso pudo tener muy presente. Ratifica tal aprendizaje maquiavélico en los vv. 1173-1178.

1092 La *Crónica de Fernando IV* menciona varias enfermedades —fiebres cuartanas e infecciones de vías respiratorias las más de las veces— padecidas por el joven monarca, debidas a sus abundantes comilonas. En cualquier caso las epidemias de viruela fueron muy frecuentes en aquellos años, por lo que Tirso la elige como uno de los padecimientos posibles del rey-niño, unas «fiebres eruptivas» que ya habían sido tratadas por el físico árabe Razis en el siglo IX.

ISMAEL.   Agradecido
a tu real y noble pecho
quiero ser, porque esperanza
tengo que, en viéndote rey,   1100
has de amparar nuestra ley.
Hebreo soy; la venganza
de Vespasiano y de Tito,
que asoló a Hierusalén,
y el Templo Santo también,   1105
causando oprobio infinito
a toda nuestra nación,
nos hace andar desterrados,
de todos menospreciados,
siendo burla e irrisión   1110
del mundo, que desvarío
quiere que mi ley se llame,
sin que haya quien por infame
no tenga el nombre judío.
Mas si palabra me das,   1115
en viéndote rey, de hacer
mi nación ennoblecer,
y que podamos de hoy más
tener cargos generosos,
entrar en ayuntamientos,   1120

1101 «Ley» alude a 'ley mosaica', a la 'religión judía'.

1102-1103 Los dos emperadores romanos nombrados fueron padre e hijo. Tito arrasó la ciudad santa judía en el año 70 d.C., siendo emperador Vespasiano.

1108 A Tirso le falla subconscientemente la perspectiva temporal, puesto que la diáspora judía a la que alude el personaje había empezado, en lo que a España se refiere, dos siglos después, con la expulsión decretada por los Reyes Católicos en 1492.

1117 «nación»: 'raza', 'pueblo'.

1119 La prohibición de ocupar ciertos cargos a los conversos declarados estaba vigente en tiempos de Tirso, pero no de forma tan radical durante el gobierno de María de Molina y de su hijo Fernando IV.

1120 El término se aplica, en las crónicas de la época, a algunos concejos de nobles y de representantes de villas y ciudades.

166

comprar varas, regimientos
y otros títulos honrosos,
quitándole al rey la vida,
te pondrás la corona hoy.
Su protomédico soy;   1125
la muerte llevo escondida
en este término breve.

(Saca el judío un vaso de plata.)

Con que, si te satisfago,
diré que el rey en un trago
su reino y muerte se bebe.   1130
A un sueño mortal provoca,
donde con facilidad,

1121 La vara era el símbolo de la autoridad y de la administración de justicia. Es decir, que el personaje pretende que se le permita a los de su raza ejer-
cer cargos de alcaldes o de jueces. En cuanto a los «regimientos», era el cargo
—regidor— que gobernaba un concejo.

1125 «protomédico» con el valor de 'médico-jefe' o 'médico particular'.
La práctica de la medicina entre los judíos fue muy frecuente durante toda
la Edad Media. De hecho, cuando Fernando IV padece en 1295 unas peligrosas fiebres, fue un médico judío quien lo curó mediante abundantes ba-
ños en agua helada. No obstante, y pese a que se reconocía su pericia en
tales prácticas, abundaba el recelo hacia ellos como médicos, por el temor
de ser envenenados como venganza. En la *Crónica de Fernando IV* leemos al
respecto que el joven rey mantenía buenas relaciones con un judío llamado Simuel, «que era muy su privado y buscaba mucho mal a la reyna con
el rey, y aconsejóle que nunca tornase a su poder de la reyna. Y esto hacía él
porque era poderoso en toda la hacienda del rey» (pág. 125a). Morel-Fatio
(1904, pág. 62) cree que Tirso se inspira en este Simuel para la creación de
su médico traidor Ismael.

1127 'en este frasco de pequeño tamaño'.

1130 y ss. Se han sugerido diversas fuentes para este episodio por parte de
Fucilla (1961) y Frederick A. de Armas (1978), quienes advierten también el
parecido con la comedia de Damián Salucio del Poyo *Próspera fortuna de Ruy
López Dávalos*, en donde un médico judío, don Mair, trata de asesinar al joven
rey Enrico III. Y, curiosamente, en ambas obras la caída de un retrato impide
los asesinos propósitos del personaje. La secuencia de la jornada segunda de la
obra referida se reproduce en el Apéndice al final de la obra, págs. 287-288.

1132 «donde»: 'por lo que'.

	de la sombra a la verdad	
	y al corazón de la boca	
	viendo el veneno correr,	1135
	llamar, de la muerte, puedes	
	los médicos, Ganimedes,	
	pues que la dan a beber.	
JUAN.	Ismael, no pongas duda	
	que si por ti rey me veo,	1140
	satisfaré tu deseo,	
	y medrarás con mi ayuda.	
	Los de tu nación serán	
	de ilustre y famoso nombre;	
	harete mi ricohombre:	1145
	tu privanza envidiarán	
	cuantos desprecian tu vida.	
	Enferma Castilla está;	
	pues su médico eres ya,	
	purga con esa bebida	1150
	la enfermedad que la engaña.	
	Su cabeza es un infante	
	pequeño, siendo gigante	
	mi reino, el mayor de España.	
	Monstruosidad es que intente	1155
	un cuerpo de tal grandeza	
	tener tan chica cabeza,	

1137 'puedes llamar a los médicos Ganímedes de la muerte'. Ganímedes era el copero de los dioses, que escanciaba la ambrosía en el Olimpo.

1146 «privanza»: el conjunto de beneficios y prebendas concedidos por el rey a un ministro, que se convierte en el «privado»; «el favor, valimiento y trato familiar que el inferior tiene con el Príncipe o superior» *(Dic. Aut.)*. Es asunto que interesaba y preocupaba a Tirso, al relacionarlo con el ejemplo presente, en su momento, del Conde-Duque.

1151 «engaña» (PT). H corrige por «daña», corrección que aceptan M, P68 y P07; BS mantiene la lectura de PT. No encuentro justificado el cambio, por lo que sigo también la lectura de la *princeps*.

1153-1154 «el gigante», «mi reino mayor de España» (PT). H corrigió quitando el artículo del primer verso indicado y trasladándolo al segundo. La primera de las enmiendas no es aceptada por BS.

<pre>
                    y que el gobierno imprudente
                    de una mujer el valor
                    regir de Castilla quiera.   1160
                    Púrgala, porque no muera
                    de este pestilente humor;
                    que con premios excesivos
                    la cura te pagaré.
ISMAEL.   Haciéndote rey pondré   1165
                    a Castilla defensivos
                    que del loco frenesí
                    de una mujer la aseguren,
                    por más que ingratos procuren
                    ser, Infante, contra ti.   1170
                    Vete con Dios; que aquí llevo
                    tu ventura recetada.
JUAN.   Una traición coronada
                    no afrenta. El proverbio apruebo
                    de César, cuya ambición   1175
</pre>

1158-1159 Dando indicios de su osada intriga, y participando de un tópico antifeminista arraigado en el XVII, don Juan tacha de imprudente a la mujer que va a demostrar a lo largo de la trama su excelente prudencia en materia de gobierno, que es la tesis propuesta y defendida por Tirso. Al fin, la prudencia se consideraba en el Barroco como una de las virtudes fundamentales. Ya Gracián disertaba acerca del *Arte de Prudencia*. Y lo más peculiar de tal virtud era el arte de conservar, por lo que doña María es *prudente* en tanto se esfuerza en conservar, e incluso aumentar, el reino que ha heredado su hijo.

1162 Alusión a los cuatro humores o fluidos de cuyo equilibrio depende la salud del hombre, según Hipócrates *(De la naturaleza del hombre):* sangre, flemático, bilis amarilla y bilis negra. En el caso de enfermedad se produce un desequilibrio o alteración de los cuatro humores.

1166 «defensivo» es un tecnicismo de la jerga médica de Ismael. El *Diccionario de Autoridades* lo define como «un paño delgado lleno de cortaduras pequeñas, el cual mojado en vinagre rosado, leche u otros licores, se pone en la frente del enfermo, o en otra parte del cuerpo que se necesita refrescar, corroborar o confortar; y para que aprovechen se mudan con frecuencia». Eran las compresas o emplastos de la antigua medicina. En el contexto el término equivale a nuestras vacunas o antídotos.

1170 «infantes» (PT) errata corregida por D.

1174-1178 Se remite a lo indicado en la nota a los vv. 1085-1086. Según BS Tirso no se refería a un proverbio concreto de César, sino a una idea maquiavélica puesta en general circulación por diversos textos en la época. Recuérde-

es bastante a autorizar
mi intento, pues por reinar
lícita es cualquier traición.

(Vase.)

ISMAEL.   Pues honra y provecho gano
en matar a un niño rey,   1180
y estima tanto mi ley
a quien da muerte a un cristiano,
¿qué dudo que no ejecuto
del Infante la esperanza,
de mi nación la venganza   1185
y de estos reinos el luto?
La purga le voy a dar.
¿De qué tembláis, miedo frío?
Mas no fuera yo judío,
a no temer y temblar.   1190
Alas pone el interés
al ánimo; mas, ¿qué importa,
si el temor las plumas corta,
y grillos pone a los pies?
Pero, ¿qué hay que recelar   1195
cuando mi sangre acredito,

---

se esta cita de Cervantes en *El gallardo español:* «por reinar y por amor, no hay
culpa / que no tenga perdón y halle disculpa» (acto II), y Rojas Zorrilla en *Lucrecia y Tarquino:* «y conseguida la empresa / lo que fue traición es gloria / lo
que fue engaño es grandeza» (acto II).

1181-1182 El primero rabino y luego maestro fray Alonso de Espina recoge en su libro *Fortatitium Fidei,* de mediados del siglo XVI (1548) que la ley judía exigía la muerte de los cristianos, considerados como enemigos. El tal
Alonso de Espina llegó a ser rector de la universidad salmantina y furibundo
enemigo de la que había sido antes su raza y su religión; este celo le permitió
alcanzar un notable puesto en el Consejo Supremo de la Inquisición. Por otra
parte estas palabras de Ismael nos hacen recordar no pocas leyendas basadas
en los cruentos sacrificios de niños cristianos por parte del fanatismo judío,
como el del Niño de la Guardia, también dramatizado por Lope. En esa muerte ritual del niño cristiano se reverdecía, desde el antisemitismo reinante, el
deicidio referido en el Evangelio, suprema acusación antisemita de la que se
hace eco la reina en los vv. 1348-1350.

1196 'hago honor a mi estirpe, y la dignifico'.

y más no siendo delito
en médicos el matar?
Antes honra su persona
quien más mata, y es de suerte   1200
que se llama cual la muerte,
la que a nadie no perdona.
El niño rey está aquí;
que beba su muerte trato.

(Quiere entrar, y esté sobre la puerta el retrato de la REINA, *de viuda)*[23].

Mas, ¡cielos!, ¿no es el retrato   1205
éste de su madre? Sí.
No sin causa me acobarda
la traición que juzgo incierta,
pues puso el rey a su puerta
su misma madre por guarda.   1210
¡Vive Dios, que estoy temblando
de mirarla, aunque pintada!
¿No parece que, enojada,
muda me está amenazando?

---

[23] Esta acotación figura desplazada dos versos más adelante en PT.

1197-1202 Tirso parece hacerse eco de las continuas sátiras contra los médicos, tan frecuentes en la época. Y esa sátira la asume el mismo personaje, que admite que los que son de su profesión, tanta práctica tienen en matar a los demás, que ellos mismos podrían llamarse «muerte». «Un platicar / dos años a la gualdrapa / de un dotor, en ella experto / porque más hombres ha muerto, / prolijo de barba y capa» (Tirso de Molina, *El amor médico,* vv. 168-172). Este lugar común de la sátira de las profesiones lo encontramos ya en Cervantes, que hace decir a su licenciado Vidriera que «solo los médicos nos pueden matar y nos matan sin temor y a pie quedo, sin desenvainar otra espada que la de un *récipe* ['receta']».

1205-1212 El comentario que hace Ismael a la vista del retrato de doña María hace evidente el impacto sicológico y la influencia que sobre el personaje ejerce la figura de la reina, aunque sea sólo en efigie pintada. Por ello se dirige a continuación al retrato, como si fuera la misma reina en persona, adelantando el encuentro que, efectivamente, tendrá luego con la soberana.

1213-1219 Ismael parece temer el castigo que la reina le podría infringir y pide clemencia, como luego, en efecto, ocurrirá.

¿No parece que en los ojos   1215
forja rayos enemigos,
que amenazan mis castigos
y autorizan sus enojos?
No me miréis, reina, airada.
Si Don Juan, que es vuestro primo,   1220
y en quien estriba el arrimo
del rey, prenda vuestra amada,
es contra su mismo rey,
¿qué mucho que yo lo sea,
viniendo de sangre hebrea,   1225
y profesando otra ley?
No es mi traición tan culpada.
Tened la ira vengativa.
¿Qué hiciérades a estar viva,
pues que me asombráis pintada?   1230
Mas, ¿para qué doy lugar
a cobardes desvaríos?
Ea, recelos judíos,
pues es mi oficio matar,
muera el rey, y hágase cierta   1235
la dicha que me animó...

(Quiere entrar, cae el retrato, y tápale la puerta)[24].

---

[24] Este recurso de tramoya Tirso lo utilizó también, y con parecido fin (proteger a la virtuosa dama Elena Coronel de un intento de deshonra) en su comedia *La firmeza en la hermosura*. Fue Salucio del Poyo el primer dramaturgo español en utilizar este recurso escénico en *Próspera fortuna de Ruy López Dávalos* (Barcelona, 1612) en una situación curiosamente bastante próxima a la que idea Tirso, según se ha indicado en una nota anterior. La caída del retrato, y su efectividad, coloca la escena en la órbita de las acciones milagrosas atribuidas a imágenes o iconos sagrados, que hacen sus respectivos actos justicieros sobre el pecador de lo que encontramos diversos ejemplos en textos de Berceo o Alfonso X (véase al respecto Weimer, 2003).

1221-1222 «el arrimo del rey» es 'el cuidado o protección del rey'.
1224 La expresión «¿qué mucho?» es una fórmula interrogativa ponderativa, muy usual en la lengua de la época, para indicar extrañeza ante algo o dificultad para algo.
1228 «Tened»: 'detener' 'sosegar'.

Pero el retrato cayó,
y me ha cerrado la puerta.
Dichoso el vulgo ha llamado
al judío, reina hermosa;   1240
mas no hay más infeliz cosa
que un judío desdichado.
Y pues tanto yo lo he sido,
riesgo corro manifiesto,
si no huyo de aquí...

(Quiere entrar por la otra puerta, y sale la REINA, *y detiénele
y él se turba.)*

REINA.	¿Qué es esto? 1245
	¿De qué estáis descolorido?
	Volved acá. ¿Adónde vais?
	¿De qué es el desasosiego?
ISMAEL.	Volveré, señora, luego.
REINA.	Esperad. ¿De qué os turbáis? 1250
ISMAEL.	¿Yo turbarme?
REINA.	No es por bueno.
	¿Qué lleváis en ese vaso?
ISMAEL.	¿Quién? ¿Yo?
REINA.	Detened el paso.
ISMAEL.	Quien dijere que es veneno,
	y que al rey nuestro señor 1255
	no soy leal...
REINA.	¿Cómo es eso?

1239-1240 La idea de que el judío era dichoso, por sentirse el pueblo elegido de Dios, fue también ocasión de varias sátiras. Así esta referencia en el texto de Castillo Solórzano *El marqués del Cigarral:* «Hombre, ¿de dónde has caí-
do? / ¿Tan nacido para mí? / ¿Tuvo más dicha un judío?»

1249 «luego»: 'inmediatamente'.

1251 'No es indicio de nada bueno tal estado de turbación', véanse los
vv. 1276-1277.

ISMAEL.	Que estoy turbado confieso,
	pero no que soy traidor.
REINA.	Pues aquí, ¿quién os acusa?
ISMAEL.	*(Aparte.)*
	(Mi misma traición será.) 1260
REINA.	Culpado, Ismael, está
	quien sin ocasión se excusa.
ISMAEL.	El Infante es el ingrato,
	que yo no le satisfice;
	y si el retrato lo dice, 1265
	engañárase el retrato.
	Que aunque el paso me cerró,
	cuando a purgar al rey vengo,
	yo, reina, ¿qué culpa tengo
	si el retrato se cayó? 1270
	Don Juan, el Infante, sí,
	que con aquesta bebida
	me manda quitar la vida
	al tierno rey que ofendí...
	digo, que ofendió el Infante. 1275
REINA.	En fin, vuestra turbación
	confesó vuestra traición;
	no paséis más adelante.
	¿Es la purga de Fernando
	ésa?
ISMAEL.	Gran señora, sí; 1280
	y si he de decir aquí
	la verdad ¿qué estoy dudando?
	El deseo de reinar
	con Don Juan tanto ha podido,
	que ciego me ha persuadido 1285
	que llegue la muerte a dar
	al niño rey; y el temor
	de que no me castigase
	me obligó a que le jurase
	ser a su alteza traidor. 1290
	Afírmele que este vaso
	iba con la purga lleno
	de un instantáneo veneno;

Bocetos de S. Burmann. Teatro Español, 1963.
Biblioteca de la Fundación Juan March.

pero no haga de ello caso
vuestra alteza, que es mentira　　　　　1295
con que pretendí engañalle,
no más que por sosegalle
y dar lugar a la ira.
Y pues del título infame
me he librado de traidor,　　　　　　　1300
juzgo agora por mejor
que la purga se derrame;
que otra medicina habrá
que le haga al rey más al caso.

(Quiere derramarla, y tiénele la REINA.*)*

REINA.　　　Tened la mano y el vaso,　　　　　　1305
que pues mi Fernando está
para purgarse dispuesto,
no es bien perder la ocasión
por una falsa opinión
que en mala fama os ha puesto.　　　　1310
Conozco vuestra virtud;
médico habéis siempre sido,
sabio, fiel y agradecido.
Asegurad la salud
del rey, y vuestra inocencia,　　　　　1315
haciendo la salva agora
a esa purga.

1298 «dar lugar», «permitir o no evitar que suceda alguna cosa» *(Dic. Aut.)*.
1300 «ha librado» (PT y G): errata corregida por D.
1304 En opinión de María Rosa Lida, esta escena con el judío «es muy endeble por su notable falta de simpatía artística. Ismael no es un ser real, sino un ente de imaginación zurcido con retazos de perjuicios corrientes» («Lope de Vega y los judíos», *Bulletin Hispanique,* 75 [1973], pág. 80).
1316-1317 Alusión a la costumbre de someter a prueba previa las comidas y las bebidas dirigidas a los soberanos, antes de servirlas, para asegurarse que no eran portadoras de veneno alguno ni podían ser causa de peligro para quienes iban a ingerirlas.

ISMAEL.   Gran señora,
              no estoy, con vuestra licencia,
              dispuesto a purgarme yo,
              ni tengo la enfermedad   1320
              del rey Fernando, y su edad.
REINA.   ¿Que no estáis enfermo?
ISMAEL.   No.
REINA.   No importa: vuestra virtud
              desmienta agora este agravio.
              En salud se sangra el sabio,   1325
              purgareisos en salud.
              Tiene muy malos humores
              el reino desconcertado,
              y por remedio he tomado
              el purgalle de traidores.   1330
              A vos no puede dañaros.
ISMAEL.   Es muy recia, y no osaré
              tomarla, señora, en pie.
REINA.   Pues buen remedio, asentaros.
ISMAEL.   A vuestros pies me derribo.   1335
              No permitáis tal rigor.
REINA.   Bebelda; que haré, dotor,
              atenacearos vivo.
              El Infante Don Juan es

1319-1320 Ballesteros anota en su obra *Sevilla en el siglo XIII* (Madrid, 1913, pág. 181) que «los remedios corrientes eran la purga y la sangre [las sangrías]».

1325 Parte de un proverbio recogido por Sbarbi *(Diccionario de refranes, adagios, proverbios...,* Madrid, 1622): «Precaver los males mucho antes de que piensen en aparecer.» Tiene que ver con el más conocido «curarse en salud».

1327 Doña María utiliza un término-diagnóstico propio de la medicina para referirse a la situación política del reino, con las insidias propiciadas por los infantes.

1338 Este suplicio, en opinión de Covarrubias, fue sólo empleado con reos en caso de «delitos atrocísimos».

1339-1346 Obsérvese, como ya señaló Samonà (1967) al anotar estos versos, la radical discriminación entre cristianos y judíos que hace la reina, pues salva de antemano la imagen de su cuñado, que es verdaderamente traidor, por el hecho de pertenecer al primer grupo, y condena a priori a Ismael, por pertenecer al segundo grupo, el pueblo judío, de pésima fama en un mundo dominado por los cristianos viejos. En efecto, desde mediados del siglo XIII, y

noble, leal y cristiano, 1340
sin resabios de tirano,
sin sospechas de interés.
De la nación más rüin,
vos, que el sol mira y calienta,
del mundo oprobio y afrenta, 1345
infame judío, en fin.
¿Cuál mentirá de los dos?
¿O cómo creeré que hay ley
para no matar su rey
en quien dio muerte a su Dios? 1350
Sed vuestro verdugo fiero,
y imitad por ese estilo
el toro que hizo Perilo,
estrenándole él primero
Bebed: ¿qué esperáis?

ISMAEL.   Señora, 1355
si el confesar mi traición
no basta a alcanzar perdón,
baste el ser vos...

REINA.   Bebe agora,
o escoge salir mañana
desnudo, y a un carro atado, 1360

---

al llegar el XIV, se recrudeció el antisemitismo en toda Castilla. Primero con
una serie de abusivas medidas fiscales, diferenciándolos sensiblemente de los
pechos o tributos soportados por los cristianos, y la reticente postura de la
Iglesia hacia ellos, pero también la animadversión que se extendió contra muchos judíos cuando la crisis económica se hizo especialmente sensible y dura.

1348-1350 El deicidio era el pecado más grave en el que se fundamentaba
toda la persecución de los judíos en la España de la Contrarreforma. Para Serge
Maurel (pág. 365) aquí la reina se muestra como «fine psychologue».

1351-1354 El aludido escultor griego Perilo (siglo VI a.C.) estaba al servicio
del tirano Fálaris (véase nota al v. 529) y construyó un tamaño toro de bronce
destinado a encerrar y torturar en su interior a los enemigos del tirano, hasta
su muerte, encendiendo fuego bajo él. Pero fue Perilo la primera víctima de su
propia macabra invención, que acabó también sufriendo el mismo Fálaris. El
hecho lo recuerda Dante en *Infierno*, XXVII, 7-12.

1359-1360 La pena de la tortura y de la vergonzante exposición pública se
aplicaba realmente a los galeotes, en general, y especialmente a los condenados por envenenamiento, como sería este caso.

	a vista del vulgo airado	
	y vuestra nación tirana,	
	por las calles y las plazas,	
	dando a la venganza temas,	
	y vuestras carnes blasfemas	1365
	al fuego y a las tenazas.	
ISMAEL.	Si he de morir, en efeto,	
	en este trance confuso,	
	la pública afrenta excuso	
	por el castigo secreto.	1370
	Quien contra su rey se atreve,	
	es digno de aqueste pago.	
	Muerte, bien os llaman trago,	
	pues sois purga que se bebe.	
	Pero la que receté	1375

1369-1370 Conforme con lo anunciado por la reina, Ismael prefiere que el castigo permanezca en secreto. Era el correlato de una práctica frecuente que bien expresó Calderón en el título de uno de sus dramas de honor: *A secreto agravio, secreta venganza*. En este caso se propone «a secreto delito, secreto castigo». La reina participa tácticamente de la misma opinión del «secretismo» según lo declara en los vv. 1397-1398.

1373-1374 La metáfora de la que se hace eco el personaje —la muerte como «trago»— ya había sido acuñada por Manrique en sus famosas *Coplas* en donde era la misma Muerte la que designaba el contratiempo de fallecer con ese vocablo: «vuestro corazón de acero / muestre su esfuerzo famoso / en este trago.» Por otra parte es lógico que el médico judío asocie la inminente muerte que le espera con el trago del veneno que él mismo había preparado *(purga que se bebe)*.

1375-1382 El pronombre «la» remite a «muerte». El mismo personaje se hace eco de la mala fama de los médicos, como proverbiales agentes de la muerte, comentada en una nota anterior. «Julepe» es sinónimo de 'jarabe' o 'combinación' (todavía mantiene ese significado en el libro de prosa vanguardista de Giménez Caballero, *Julepe de menta*). Puesto que el médico judío va a aplicarse a sí mismo idéntico remedio letal que a tantos ha suministrado, se dice por tanto que responde al mandato clave de la famosa ley mosaica o Ley del Talión: «Ojo por ojo y diente por diente.» Covarrubias explicaba así dicha ley: «La pena de otro tanto, como si uno sacó un ojo a su contrario, que le saquen otro, como está dispuesto, dentem pro dente, oculum pro oculo, etc. Esta ley no está en uso y se recompensa con otra pena, o corporal o pecuniaria...» Los cuatro últimos versos de este parlamento culminan la autoironía del personaje en la tradición que combina lo antisemita y lo antigalénico. Prolonga esta autosátira en los versos inmediatamente siguientes, acompañando al suicidio inducido por la reina.

179

a costa de tantas vidas
en julepes y bebidas,
por el talión pagaré.
Aunque en ser tantas, advierto
que para que no me igualen,   1380
a media gota no salen
los infinitos que he muerto.

(Bebe.)

Ya mis espíritus truecan
el ser vital que desatan.
Si los que curando matan,   1385
pagaran por donde pecan,
dieran menos que ganar
a los curas desde hoy.
El primer médico soy
que castigan por matar.   1390
Ya obra el veneno fiero,
ya se rematan mis días.
¡Favor, divino Mesías,
que vuestra venida espero!

1383-1384 De acuerdo con los conocimientos de anatomía y fisiología que
manejaba la medicina medieval, el «espíritu» o *pneuma*, en el que residía la
esencia de la vida, era de tres tipos (de ahí el plural utilizado por el personaje):
el natural o *pneuma physicon*, situado en el hígado, era el responsable de la función de la nutrición, del crecimiento y de la reproducción; el vital o *pneuma
zoticon*, que residía en el corazón y en la cabeza, y era el encargado de trans-
portar el calor y la fuerza vital a través de todo el cuerpo; y el animal o *pneuma phychicon*, ubicado en el cerebro, y se encargaba de ejercitar el principio de
la racionalidad y las funciones animales de los movimientos y de los sentimientos. Así, el veneno ingerido por Ismael provoca una ruptura en la coor-
dinación de estos tres «espíritus», actuando de forma incorrecta («truecan el ser
vital») hasta producir la muerte.
1385-1388 'Si los médicos, que matan al decir que curan, cobraran esti-
pendios por hacer esa labor mortífera, dejarían sin ingresos a los curas que
ofician misas por las almas de los difuntos. Una ironía ponderativa de lo muy
letales que resultaban ser los galenos.
1393-1395 Alusión al tópico de la permanente «esperanza» del judío en la
llegada del Mesías redentor y liberador, que no reconoció en la figura de Je-
sucristo. Se nota un cierto toque burlesco en esta invocación.

(Cae muerto dentro.)

REINA.	¡Vos lleváis buena esperanza! 1395
	Su bárbara muerte es cierta.
	Quiero cerrar esta puerta;
	que el ocultar mi venganza
	ha de importar por agora.
	¡Ay, hijo del alma mía! 1400
	Aunque mataros porfía
	quien no, como yo, os adora,
	el cielo os está amparando;
	mas pues sois ángel de Dios,
	sed ángel de guarda vos, 1405
	de vos mismo, mi Fernando.

(Salen DON ENRIQUE *y* DON JUAN, INFANTES, *y* BENA-
VIDES. *Un* MAYORDOMO, DON PEDRO, CARAVAJAL *y
un* MERCADER.)

ENRIQUE.	Aquí está Su Alteza.
REINA.	¡Oh primos,
	ricoshombres, caballeros!
ENRIQUE.	A saber del rey venimos.
	¿Cómo está?
REINA.	Accidentes fieros 1410
	le afligen.
JUAN.	Cuando supimos
	su enfermedad, con temor
	de alguna desgracia extraña

1405 Para el «ángel de la guarda», cfr. Salmos, 91, 11 y Lucas, 4, 10.
1410 'repentinas, inesperadas enfermedades' que son, además, de cierta
gravedad («fieros»). Durante los últimos años de la vida del rey Fernando IV,
según la *Crónica:* «[...] ovo tantos accidentes que llegó muchas veces a punto
de muerte...» (168a).

	nos trajo a verle el amor	
	que le tenemos.	
REINA.	De España	1415
	sois la lealtad y el valor.	
	Reposando mi hijo está;	
	si queréis que le despierte...	
ENRIQUE.	No, señora.	
JUAN.	*(Aparte.)*	
	(Dormirá	
	en los brazos de la muerte,	1420
	si el veneno obrando va;	
	y asentándome en su silla,	
	sosegará mi ambición.)	
REINA.	Don Enrique de Castilla,	
	murió en terrible ocasión	1425
	Don Pedro Ponce en Sevilla,	
	y pues era Adelantado	
	de la frontera, y sin él	
	desamparada ha quedado,	
	que supláis la falta de él,	1430
	Infante, he determinado.	
	Adelantado sois ya;	
	partid a Córdoba luego;	
	que el moro soberbio está	
	combatiendo a sangre y fuego	1435
	a Jaén.	
ENRIQUE.	Aunque me da	
	vuestra alteza honra y provecho,	

1426 Según Morel-Fatio (1904) Tirso equivoca este nombre con el de Rodrigo o Ruy Pérez Ponce de León, quien en 1295 «[...] murió en la frontera, yendo cabalgada e entrando por tierra de moros [...]», según se dice en la *Crónica de Fernando IV* (101a). Tirso adelanta tres años ese suceso, porque le interesa para justificar el destino de don Enrique de León, el de ser adelantado «del rey» (gobernador o representante en una zona fronteriza, de especial atención y con prerrogativas jurídicas) ya que dicho nombramiento no se produjo hasta 1298. La reina define el nuevo puesto del Infante otorgándole responsabilidades militares en la defensa de la plaza de Jaén.

	piden paga los soldados	
	de la frontera. Eche un pecho	
	vuestra alteza en los Estados;	1440
	que, el tesoro real deshecho,	
	no hay con qué poder pagallos.	
REINA.	Mercaderes y pecheros	
	conservan, por conservallos,	
	al rey y a sus caballeros,	1445
	porque no hay rey sin vasallos.	
	Viénenme todos con quejas	
	de que pobres los tenemos;	
	y, aunque son costumbres viejas,	
	tanto a esquilmarlas vendremos,	1450
	que se mueran las ovejas.	
ENRIQUE.	Pues sin dineros, señora,	
	los soldados no pelean.	
REINA.	Ni hay tampoco huerta agora,	
	por más fértil que la vean	1455
	que dé fruto a cada hora:	
	cada año una vez le echa;	
	no le pidáis cada instante,	
	que descansada aprovecha,	
	y los vasallos, Infante,	1460
	también tienen su cosecha.	
	Mi dote todo he gastado	
	defendiendo esta corona	
	y de mi hijo el Estado.	

1439-1440 'aumente los impuestos a los vasallos de sus territorios'.

1450-1451 Asociación de «esquilmar» con «esquilar».

1456-1458 Cada año la huerta da una cosecha nueva de frutos, y es conveniente que descanse un tiempo, sin abusar de su explotación, para obtener nueva producción pasado el tiempo conveniente y necesario. Como la imposición de nuevos impuestos al pueblo que los paga.

1462 La *Crónica* ya informaba acerca de esta difícil situación económica de la reina: «en estas guerras la reina había de facer grandes costas, non aviendo ella ninguna renta de la tierra, ca todo lo tenía el infante don Enrique e don Diego e los otros ricos omes e caballeros... estando ella muy pobre por todas estas cosas...» *(Crónica de Fernando IV,* 104a).

	Vendí a Cuéllar y a Escalona;	1465
	sólo Écija me ha quedado;	
	pero véndase también,	
	y páguense los fronteros.	
ENRIQUE.	Si el venderla le está bien	
	a vuestra alteza, dineros	1470
	haré que luego me den	
	prestados, de Andalucía,	
	con que sustentar un año	
	la frontera.	
REINA.	Bien podía,	
	llamándome, Infante, a engaño,	1475
	culpar vuestra cortesía	
	y poca seguridad...	
ENRIQUE.	Señora...	
REINA.	Basta; ya estoy	
	cierta de vuestra lealtad.	
	Vuestra es Écija desde hoy;	1480
	la frontera sustentad,	
	y haced que vuestra partida	
	sea luego.	
ENRIQUE.	Si ha de compralla	
	otro...	
REINA.	Ya estoy persuadida	
	que en nadie puedo emplealla	1485
	como en vos. Andad; no impida	
	vuestra ausencia la defensa	
	que Jaén ha menester.	
ENRIQUE.	Beso tus pies.	

(Vase DON ENRIQUE.)

1465-1466 Las dos plazas citadas son segoviana, la primera, y la segunda, toledana. De las dos primeras no se dice en las *Crónicas* que hubiesen sido propiedad de doña María o hubiesen formado parte de su dote. Sí se dice, en cambio, de la villa sevillana, entregada a don Enrique, como se vuelve a afirmar en el v. 1480.

1468 «fronteros» eran los militares destacados en la peligrosa y costosa zona fronteriza con los reinos árabes.

REINA.	El rey piensa
	de Aragón que no ha de haber 1490
	castigo para su ofensa.
	Partid, Benavides, vos,
	que si descercáis a Soria,
	dando salud al rey Dios
	yo os seguiré, y la vitoria 1495
	vendrá a correr por los dos.
	Dineros me pediréis
	con que se pague la gente.
BENAVIDES.	Mientras con villas me veis
	que empeñe o venda...
REINA.	El prudente 1500
	valor mostráis que tenéis.
	Rico os quiero ver y honrado;
	de vuestra lealtad me fío;
	no es bien que estéis empeñado.
	Aunque vendí el dote mío, 1505
	joyas, Don Juan, me han quedado.
	Llévense a la platería.
BENAVIDES.	Muy mal, gran señora, trata
	vuestra alteza la fe mía.
REINA.	Con sólo un vaso de plata 1510
	he de quedarme este día.
	Vajillas de Talavera

1493 Soria fue entregada, como intercambio, por don Alfonso de la Cerda a Fernando IV, según se recoge en la *Crónica* (136a) «e don Alfonso que entregase al rey a Almazán, e Soria, e Serón, e Deza, e Almenara, que le tenía». «desercáis» (PT) caso de seseo corregido por G.

1496 'la victoria gozaremos ambos por igual'.

1510 Este desprendimiento material de la reina está constatado en los cronistas. Leemos en la *Crónica de Fernando IV* (125a) que «todas cuantas donas de oro é plata ella tenía, todo lo vendió para mantener la guerra, así que non fincó con ella más de un vaso de plata con que bebía e comía en escudilla de tierra...».

1512-1513 Ya era famosa la cerámica talaverana a finales del siglo XIII (Talavera es conocida e importante población de la provincia de Toledo, que precisamente recibió el sobrenombre «de la Reina» porque formó parte de la

```
                    son limpias, y cuestan poco.
                    Mientras la codicia fiera
                    vuelve a algún vasallo loco,                    1515

        (Mira a DON JUAN.)


                    pasaré desta manera.
                    Hacedlas todas dinero,
                    y a Benavides lo dad,
                    mayordomo.
MAYORDOMO.                           Voy.
BENAVIDES.                                    Primero
                    que eso vuestra majestad                       1520
                    consienta, venderme quiero.
REINA.              Nunca la prudencia yerra.
                    Haced esto, mayordomo,
                    que mientras dura la guerra,
```

dote de la reina doña María de Portugal, esposa de Alfonso XI, hijo a su vez de Fernando IV). Se sabe que en 1222 el rey Fernando III concedió a la villa privilegio para la fabricación de azulejos y ladrillos. Son muchas las referencias literarias coetáneas que se tienen de la excelencia de esta cerámica. Como recuerdan Bhusee-Stafford, en el entremés cervantino *La guarda cuidadosa* el soldado, dirigiéndose a la fregona de la posada, argumenta: «assi como limpias esa loza talaveril que traes entre las manos y la vuelves en bruñida y tersa plata.» Su uso alternaba con el de la plata en las cocinas nobiliarias.

1519 Este empleo real estaba perfectamente definido en las *Partidas* (II, ix): «tanto quiere decir como el mayor de casa del rey, para ordenar la cuenta en su mantenimiento [...] Al mayordomo pertenece: tomar cuenta de todos los oficiales, también de los que fazen las despensas de la corte, como de los otros que reciben las rentas, e otros derechos [...] e porque el su oficio es grande, e tañe en muchas cosas, ha menester que sea de buen linaje, e acucioso, e sabidor, e leal.» En efecto, el muy apetecible cargo de mayordomo mayor —que solía corresponder a un noble o a un familiar real— venía a ser el equivalente del actual cargo de «jefe de la casa civil», como máximo responsable del funcionamiento de la corte.

1519-1520 «primero que»: 'antes que, mejor que'.

1521 La galante dadivosidad del noble llega hasta el extremo —figurado— de estar dispuesto a venderse como esclavo; es decir, a poner al servicio de la corona la totalidad de su hacienda y hasta su propia libertad.

1523 «esto»: lo indicado anteriormente, empeñar todo su ajuar y entregar a Benavides el importe dinerario de tal empeño.

	si en platos de tierra como,	1525
	no se destruirá mi tierra.	
	Procurad partiros luego,	
	y id con Dios.	
BENAVIDES.	Iré corrido,	
	pues tan poco a valer llego,	
	que aun el ser agradecido	1530
	me niegan.	
REINA.	Don Juan, no niego.	
	Aumentad vuestro caudal,	
	que sois vasallo de ley,	
	y no me estará a mí mal	
	si es depósito del rey,	1535
	la hacienda del que es leal.	

(Vase BENAVIDES*)*[25].

| REINA. | En Valladolid fabrico |
| | las Huelgas; que para Dios |

---

[25] [*con el mayordomo*] (añade BS).

1537-1538 En Valladolid estableció sus reales la reina, ciudad que le fue siempre leal *(Crónica,* 101b, 114b). De hecho murió cerca de allí, en Santa María la Real, en el monasterio de San Francisco, el 1 de junio de 1321, y fue enterrada en el monasterio de Las Huelgas (regido por monjas cistercienses), convento-palacio fundado por la reina, pese a que en su primer testamento otorgado en 1308 dispuso que se le enterrara en Toledo, en la capilla de la Santa Cruz, junto al enterramiento de Sancho IV. Lo que sí se respetó en el nuevo enterramiento vallisoletano fue lo que había dispuesto doña María, que en su tumba «aya una figura encima del monumento, en que esté yo figurada con ábito de freyra predicadora». Y así, enfundada en el hábito dominico, fue sepultada en el centro de la iglesia de Santa María de Las Huelgas, en un monumento funerario en el que vemos la estatua yacente de la reina con el referido hábito monjil. En el *Poema de Alfonso Onceno* se recoge el momento de la muerte de doña María, contristada por los desmanes que estaban originando las actuaciones de los tutores del nieto, el futuro Alfonso XI. Aquella situación, dice el anónimo autor del poema (o *crónica rimada)* de mediados de XIV, «A la reina pesó fuerte / de que vio tal pestilencia / e acuitóle de muerte / una muy fuerte dolencia. / Non sopieron melezina / e Dios la quiso llevar: / finóse ý la reina, / ¡Dios la quisiera perdonar! / La reina fue finada / e ya en Las Huelgas yaz: / su alma bien heredada / sea con Dios Padre en paz» (cito por la edición de Juan Victorio, Madrid, Cátedra, «Letras Hispánicas», 1991, pág. 62).

el más pobre estado es rico.
Sed su sobrestante vos   1540
del templo que a Dios dedico,
Don Pedro, y estaré yo
contenta si por vos medra;
que Dios, que el reino me dio,
sobre un Pedro, en vez de piedra,   1545
nuestra iglesia edificó.
Id luego, y daréis señal
del valor que en vos se encierra,
y que cristiano y leal
mostráis en la paz y guerra   1550
la sangre Caravajal.

(Vase DON PEDRO.)*

¿Falta más?

JUAN.   Señora, sí.
La gente de Extremadura
que de Portugal, por mí,
las fronteras asegura   1555
de su rey, me escribe aquí
que ha un año que no recibe
pagas, y las desampara;
que sin dineros no vive
el soldado.

REINA.   Es cosa clara.   1560
Razón pide el que os escribe.
Ya no tengo qué vender:

1540 El «sobrestante» era el capataz o maestro de obra en una edificación.
En este caso del mencionado convento de Las Huelgas.

1545-1546 Evidentemente que el personaje está aludiendo al pasaje evan-
gélico referido en Mateo, 16, 18. Versos que aluden al origen divino de la monarquía, presupuesto totalmente admitido en el XVII.

1554 «da Portugal» (PT). La corrección de la forma verbal se produce
en BS.

1555 D propone «y la frontera asegura», corrección que no creo necesaria.
La sigue H, P68 y P07.

1558 «las» se refiere a esas fronteras con Portugal, antes mencionadas.

<pre>
                    sólo un vaso me ha quedado
                    de plata para beber;
                    mi patrimonio he empeñado,   1565
                    mas buscadme un mercader,
                    que, sobre una sola prenda
                    que me queda, supla agora
                    esta falta con su hacienda.
MERCADER.   Cuanto yo tengo, señora,   1570
                    aunque mujer e hijos venda,
                    está a serviros dispuesto.
REINA.   ¿Sois mercader?
MERCADER.   Segoviano.
                    Mi hacienda os doy, no os la presto;
                    que vuestro valor cristiano   1575
                    es bien que me obligue a esto.
REINA.   En Segovia ya yo sé
                    que hay mercaderes leales,
                    de tanto caudal y fe,
                    que hacen edificios reales,   1580
                    como en sus templos se ve.
                    Vuestras limosnas le han dado
                    una catedral iglesia,
</pre>

1571 En las *Partidas* se reconocía la posibilidad y el derecho de la patria potestad a disponer de la propiedad de los hijos, y venderlos en caso de extrema necesidad, por lo que el Mercader no dice algo exagerado para mostrar su lealtad nada interesada: «Quexado seyendo el padre de grand fambre, e aviendo tan grand pobreza, que non se pudiese acorrer dotra cosa; entonce puede vender, o empeñar sus fijos, porque aya de comprar que coma... E este es otro derecho de poder que ha el padre sobre sus fijos, que son en su poder, el qual non ha la madre» (IV, xvii). Pero no hay nada en dicho código alfonsí referido a la venta de la mujer.

1583-1586 Parece referirse el personaje a la catedral de Segovia, incurriendo Tirso en un caso de comprensible anacronismo, pues tal catedral no se empezó a construir hasta el siglo XVI; «una catredal iglesia» (PT), vulgarismo producido por metátesis que corrigió acertadamente G, sin bien se mantiene en BS. La «máquina efesia» se refiere al templo de Diana en Éfeso, considerado una de las siete maravillas del mundo, y que fue incendiado por un pastor, como lo recuerda Cervantes en el capítulo VIII del *Quijote*, II: «Lo que cuentan de aquel pastor que puso fuego y abrasó el templo famoso de Diana, contado por una de las siete maravillas del mundo, sólo porque quedase vivo su nombre

que el nombre y fama ha borrado
con que la máquina efesia   1585
su memoria ha celebrado.
Y siendo esto así, no hay duda
que quien a su Dios y ley
con tanta largueza ayuda,
al servicio de su rey   1590
y honra de su patria acuda.
No quiero yo que me deis
de gracia ninguna cosa,
pues harto me serviréis
que sobre una prenda honrosa   1595
cuento y medio me prestéis.
Estas tocas os empeño,

      (Quítaselas, y quede en cabellos.)

si es que estimáis el valor
que reciben de su dueño.

MERCADER.   El tesoro que hay mayor,   1600
para tal joya es pequeño.
Gran señora, no provoque
vuestra alteza mi humildad
ni su cabeza destoque,

---

en los siglos venideros, y aunque se mandó que nadie lo nombrase, ni hiciese por palabra o por escrito mención de su nombre, porque no consiguiese el fin de su deseo, todavía se supo que se llamaba Eróstrato.»

1596 El «cuento» equivalía a un millón de maravedíes. El maravedí empezó a ser acuñado por Alfonso VIII a partir de 1172, a imitación de los dinares almorávides (de donde procede el nombre de la moneda). Esa cantidad que solicita en préstamo la reina tiene base en lo que se dice en la *Crónica:* «un cuento e medio de maravedís» (118a) y «cuatro cuentos e medio» (160a).

1599 Morel-Fatio (1904, págs. 42-44) detecta aquí un posible eco de una situación referida al rey Enrique III, empobrecido ante los nobles, que ostentaban riquezas sin cuento; episodio que el mercedario pudo haber leído en el *Compendio Historial,* de Esteban de Garibay (Amberes, 1570, t. II, pág. 1037), o en la *Historia de España,* de Mariana (XIX, xiv), sobre todo si lo relacionamos con la cena de nobles del final del acto, que doña María sorprende para desbaratar sus intrigas contra el trono. Para más información al respecto, véase la nota a los vv. 2233-2235.

que no es mi felicidad 1605
digna que tal prenda toque;
porque si Segovia alcanza
que a sus tocas el respeto
perdió mi poca confianza,
por avaro e indiscreto 1610
de mí tomará venganza.
No me afrente vuestra alteza
cuando puede darme ser;
que una reina no es nobleza
que hable con un mercader, 1615
descubierta la cabeza.

REINA. Capitán, he leido yo,
que para pagar su gente,
cuando sin joyas se vio,
cortó la barba prudente 1620
y a un mercader la empeñó.
Las tocas son, en efeto,
como la barba en el hombre,
de autoridad y respeto,
y así no es bien que os asombre 1625
lo que veis, si sois discreto,
ni que murmuren las bocas
extranjeras, si lastiman
con lenguas libres y locas
a capitanes que estiman 1630

(Mira a DON JUAN.*)*

1617-1621 Bushee-Stafford refieren dos posibles fuentes de donde Tirso pudo tomar esta anécdota que doña María trae a colación: una, que en boca de la reina resultaría anacrónica, sería la historia del capitán y explorador portugués y virrey de las Indias João de Castro (1500-1548); la otra pudo ser la similar historia de Baldovín de Roax contada en *La gran conquista de Ultramar,* personaje que empeñó su propia barba para garantizar la devolución de un préstamo. Recuérdese que en el Medievo la barba del caballero era símbolo de su dignidad, de su honor y de su hombría, y cortarla, mesarla, etc., suponía una grave ofensa. Nótese que en el v. 1617 es necesario evitar el normativo hiato en «leído» para impedir la hipermetría de este verso.
1626 «decí si sois» (PT).

	más sus barbas que mis tocas.	
	Tomad, y a mi tesorero	
	daréis esa cantidad.	
MERCADER.	Como reliquias las quiero	
	guardar de la santidad	1635
	de tal reina.	

(Vase.)

JUAN.	*(Aparte.)*	
	(Alegre espero	
	del rey la agradable muerte.	
	¿Si habrá el veneno mortal	
	asegurado mi suerte?	
	¡Oh, corona!, ¡oh trono real!	1640
	¿Cuándo tengo de poseerte?)	
REINA.	Primo.	
JUAN.	¿Señora?	
REINA.	Bien sé	
	que desde que os redujistes	
	a vuestro rey, y volvistes	
	por vuestra lealtad y fe,	1645
	a saber que algún ricohombre	
	a su corona aspirara,	
	y darle muerte intentara	
	a costa de un traidor nombre,	
	que pusiérades por él	1650
	vida y hacienda.	
JUAN.	Es así.	

(Aparte.)

(¿Si dice aquesto por mí?)	
Creed de mi pecho fiel,	
gran señora, que prefiero	

1641 «¿Cuándo habré de poseerte?» (D).
1654 «prefiero»: 'antepongo', 'ofrezco', 'pongo a su servicio' («preferirse» lo define *Dic. Aut.* como «obligarse y ofrecerse voluntariamente a hacer alguna cosa»).

	la vida, el ser y el honor	1655
	por el rey nuestro señor.	
	Pero el propósito espero	
	a qué me habláis de esa suerte.	
REINA.	Solos estamos los dos:	
	fiarme quiero de vos.	1660
JUAN.	*(Aparte.)*	
	(Angustias siento de muerte.)	
REINA.	Sabed que un grande, y tan grande	
	como vos... ¿De qué os turbáis?	
JUAN.	Témome que ocasionáis	
	que algún traidor se desmande	1665
	contra mí, y descomponerme	
	con vuestra alteza procure.	
REINA.	No hay contra vos quien murmure;	
	que el leal, seguro duerme.	
	Digo, pues, que un grande intenta	1670
	—y por su honra el nombre callo—	
	subir a rey de vasallo,	
	y sus culpas acrecienta.	
	Quisiérale reducir	
	por algún medio discreto,	1675
	y porque tendréis secreto	
	con vos le intento escribir;	
	que por querelle bien vos,	
	mejor lo reduciréis.	
JUAN.	¿Yo bien?	
REINA.	Tan bien le queréis	1680
	como a vos mismo.	
JUAN.	Por Dios	
	que el corazón me sacara	
	a mí mismo, si supiera	
	que en él tal traición cupiera.	

1676 El secreto, como la lealtad, eran condiciones primordiales que exigían los manuales del perfecto secretario, y no de otra cosa actúa en esta escena don Juan con respecto de la reina.

1677 «con vos»: 'por mediación de vos', 'a través de vos'.

1680 «también» (PT) corrigió D.

REINA.	Eso, primo, es cosa clara;	1685
	que a no teneros por tal,	
	no os descubriera su pecho.	
	El mío está satisfecho	
	de si sois o no leal.	
	Aquí hay recado: escribid.	1690
JUAN.	*(Aparte.)*	
	(¿Qué enigmas, cielos, son éstas?	
	¡Ay, reino, lo que me cuestas!)	
REINA.	Tomad la pluma.	
JUAN.	Decid.	

(Escribe.)

REINA.	*Infante...*	
JUAN.	¿Señora...?	
REINA.	Digo	
	que así, *Infante*, escribáis.	1695
JUAN.	Si por *Infante* empezáis,	
	claro está que habláis conmigo;	
	pues si Don Enrique no,	
	no hay en Castilla otro Infante.	
	Algún privado arrogante	1700
	mi nobleza desdoró;	
	y mentirá el desleal	
	que me impute tal traición.	

1689 A partir de la lectura de PT «dezí si soys o no leal» se han ofreci-
do diversas correcciones. Me quedo con la más admitida, y lógica, propuesta
por M.

1691 La voz «enigma» era sustantivo femenino.

1693 En PT el verso entero estaba adjudicado a la Reina. H corrigió del
modo que aquí se acepta.

1699 Ciertamente don Enrique y don Juan no fueron los únicos Infantes
de Castilla durante la minoría de Fernando IV, puesto que el futuro rey tenía
un hermano menor, Felipe, seis años más joven que él. El aserto de don Juan
es, además, profundamente presuntuoso desde el momento en que los «infantes de la Cerda», si bien no reconocidos como tales, mostraban tal título.

REINA.　　　　　¿No hay Infantes de Aragón,
　　　　　　　　de Navarra y Portugal?　　　　　　　　1705
　　　　　　　　¿De qué escribiros servía,
　　　　　　　　estando juntos los dos?
　　　　　　　　Haced más caso de vos.
JUAN.　　　　　(Aparte.)
　　　　　　　　(¡Qué traidor no desconfía!)

　　　(Paseándose la REINA)[26].

REINA.　　　　　*Infante: como un rey tiene*　　　　1710
　　　　　　　　dos ángeles en su guarda,
　　　　　　　　poco en saber quién es tarda
　　　　　　　　el que a hacelle traición viene.
　　　　　　　　Vuestra ambición se refrene,
　　　　　　　　que se acabará algún día　　　　　　1715
　　　　　　　　la noble paciencia mía;
　　　　　　　　y os cortará mi aspereza
　　　　　　　　esperanzas y cabeza.
　　　　　　　　La reina Doña María.

　　　　　　　　Leedme agora el papel,　　　　　　1720
　　　　　　　　que no es de importancia poca,
　　　　　　　　y por la parte que os toca
　　　　　　　　advertid, Infante, en él.

　　　(Léele)[27].

---

[26] [*va dictando y don Juan escribe*] (añade BS).
[27] [*don Juan*] (añade BS).

1704-1705 Tirso plantea hábilmente la cuestión de los Infantes, referida a otros reinos peninsulares y coetáneos al momento histórico de la acción. Pero lo cierto es que en 1295 no se pueden señalar Infantes legítimos en Aragón, y Navarra está bajo la jurisdicción de la corona francesa desde 1234; en Portugal don Alonso, hermano del rey don Denís, estaba todavía vivo y el joven hijo del monarca, Alonso, subió al trono cuando apenas tenía siete años.
1710-1711 Leemos la misma expresión en otros momentos de la obra, y Tirso la utiliza también en *La ventura con el nombre* (I, vv. 74-75): «Los dos ángeles que un rey / tiene por divina ley.» También se refiere a ello en *Privar contra su gusto*.
1720 «assora» (PT).

	Cerralde y dalde después.	
JUAN.	¿A quién? Que saberlo intento.	1725
REINA.	El que está en ese aposento	
	os dirá para quién es.	

(Vase.)

JUAN.	«¡El que está en ese aposento	
	os dirá para quién es!»	
	Misterios me habla, después	1730
	que matar al rey intento.	
	¡Escribe el papel conmigo,	
	y remite a otro el decirme	
	para quién es! Prevenirme	
	intenta con el castigo.	1735
	¿Si hay aquí gente cerrada,	
	para matarme en secreto?	
	Ea, temor indiscreto,	
	averiguad con la espada	

(Echa mano.)

| | la verdad de esta sospecha. | 1740 |

(Descubre al judío muerto, con el vaso en la mano.)

	¡Ay cielos!, mi daño es cierto.	
	El doctor está aquí muerto,	
	y la esperanza deshecha	
	que en su veneno estribó.	
	Todo la reina lo sabe,	1745
	que en un vil pecho no cabe	
	el secreto. Él le contó	
	la determinación loca	
	de mi intento depravado.	
	El veneno que ha quedado	1750
	he de aplicar a la boca.	

(Toma el vaso.)

	Pagaré así mi delito,	
	pues que colijo de aquí	

que sois, papel, para mí,
siendo un muerto el sobrescrito.   1755
Si de este vano interés
duda vuestro pensamiento,
«el que está en este aposento,
os dirá para quién es».
Mudo dice que yo soy,   1760
muerto está por desleal.
Quien fue en la traición igual,
séalo en la muerte hoy;
que por no ver la presencia
de quien ofendí otra vez,   1765
a un tiempo verdugo y juez
he de ser de mi sentencia.

(Quiere beber, sale la REINA, *y quítale el vaso.)*

REINA.   Primo, Infante, ¿estáis en vos?
                Tened la bárbara mano.
                ¿Vos sois noble?, ¿vos cristiano?   1770
                Don Juan, ¿vos teméis a Dios?
                ¿Qué frenesí, qué locura
                os mueve a desesperaros?
JUAN.   Si no hay para aseguraros
                satisfacción más segura   1775
                si no es con que muerto quede,
                quiero ponerlo por obra;
                que quien mala fama cobra,
                tarde restauralla puede.
REINA.   Vos no la perdéis conmigo.   1780
                Ni aunque desleal os llame
                un hebreo vil o infame,

1756 El «vano interés» al que hace referencia el personaje debe emparejar-
se con expresiones anteriores de similar alcance como «esperanza deshecha»
(v. 1743) y «determinación loca» (v. 1748).

1760 El médico muerto que descubre don Juan es, pese a su lógica mudez,
la más elocuente aseveración de que el destinatario de la carta de doña María
es él mismo.

197

que no vale por testigo,
¿le he de dar crédito yo?
Él fue quien dar muerte quiso   1785
al rey. Tuve dello aviso,
y aunque la culpa os echó,
ni sus engaños creí,
ni a vos, don Juan, noble primo,
menos que antes os estimo.   1790
El papel que os escribí
es para daros noticia
de que en cualquier yerro o falta
ve mucho, por ser tan alta,
la vara de la justicia.   1795
Y lo que su honra daña
quien fieles amigos deja,
con traidores se aconseja
y a ruïnes acompaña.
De la amistad de un judío,   1800
¿qué podía resultaros,
si no es, Infante, imputaros
tal traición, tal desvarío?
Escarmentad, primo, en él,
mientras que seguro os dejo,   1805
y si estimáis mi consejo,
guardad mucho ese papel,
porque contra la ambición
sirva, si acaso os inquieta,
a la lealtad de receta,   1810
de epítima al corazón.
Que siendo contra el honor
la traición mortal veneno,
no hay antídoto tan bueno,
Infante, como el temor.   1815

1784 «dar crédito»: «dar fe, creer en algún sujeto» *(Dic. Aut.).*
1811 «epítima»: medicamento en forma de ungüento o cataplasma para
procurar alivio. «Comúnmente se toma por la bebida o cosa líquida que se
aplica para confortar y mitigar el dolor» *(Dic. Aut.).*

JUAN.   No tengo lengua, señora,
             para ensalzar al presente
             la prudencia que en vos...
REINA.   Gente
             viene; dejad eso agora.

(Salen DON JUAN CARAVAJAL *y soldados, y traen a* DON
DIEGO *preso, y detrás salen* DON NUÑO *y* DON ÁLVARO
y otros.)

CARAVAJAL.   A los pies de Vuestra Alteza,   1820
             que leal y humilde beso,
             pone labios y cabeza
             Don Diego, y aunque está preso
             por mí, nunca su nobleza
             deserviros pretendió.   1825
             Del rey es deudo cercano,
             amor ciego le cegó,
             pretendió daros la mano
             de esposo, y así buscó
             en el de Aragón ayuda,   1830
             sin que en ausencia o presencia
             su lealtad pusiese en duda,
             ni de la justa obediencia
             saliese, que a tantos muda.
             Perdonalde, gran señora,   1835
             porque en vuestra gracia viva.
DIEGO.   Yo enmendaré desde agora,
             como en ella me reciba,
             faltas de quien os adora.
             Bástame para castigo   1840
             el venir, señora, tal,
             pues a la enmienda me obligo
             que...

1819 «dexad esso assora» (PT), lectura que mantiene BS.
1820 Quien habla es Juan Alonso de Carvajal.
1826 Don Diego era tío político del futuro monarca, pues había contraído
matrimonio con doña Violante, hermana de Sancho IV.
1830 En el rey de Aragón, que a la sazón era Jaime II.

REINA.	¡Don Juan Caravajal!
CARAVAJAL.	¿Señora...?
REINA.	Veníos conmigo.

(Déjale de rodillas y vanse la REINA *y* CARAVAJAL.)*

DIEGO.	¿Pues desa suerte se va	1845
	sin oírme vuestra alteza?	
	¿Satisfacciones no oirá?	
	¿Tan falto estoy de nobleza?	
	¿Tan poco valor me da	
	la sangre real que me ampara,	1850
	que cuando estoy a sus pies,	
	y algún príncipe estimara	
	postrarse a los míos, es	
	aún de palabras avara?	
	¿Don Diego de Haro no soy?	1855
	¿A Vizcaya no poseo?	
	¿Tan sin parientes estoy	
	que no den, si lo deseo,	
	venganza al desprecio de hoy?	
	Pues, vive Dios, que ha de ver	1860
	presto Castilla si puedo...	
JUAN.	Don Diego, callar y hacer;	
	que tan agraviado quedo	
	de que os tenga una mujer	
	en tan poco, que reviento	1865
	de pesar.	
NUÑO.	Yo estoy corrido	
	y al paso que callo, siento	
	que hayan los grandes venido	
	a tan vil abatimiento.	
JUAN.	Y si en vosotros hubiera	1870
	ánimo como hay valor,	

1866 Este personaje podría corresponder a don Juan Núñez de Lara, conspirador contra el joven Fernando IV. La familia de los Lara estuvo siempre enfrentada a la muy poderosa familia de los Haro.

1871 «ánimo»: 'determinación'.

	ricoshombres, yo os dijera	
	cosas que oculta el temor,	
	porque otra ocasión espera.	
DIEGO.	¿De la reina?	
JUAN.	Aquellas tocas	1875

ricoshombres, yo os dijera
cosas que oculta el temor,
porque otra ocasión espera.

DIEGO. ¿De la reina?

JUAN.   Aquellas tocas   1875
blancas, honestas y bajas,
cubriendo costumbres locas,
son de la virtud mortajas;
que en las viudas siempre hay pocas.

DIEGO. Aunque agraviado me veis   1880
por la reina, sed discreto,
y hablad, mientras aquí estéis,
con la mesura y respeto
que a su majestad debéis,
porque yo, Infante, me precio   1885
de comedido y leal,
aunque siento mi desprecio.

JUAN. Si la reina fuera tal
como juzga el vulgo necio,
pusiera a la lengua tasa,   1890
que en desdoralla se atreve.
Creed que aunque no se casa,
debajo de aquella nieve
de tocas, torpe se abrasa.

DIEGO. No digáis, Infante, tal,   1895
que es una santa la reina,
y el que es noble no habla mal.

JUAN. Si en Castilla Don Juan reina...

DIEGO. ¿Qué Don Juan?

JUAN.   Caravajal,
desposándose con ella.   1900
¿Qué diréis?

1876 «bajas» con el significado de 'humildes', incluso 'vergonzantes' o 'humillantes', teniendo en cuenta la animosidad de quien califica.

1879 'pocas virtudes' (las virtudes escasean en las viudas, y por tanto en la reina, que es una viuda más).

1893-1894 «nieve de tocas» porque dichas tocas, de viuda, son de color blanco, según se dijo ya en el v. 146.

DIEGO.   Que el desvarío
vuestro sentido atropella.

JUAN.   Aunque muerto, este judío

(Descúbrele.)

será en mi abono y contra ella.	
Al niño rey, que está malo,	1905
en una purga mandó	
darle veneno, regalo	
que el torpe amor recetó,	
con que su virtud señalo.	
Que como no hay fortaleza	1910
en el reino que no esté	
en su nombre —¡qué vileza!—,	
ni en Castilla quien no dé	
por servirla la cabeza,	
con fingida santidad	1915
matando a su hijo, y rey,	
determina hacer verdad	
que contra el reinar no hay ley,	
parentesco ni amistad.	
Don Juan, que ve que interesa	1920
desde un hidalgo abatido	
subir a tan alta empresa,	
a la reina ha prometido	
matar a Doña Teresa,	
y, con el favor y ayuda	1925
del moro rey de Granada,	

1904 «abono»: 'en mi favor', algo que acredita.

1908 Es «torpe» porque está dirigido a Carvajal, en detrimento del más acertado y limpio de una madre por su hijo. Nótese la incisiva ironía del verso siguiente.

1920 Con la expresión «hidalgo abatido» se quiere minimizar la alcurnia del Carvajal y presentarlo como un consumado arribista que usa del amor de la reina para medrar en la escala nobiliaria.

1924 Esa «Doña Teresa» es la dama Benavides con la que el personaje ha decidido casarse, según se indicaba en el final del primer acto. Matarla para quedar libre y poder contraer matrimonio interesado con doña María de Molina.

cuando a desposarse acuda,
de España tiranizada
poner la lealtad en duda.
Por conjeturas saqué   1930
esta bárbara traición,
porque de la reina sé
la ambiciosa presunción;
y ansí a palacio llegué
cuando el veneno iba a dar   1935
al rey este vil hebreo;
y comenzando a negar,
yo que la vida deseo
de Fernando asegurar,
haciéndoselo beber,   1940
luego que llegó a los labios
el alma, vine a saber
las deslealtades y agravios
que un torpe amor puede hacer.
Confesome todo el caso;   1945
murió y encerrele ahí.
Si de mi fe no hacéis caso,
mirad el médico aquí,
y la ponzoña en el vaso.
Dad crédito a la homicida   1950
de su hijo, y llore España
su rey cuando esté sin vida;
veréis del modo que engaña
una santidad fingida.

DIEGO.   Imposible es de creer   1955
cosa tan horrenda, Infante.
¿Tal puede una madre hacer?
ÁLVARO.   ¿Qué no hará, si es arrogante
y ambiciosa, una mujer?

_____

1949 'veneno'. La ponzoña era el veneno segregado por las glándulas de
ciertos animales, especialmente en los ofidios (serpientes, culebras), pero acabó refiriéndose al veneno en general.

1958 Este personaje de Don Álvaro es muy probable invención de Tirso,
sin que tenga un modelo histórico de referencia.

DIEGO.	No es testigo fidedigno	1960
	contra la persona real	
	un hebreo infame, indigno	
	de que de él se crea tal,	
	contra el estilo benigno	
	de la reina.	
NUÑO.	Yo no creo	1965
	tal cosa.	
JUAN.	El averiguallo	
	es el más seguro empleo.	
	Del rey soy tío, y vasallo,	
	y los peligros que veo	
	me obligan a recelar;	1970
	pero a mi quinta os convido	
	aquesta noche a cenar,	
	y el cuerdo secreto os pido	
	hasta que en aquel lugar	
	lo que importa consultemos.	1975
ÁLVARO.	Eso me parece bien.	
JUAN.	De una mujer los extremos	
	no es maravilla que os den	
	las sospechas que tenemos.	
	Y pues no os mandó prender	1980
	la reina, venid, Don Diego.	
DIEGO.	¡Si verdad viniese a ser	
	tal traición...!	
JUAN.	Vereislo luego.	

(Vase DON JUAN.)

DIEGO.	No lo tengo de creer.	
	¡Con Don Juan Caravajal	1985

1964 «estilo»: 'carácter', 'modo de ser', 'comportamiento'.
1967 «empleo»: 'acción'.
1973 'el secreto utilizado con prudencia'.
1979 «las sospechas que tememos» (PT). Corrección de H, que no admiten M ni BS.

	la reina Doña María	
	deshonesta y desleal!	
ÁLVARO.	Mal sabéis su hipocresía.	
DIEGO.	¡Contra su rey natural,	
	contra su hijo, su fama,	1990
	su ley, su nombre, su Dios...!	
ÁLVARO.	Es mujer, es moza, y ama;	
	luego, aquí para los dos,	
	aunque Castilla la llama	
	santa, el no querer casarse	1995
	con Don Juan o Don Enrique,	
	¿no da causa a sospecharse,	
	por más virtud que publique,	
	conde, que debe abrasarse	
	con el torpe amor de ese hombre?	2000
NUÑO.	Que es una hipócrita loca,	
	nada, Don Diego, os asombre;	
	que engaña una blanca toca	
	y obliga un fingido nombre.	
ÁLVARO.	¿Qué mucho haga tanto caso,	2005
	y con tal privanza apoye,	
	a un leonés de estado escaso?	

(Asómase la REINA *al tapiz y dice.)*

1995 «el no querer casarse» (PT). Corrigió H («en no querer casarse») que aceptó P68. BS y P07 retornan a la lectura de PT, como se hace en la presente edición.

1996 «con don Juan y don Enrique» (PT) M cambia la conjunción copulativa por la adversativa, pero la mantienen B y P07.

1999 Ésta es la primera vez que don Diego es nombrado como «conde». Posteriormente, en el v. 2287 la misma doña María le concede el título de «conde de Bermeo», aunque quien realmente recibió dicho título nobiliario de manos de Sancho IV fue su hermano don Lope Díaz de Haro *(Crónica de Sancho IV,* 74b), y no se sabe que dicho condado hubiese correspondido a ningún otro miembro de la familia. Por tanto, Tirso manipula algo la fuente utilizada, a favor del personaje que tiene entre manos.

2005 '¿qué importancia tiene?, o bien, '¿qué hay de extraño en que?'.

2007 Ese «leonés» es lógicamente don Juan de Carvajal, y el sintagma complemento «de estado escaso» ratifica las consideraciones hechas acerca del mismo personaje por el Infante don Juan en los vv. 1920 y ss.

| REINA. | Mirad que la reina os oye; |
| | caballeros, hablad paso. |

(Vase.)

NUÑO.	¡La Reina!	
DIEGO.	¿La Reina?	
NUÑO.	Sí.	2010
ÁLVARO.	Culpada está, pues consiente	
	y no osa volver por sí.	
DIEGO.	Disimula, que es prudente.	
ÁLVARO.	Vamos, Don Nuño, de aquí.	

(Vanse.)

(Salen la REINA *y* DON JUAN CARAVAJAL.*)*

REINA.	La obligación en que os estoy confieso.	2015
	Por vos mi Don Fernando el reino goza.	
	Trujístesme a Don Diego de Haro preso,	
	volviendo contra mí de Zaragoza.	
	Salí en León con próspero suceso	
	contra la deslealtad soberbia y moza	2020
	de los Infantes locos, que la silla	
	de mi hijo usurpaban de Castilla.	
	Pobre, Don Juan, estoy; poco os he dado,	

2009 «paso»: 'en tono bajo' 'hablar quedo'.

2011-2012 Asiente la reina lo que se le imputa y rehúsa su defensa, lo que les hace pensar a los nobles que la maledicencia es certeza. «Volver por sí»: «además del sentido de defenderse, vale restaurar con las buenas acciones y procederes el crédito u opinión que se había perdido o menoscabado» *(Dic. Aut.).*

2020 El Infante don Juan tenía, a la sazón, menos de cuarenta años, pero don Enrique se llama a sí mismo «viejo cansado» *(Crónica,* 102b) con lo que la «deslealtad moza» no era aplicable a casi ninguno de los dos nobles rebeldes, salvo que doña María quiera indicar con esa calificación que se trata de una deslealtad 'inexperta' o, incluso, 'pueril', por el poco éxito que ha tenido.

2023 «esto, y poco» (PT), error detectado por H.

206

	pero por mi fiador al tiempo dejo	
	desta deuda.	
CARVAJAL.	Yo quedo bien pagado	2025
	con serviros: que sois de España espejo.	
REINA.	Segura estoy, trayéndoos a mi lado,	
	que juntando al valor vuestro consejo,	
	no ofenderá a mi hijo la malicia,	
	ni torcerá su vara la justicia.	2030
CARVAJAL.	¿Está mejor su alteza?	
REINA.	Gloria al cielo,	
	de peligro salió.	
CARVAJAL.	Gócele España	
	mil años, heredando el justo celo	
	de tal madre.	

(Sale DON MELENDO)[28].

REINA.	Melendo de Saldaña,	
	¡triste venís! ¿De qué es el desconsuelo?	2035
MELENDO.	Quien sirviéndoos, señora, os acompaña,	
	si es leal, con razón muestra tristeza	
	de que llegue a este extremo vuestra alteza.	
REINA.	Pues ¿qué hay de nuevo?	
MELENDO.	No hay en	
	[vuestra casa	
	con qué os dé de cenar; vendidas tengo	2040
	las prendas de la mía, que aunque escasa,	
	se honra de ver que os sirvo y os	
	[mantengo.	
	No es la virtud moneda ya que pasa;	

---

[28] Esta acotación figura en PT a continuación del v. 2030, pero la desplazo a este lugar que es en donde debe figurar de acuerdo con la lógica del diálogo.

2025 «duda» (PT) errata corregida por G.

2042 «se honra en ver que os sirvo y os mantengo» (PT) lectura mantenida en BS y P07. Para evitar la posible hipometría H corrige «en ver»> «de ver», corrección que sigue P68 y que acepto en esta ocasión. X. A. Fernández (pág. 591) propone «hónrase en ver que os sirvo, y os mantengo».

2043 Don Melendo se queja de que la generosidad no es virtud corriente o frecuente en ese momento.

	de probar amistades falsas vengo.	
	Prestado a mercaderes he pedido,	2045
	y con todos el crédito he perdido;	
	cansado, en fin, me vuelvo de rogallos.	
REINA.	¡Gracias a Dios! No os dé pena ninguna,	
	que es señal de que comen los vasallos,	
	Melendo noble, cuando el rey ayuna.	2050
CARAVAJAL.	Véndanse, gran señora, mis caballos,	
	mi encomienda, los bienes que fortuna	
	me dio; mi esposa, y yo me ponga en	
	[venta;	
	que de lo que oye mi lealtad se afrenta.	
REINA.	Don Juan Caravajal...	
CARAVAJAL.	Si imaginara	2055
	que esto a una reina suceder podía,	
	la tierra como rústico cavara,	
	ganándoos el sustento cada día.	
REINA.	Volved acá, Don Juan.	
CARAVAJAL.	¿Quién no repara	
	en esto? ¿Qué valor...?	
REINA.	Por vida mía,	2060
	Don Juan, que os soseguéis.	
CARAVAJAL.	No será justo	
	que viendo lo que veo...	
REINA.	Éste es mi gusto.	
MELENDO.	Lo que me causa más enojo y pena	
	cuando os veo venir a tal estado,	
	que dé el Infante una soberbia cena,	2065
	y haya todos los grandes convidado.	
REINA.	Por mí don Juan ese banquete ordena.	
MELENDO.	¿Por vos?	
REINA.	Melendo, sí; yo le he mandado	
	que, para cosas del serviçio mío,	
	los grandes junte así, de quien las fío.	2070

2065 «del» (PT) corregido por G «soberbia» en el doble sentido de 'abundante, opípara' y también expresiva, metonímicamente, de la soberbia que mueve al anfitrión y a gran parte de los «grandes» convidados.

2070 «quien» = «los grandes»; «las» = «cosas».

MELENDO.   Sosiégome con eso.
REINA.   Los Monteros
de Espinosa, mis guardas, con secreto
me prevenid, Don Juan, y caballeros
parientes vuestros, yo os diré a qué efeto.
CARAVAJAL. No quiero saber más que obedeceros.   2075
REINA.   La pena refrenad, que yo os prometo
que esta noche, Melendo, a costa ajena
habemos de tener una real cena.

(Vanse.)

(Salen DON JUAN INFANTE, DON DIEGO, DON NUÑO
y DON ÁLVARO)[29].

JUAN.   Mientras que se hace hora
de cenar, entretengamos   2080
el tiempo.

---

[29] [*Sala en la quinta del Infante don Juan*] (añade BS).

2071-2072 En el año 1013 el conde Sancho de Castilla fue informado por
un *montero* de Espinosa de que su madre planeaba envenenarle (el motivo legendario de la «condesa traidora»), y en recompensa a esa labor instituyó la
guardia conocida como «los Monteros de Espinosa», según se refiere en la *Crónica General,* de Alfonso X. «Oficio honorífico de la casa del rey. Antiguamente
era su cargo la guarda de las personas reales, en cualquier parte que se hallasen
de noche y de día. Pero desde el reinado de Philipe I no ejercen su empleo
sino de noche, durmiendo en una pieza inmediata a la cámara del rey, a quien
asisten al tiempo que se desnuda, y cierran la puerta del dormitorio, y guardan
la llave, y después de haber visitado todo el palacio [...] velan cuatro de ellos
toda la noche en la misma conformidad» *(Dic. Aut.).*
2078 Como antes con el sintagma «soberbia cena» (v. 2065) esta expresión
«real cena» equivale tanto a 'cena suculenta' como a 'cena de triunfo de la realeza sobre la nobleza', como así está a punto de ocurrir.
2081 El juego de dados ya fue reglamentado por Alfonso X, que trató del
material del que debían estar hechos tales dados y los diversos modos de jugar. El más clásico fue el de «apuestas» o «de resto». Estos juegos con frecuencia eran prohibidos por los abusos y trifulcas que solían causar entre tahúres y
delincuentes; por ello, dice don Juan a continuación que «tienen muchos aza-
res». Tales excesos en el juego de dados ya fueron condenados por el Arcipreste de Hita o en las *Coplas del Provincial.*

NUÑO.	Dados jugamos.
JUAN.	Dejad los dados agora,
	que tienen muchos azares.
DIEGO.	No es pequeño el que sospecho
	que ha de alborotar mi pecho, 2085
	Don Juan, mientras no repares
	de la reina la opinión,
	que corre riesgo por ti.
JUAN.	Que al reino he librado di,
	Don Diego, de una traición. 2090
DIEGO.	Más difícil de creer
	se me hace, cuanto más
	lo pienso.
JUAN.	¡Terrible estás,
	Don Diego! Si te hago ver
	hacer la reina favores 2095
	a Don Juan Caravajal,
	y en correspondencia igual
	que él la está diciendo amores,
	¿creeraslo?
DIEGO.	Creeré que miente
	la vista; pero en tal caso 2100
	los celos en que me abraso
	(si ven tal traición presente)
	y de Castilla el decoro
	me obligará a que os incite
	que el gobierno se le quite, 2105
	y en el alcázar de Toro
	esté presa.
JUAN.	¿A quién podremos
	nombrar por gobernador,
	y del niño rey tutor?

2087 «la opinión»: 'la fama', 'el buen nombre'.
2093 «terrible»: 'irreducible', 'imposible de convencer'.
2106 La villa de Toro, en el reino de León, fue entregada por Sancho IV a su esposa doña María, tomándola como residencia personal en varias ocasiones.
2109 El vocablo «tutor» era definido por *Autoridades* como «persona destinada primariamente para la educación, crianza y defensa; y accesoriamente

210

NUÑO.	Si a vos, Don Juan, os tenemos,	2110
	¿qué hay que preguntar a quién?	
JUAN.	Yo soy muy poco ambicioso.	
DIEGO.	Don Enrique es poderoso,	
	y tendrá ese cargo bien.	
JUAN.	Don Enrique ha pretendido	2115
	ser rey, y si en su poder	
	está el reino, ha de querer	
	lo que hasta aquí no ha podido.	
ÁLVARO.	Seralo Don Diego pues,	
	que nadie en España ignora	2120
	quién es.	
JUAN.	Dejemos agora	
	aqueso para después;	
	que cuando por elección	
	el reino en Cortes me elija,	
	será fuerza que le rija,	2125
	y tuerza mi inclinación.	
DIEGO.	*(Aparte.)*	
	(Éste es traidor, ¡vive el cielo!,	
	y por verse rey levanta	
	a la reina, cuerda y santa,	
	el insulto que recelo.	2130
	Aunque la vida me cueste,	
	lo tengo hoy de averiguar.)	

---

para la administración y gobierno de los bienes del que, por muerte de su padre, quedó en la menor edad».

2124 Las Cortes era la asamblea de nobles y eclesiásticos que, desde el siglo XI, incluía también a los diversos delegados de los municipios. Eran convocadas por el rey, tenían potestades legislativas, administrativas y judiciales, y en ella se deliberaba acerca de cuestiones sucesorias. El origen de las Cortes se encuentra en la época visigoda, en el Concilio de Toledo, al que concurrían nobles y clérigos, y se convirtió en el órgano de gobierno más importante durante el periodo visigótico. Las primeras Cortes Generales de Castilla y León se constituyeron en Sevilla, en 1250.

2126 Hipócrita expresión del personaje que, deseándolo, presenta el hecho como si forzara su natural modestia.

211

(Tocan a rebato)[30].

JUAN.   Caballeros, a cenar.
                Pero ¿qué alboroto es éste?

(Sale un CRIADO.)

CRIADO.   La reina y toda su guarda   2135
                 la casa nos han cercado.
JUAN.   *(Aparte.)*
                 (¡Qué mucho si tienen al lado
                 los dos ángeles de guarda
                 que dijo que le dan cuenta
                 de aquesta nueva traición!   2140
                 ¿Cómo esperáis, corazón,
                 sin matarme, tal afrenta?)

(Salen los soldados que pudieren, la REINA, DON MELEN-
DO *y* CARAVAJAL.)

ALONSO.   Daos a prisión, caballeros;
                 las espadas de las cintas
                 quitad.

(Quítanselas[31]. *La* REINA *armada)*[32].

---

[30] Sonido de campanas por el que se alarmaba a la población de un inminente peligro o se convocaba a la reacción colectiva. O la definición mucho más curiosamente retórica que da Covarrubias: «la defensa que se hace al fraudulento y súbito acometimiento del enemigo, porque él viene a batir, que es herir, y salimos a rebatirle.»

[31] [*y sale*] (añade BS).

[32] Es decir, vestida con arreos guerreros.

2137 «¡Qué mucho»: '¿Cómo ha de sorprender?'.

2137-2140 Don Juan alude a la creencia expuesta por la misma doña María en un momento anterior de este mismo acto. Véanse los vv. 1710-1713. Poco más adelante (v. 2217), la reina se apropia de los mismos ángeles guardianes y protectores.

212

REINA.   No se hacen las quintas   2145
                        si no es para entreteneros,
                        ni es bien que yo guarde fueros
                        a quien no guarda a mi honor
                        el respeto que el valor
                        de un vasallo a su rey debe,   2150
                        y a dar crédito se atreve
                        ligeramente a un traidor.
                        ¡Buena información por cierto
                        hizo el que agraviarme intenta,
                        pues por testigo os presenta   2155
                        un judío, y ése muerto!
                        Cuando hagáis algún concierto
                        en palacio, es bien callar,
                        no os oigan; pues vino a dar
                        Dios, que os enseña a vivir,   2160
                        dos oídos para oír,
                        y una lengua para hablar.
                        La fama de quien me acusa,
                        comparada con la mía,
                        responder por mí podría   2165
                        sin otra prueba o excusa;
                        mas no ha de quedar confusa
                        dando a juïcios licencia;
                        antes saldrá cual la ciencia

2145 Tirso, al hablar de las quintas de recreo medievales, tendría en mente los cigarrales toledanos que tan bien conocía. La quinta era «casería o sitio de recreo en el campo, donde se retiran sus dueños a divertirse algún tiempo del año», según el *Diccionario de Autoridades*, que explica dicho nombre porque «los que las cuidan, labran, cultivan o arriendan solían contribuir con la quinta parte de los frutos a sus dueños».

2147 «Y yo no he de guardar fueros» es lectura propuesta por D; «No es bien que yo guarde fueros» propone H y sigue P68. La lectura de PT es la elegida por BS, M, P07 y por mí. Los *fueros* eran los derechos o privilegios por los que se regían los municipios, si bien en este caso la reina se refiere a los derechos o privilegios de la nobleza.

2163-2166 Ironía de doña María: intenta quitarle la fama quien la tiene deshecha totalmente por sus antecedentes remotos (Tarifa) y próximos (la complicidad con el judío homicida).

2169 El sujeto del verbo «saldrá» es «mi inocencia», desplazado al v. 2172.

<pre>
          junto a la ignorancia escura,   2170
          y entre sombras la pintura,
          con la traición mi inocencia.
          Si la vida que os he dado
          dos veces (que no debiera)
          apetecéis la tercera,   2175
          Infante inconsiderado,
          decid, pues estáis atado
          al potro de la verdad,
          quién fue el que con deslealtad
          quiso dar veneno al rey,   2180
          haciendo a un hebreo sin ley
          ministro de tal maldad.
JUAN.   Señora...
REINA.   No moriréis,
          como la verdad digáis.
</pre>

2172 La verdad resplandecerá como resplandece la ciencia sobre la oscuridad de la ignorancia, y los colores de las pinturas acaban emergiendo de las sombras que el tiempo deja sobre ellos, ocultándolos en parte.

2173-2174 Las dos veces aludidas han ocurrido al final del acto primero, cuando dictó sentencia la reina ante el intento de crimen de lesa majestad promovido por el Infante, y en el presente, cuando don Juan, al verse descubierto, intenta envenenarse con el mismo tósigo que aún tiene en sus manos el judío asesino. Las *Crónicas* de Sancho IV y de su hijo recuerdan dos intervenciones de doña María para proteger la vida de don Juan; una durante el reinado de Sancho IV *(Crónica,* 79a: «E desque la reina, que estaba en su cama, supo el fecho cómo pasara, punó cuanto pudo de guardar al infante don Juan que no tomase muerte, e si non fuera por esto, luego lo matara el Rey de buena miente») y otra poco antes de la muerte del joven monarca Fernando el Emplazado, cuando doña María tiene conocimiento de que su hijo quería tender una trampa mortal a su tío *(Crónica,* 166b: «E otro día jueves, en amaneciendo, envió la Reina por Fernad Remón, chanciller deste Infante don Juan, e díjole todo el pleito, e mandóle quel dijese de su parte que, pues ella lo asegurara, que le mandaba que se fuese de la villa, e que por ninguna cosa del mundo que non viniese a ella nin al Rey, nin catase por otra cosa ninguna sinon por poner su cuerpo en salvo»). Pero ninguna de esas dos ocasiones se corresponde con las imaginadas por Tirso.

2178 «potro»: 'instrumento de tortura'. La expresión «cantar en el potro», que es la que aquí subyace, equivalía a declarar o confesar un delito como resultado del suplicio o tortura en el potro.

2183 G y otros corrigen «moriréis». Conservo la lectura de PT.

JUAN.	Si piadosa me animáis, 2185
	severa, temblar me hacéis;
	muerte es justo que me deis
	y cesará la ambición
	de una loca inclinación
	que a su lealtad rompió el freno, 2190
	y con el mortal veneno
	ha mezclado esta traición.
	Yo al médico persuadí
	que al rey, mi señor, matase,
	porque en su silla gozase 2195
	el reino que apetecí.
	Después que muerto le vi,
	por vos forzado a beber
	el veneno, hice creer
	a todos, en vuestra mengua, 2200
	cosas que no osa la lengua
	memoria dellas hacer.
REINA.	En la Mota de Medina
	estaréis, Infante, preso,
	hasta que os vuelva a dar seso 2205
	el furor que os desatina.
JUAN.	Quien a ser traidor se inclina,
	tarde volverá en su acuerdo.
	La libertad y honra pierdo
	por mi ambicioso interés; 2210
	callar y sufrir, pues es,
	por la pena, el loco, cuerdo.

(Llévanle.)

NUÑO.	Nadie, gran señora, ha dado
	fe en vuestra ofensa al Infante.

2203 Nombre del afamado castillo de la Mota, en la vallisoletana Medina del Campo, que fue tanto residencia real como prisión para celebridades del reino. Esta prisión vuelve a referirla Tirso en su obra histórica *Antona García*, pues allí es encerrado el conde de Penamacor. Don Juan no estuvo confinado en los calabozos o mazmorras de este lugar, sino en una de sus torres más altas.

REINA.	Noticia tengo bastante	2215
	de quién es o no culpado.	
	Dos ángeles traigo al lado,	
	y el cielo a Fernando ayuda,	
	que ingratos intentos muda.	
	Pero decid: ¿cuántos son	2220
	los que en Castilla y León	
	reinan hoy?, que estoy en duda.	
	Responded. ¿De qué os turbáis,	
	cuando vuestra fe acrisolo?	
DIEGO.	Fernando el cuarto es rey solo,	2225
	y vos, que le gobernáis.	
REINA.	¿A él solo, en fin, le dais	
	nombre de rey?	
ÁLVARO.	No sabemos	
	que haya otro, ni le queremos.	
NUÑO.	Un Dios nos da nuestra ley,	2230
	y en Castilla un solo rey,	
	por quien fieles moriremos.	
REINA.	Pues yo sé que hay en Castilla	

2230 Nótese que el sujeto es «nuestra ley»: 'nuestra religión nos manda creer en un solo Dios'.

2233-2235 Notan Bushee-Stafford (y se hace eco de la referencia Samonà, 1967) que hay una curiosa similitud entre esta irónica queja de la reina y un incidente acaecido durante el reinado de Enrique III, relatado por un anónimo historiador quince años más tarde (véase relacionada con ésta, la nota al v. 1599). El rey, regresando cansado y hambriento una noche de una cacería, es informado de que se han agotado las últimas provisiones. Monta en cólera y desgarra su manto y ordena que sea cambiado por comida para la noche. Tiempo después, asistiendo disfrazado en un banquete, ve los alardes de los nobles, junto con el arzobispo de Toledo, y cómo ellos se jactan de sus grandes riquezas y de sus considerables rentas, siempre a expensas del rey. Al día siguiente los convocó en su castillo «e dixo al Arzobispo de Toledo, que de cuántos reyes se acordaba; y él respondió... que eran quatro reyes. E ansí desta manera preguntó a todos los otros... Y este rey don Enrique dixo, que cómo podía ser, porque él era mozo de poca edad, e se acordaba de veinte Reyes de Castilla. Y los caballeros dixeron que cómo podía ser: y el rey respondió que ellos, e cada uno de ellos, eran reyes de Castilla, y no él, pues que mandaban el reino y se aprovechaban de él, y tomaban las rentas... e que pues así era, que le mandaba a todos cortar la cabeza e tomarles los bienes... Y el dicho Arzobispo fincó las rodillas en el suelo e pidió al rey clemencia e perdón, y el rey les otorgó las vidas con tal condición que le diesen antes que de allí saliesen todas las fortalezas que en su reino tenían suyas del rey, e cuenta con pago de cuanto cada uno le había tomado de sus rentas..., los cuales así lo ficieron» *(Sumario de los reyes de España por el despensero mayor de la reyna Doña Leonor. Publicado por don Eugenio Llaguno Amírola*, Madrid, Imprenta de Sancha, 1781, págs. 83-84). El hecho referido es calificado por el editor como «una estupenda fábula». Este compendio del siglo XV fue conocido en los dos siglos siguientes a través del *Compendio historial* de Garibay (vol. II, pág. 1037). Y el hecho referido fue así relatado por el Padre Mariana en el cap. XIV del libro XIX de su *Historia General de España:* «Del valor de su ánimo y de su prudencia [de Enrique III] dio bastante testimonio un famoso hecho suyo y una resolución notable. Al principio que se encargó del gobierno gustaba de residir en Burgos. Enteteníase en la caza de codornices [...] Avino que cierto día volvió del campo cansado algo tarde. No le tenían cosa alguna aprestada para su yantar. Preguntada la causa, respondió el despensero que, no sólo le faltaba el dinero,más aun el crédito para mercar lo necesario. Maravillóse el rey de esta respuesta; disimuló empero con mandalle por entonces que sobre un gabán suyo mercase un poco de carnero con que y las codornices que él traía la aderezasen la comida. Sirvióle el mismo despensero a la mesa, quitada la capa, en lugar de los pajes. En tanto que comía se movieron diversas pláticas. Una fue decir que muy de otra manera se trataban los grandes y mucho más se regalaban. Era así que el arzobispo de Toledo, el duque de Benavente, el conde de Trastamara [...] y otros señores y ricos hombres de este jaez se juntaban de ordinario en convites que se hacían unos a otros como en turno. Avino que aquel mismo día todos estaban convidados para cenar con el Arzobispo, que hacía tabla a los demás. Llegada la noche, el rey disfrazado se fue a ver lo que pasaba, los platos muchos en número, y muy regalados los vinos, la abundancia en todo. Notó cada cosa con atención, y las pláticas más en particular que sobre mesa tuvieron, en que por no recelarse de nadie, cada uno relató las rentas que tenía de su casa, y las pensiones que de las rentas reales llevaba. Aumentóse con esto la indignación del rey que los escuchaba; determinó tomar enmienda de aquellos desórdenes. Para esto el día siguiente, luego por la mañana, hizo corriese voz por la corte que estaba muy doliente y quería otorgar su testamento. Acudieron a la hora todos estos señores al castillo en que el rey posaba [...] Esperaron los grandes en una sala por gran espacio todos juntos. A medio día entró el rey armado y desnuda la espada. Todos quedaron atónitos sin saber lo que quería decir aquella representación ni en qué pararía el disfraz. Levantáronse en pie, el rey se asentó en su silla y sitial con talante, a lo que parecía, sañudo. Volvióse al Arzobispo; preguntóle, ¿cuántos reyes ha conocido que habéis conocido en Castilla? La misma pregunta hizo por su orden a cada cual de los otros. Unos respondieron: yo conoscí tres, yo cuatro, el que más dijo cinco. ¿Cómo puede ser esto, replicó el rey, pues yo, de la edad, que soy, he conocido no menos de veinte reyes? Maravillados todos de lo que decía, añadió: Vosotros todos,

ocupar quiere su silla.
Si esto os causa maravilla
y deseáis que os los nombre,
decid, porque no os asombre:
¿cuál destos es rey por obra,   2240
quién las rentas reales cobra,
o quién sólo tiene el nombre?
¡No os atrevéis a decillo!
Pues no es difícil la cuenta:
que rey sin estado y renta,   2245
será sólo rey de anillo.
No puedo, grandes, sufrillo.
¿Qué cuentos a daros viene
el rey a vos que os mantiene?

DIEGO.   A mí, tres.
NUÑO.   Y dos a mí.   2250
ÁLVARO.   A mí, uno.
REINA.   Sacad de aquí
qué reyes Castilla tiene.
Mal podrá mi hijo reinar
sin rentas y sin poder,
pues por daros de comer,   2255

---

vosotros sois los reyes en grave daño del reino, mengua y afrenta nuestra; pero
yo haré que el reinado no dure mucho ni pase adelante la burla que de nos
hacéis [...] El rey, desque los tuvo muy amedrentados y humildes, de tal manera
les perdonó las vidas, que no los quiso soltar antes que los rindiesen y entregasen
los castillos que tenían a su cargo y contasen todo el alcance que les hicieron de
las rentas reales que cobraron en otro tiempo» (ed. cit. pág. 51ab).

2236 «quieren ocupar» (PT). Corrección propuesta por H que ha tenido
fortuna, aceptada por la práctica mayoría de editores, salvo BS, que sigue la
lectura de la princeps.

2240 Doña María contrapone el rey en ejercicio efectivo, «rey de obra»,
con el que sólo lo es nominalmente, según la fórmula que utiliza más adelante, «rey de anillo».

2242 «todo tiene» (PT).

2243 «No os atreveréis a decillo» (PT) que sería hipermétrico. G cambia por
«atrevéis».

2246 «será todo rey de anillo» (PT). D propuso el cambio «sólo» que aquí
se acepta, como la generalidad de los editores.

2247 Para el vocablo «cuento», véase nota al v. 1596.

2252 «sacad de aquí»: 'deducid de ello', 'concluid de ello'.

	hoy no tiene qué cenar.	
	Un cuerpo no puede estar	
	con tanto rey y cabeza;	
	que es contra naturaleza.	
	Éstas me cortad agora,	2260
	soldados.	
ÁLVARO.	Reina...	
NUÑO.	Señora...	
DIEGO.	No permita Vuestra Alteza	
	tal rigor; yo volveré	
	lo que al rey le soy en cargo.	
ÁLVARO.	De satisfacer me encargo	2265
	lo que a su alteza usurpé.	
REINA.	La vida os perdonaré	
	como me deis en rehenes	
	vuestros castillos.	
DIEGO.	Ya tienes	
	por tuyos los que señales.	2270
REINA.	Padece el reino mil males,	
	si al rey le usurpáis sus bienes.	

2260 «Éstas» se refiere a «cabezas» nombradas dos versos antes.

2263 «volveré», 'restituiré'.

2264 'lo que le cuesto al rey'.

2271 Desde aquí, hasta el final del acto, Juan Eugenio Hartzenbusch, en la refundición preparada en 1858 de la comedia, varió notablemente el texto, según copio seguidamente, como ilustración de la amplia manipulación que hacía el gran especialista y dramaturgo a la hora de preparar el texto para la escena. Se recogen algunos otros casos curiosos en la anotación del acto tercero.

REINA.   ¡Sufre el reino tantos males
         y al rey le usurpáis los bienes!
         Pues, omitiendo el mentallos,
         ya muestra el hecho por sí:
         cuando al rey tenéis así,
         cómo andarán los vasallos.
         Don Diego, con cien caballos
         a Medina los llevad

         (Señalando a los tres.)

         Esa afición olvidad...
         Padrastro es nombre cruel...
         Yo soy vuestra amiga fiel,
         yo os doy mi eterna amistad.

A ser vuestra convidada,
caballeros, he venido.
No os congojéis; que aunque he sido   2275
por vosotros agraviada,
ya yo estoy desenojada.
Cada cual su estado cobre,
y para que a todos sobre,
desustanciad al rey menos,   2280
que no son vasallos buenos
los que a su rey tienen pobre.
Don Diego de Haro, ya veo
que por mi fama volvistes,
cuando a Don Juan no creístes.   2285

DIEGO.   Sólo vuestra virtud creo.
REINA.   Conde os hago de Bermeo.
DIEGO.   No llegue el tiempo a ofender
tal valor, pues vengo a ver
en nuestro siglo, apacible,   2290
lo que parece imposible:
que es prudencia en la mujer.

FIN DE LA JORNADA SEGUNDA

2280 «desustanciad»: 'expoliad'; también 'defraudad' (en lo material y en lo moral).

2287 Bermeo fue el puerto comercial más importante del norte español hasta la fundación en 1300 de la ciudad de Bilbao por don Diego López de Haro. Como se ha dicho en una nota anterior, el condado de Bermeo ya había sido otorgado por Sancho IV al hermano de don Diego, Lope Díaz de Haro.

2290 X. A. Fernández (pág. 593) se extraña de ese sintagma «siglo apacible» y recuerda que H lo había cambiado por «siglo terrible». Y propone esta solución, que acepto: «para que tenga sentido el texto original, habrá que poner entre comas *apacible* referido al sujeto»: 'veo complacido'.

2292 Es interesante que Tirso repita en un verso de cierre de acto la cualidad que, como aparente oxímoron, sirve de título a toda la obra: que una mujer, excepcionalmente, sea capaz de encarnar y ejemplificar la prudencia; ésa es la mayor cualidad de doña María de Molina.

Jornada tercera

(Sale el REY FERNANDO, *mozo sin barbas —puede hacerle una mujer—* DON NUÑO, DON ÁLVARO *y* DON JUAN BENAVIDES, *y la* REINA MARÍA)[33].

REINA.   Pues los deseados días,
              hijo y señor, se han llegado,
              en que el cielo os ha sacado   2295
              hoy de las tutelas mías,
              y de diez y siete años,
              a vuestro cargo tomáis

---

[33] BS añade a esta acotación la presencia de dos personajes más [*y don Juan y don Pedro Caravajales*] y el lugar de la acción [*Sala en el alcázar de Madrid*].

2293-2372 Estos versos en los que la reina da consejos de gobierno al joven rey tienen evidente parecido con los que Tirso pone en boca de la emperatriz Irene en la obra *La república al revés,* cuando le hace entrega a su hijo de los símbolos del poder en la jornada primera. Así, al darle el estoque, le dice: «Dátele limpio y derecho / porque en ninguna ocasión / si has de ser juez de provecho, / le ha de manchar la pasión / ni ha de torcerle el cohecho» (vv. 96-100); y al entregarle la esfera del mundo, le aconseja: «Tenlo bien, siendo prudente, / que con la prudencia sola / gobernarás bien tu gente, / porque como el mundo es bola / rodaráse fácilmente» (vv. 131-135).

2297 Fernando IV fue nombrado rey el 6 de diciembre de 1301, cuando contaba dieciséis años (la edad legal entonces exigida por las Cortes castellanas) y no diecisiete.

el gobierno, y libre estáis
de peligros y de daños   2300
(que no pocos han querido
ofender vuestra niñez,
aunque mi amor cada vez
cual madre os ha defendido)
haciendo una suma breve   2305
del estado en que os le dejo,
con el último consejo
que dar una madre debe,
me despediré de vos,
y del reino que os desea,   2310
y siglos largos os vea,
ensanchar la ley de Dios.
Cuando el rey Don Sancho el Bravo,
vuestro padre y mi señor,
dejó por otro mejor   2315
el reino (que aquí es esclavo
de sus vasallos quien reina)
y en Castilla, que aún le llora,
por el de gobernadora
el nombre troqué de reina,   2320
de solamente tres años
comenzastes a reinar,
y juntamente a probar
trabajos y desengaños,
cual veréis por tiempos largos,   2325
que los reinos interesan;

2305-2306 La «suma breve del estado» que va a hacer la reina, y dirigida a
modo de brevísimo memorando a su hijo, sirve también para sintetizar una
información al espectador de lo que ha ocurrido, a sus ojos, en los dos actos
anteriores, como así mismo lo acaecido en el tiempo transcurrido (bastante)
entre la jornada segunda y la tercera.

2324 El vocablo «trabajos» debe entenderse como 'dificultad, impedimento' o 'penalidad, molestia, tormento o suceso infeliz' según recoge en segunda
y tercera acepciones el *Diccionario de Autoridades*.

2326 «interesan»: 'comprometen' 'implican'. El hecho de reinar supone
verse implicado o interesado en «trabajos y desengaños», que son las responsabilidades, o «cargos» del gobernante.

pues por lo mucho que pesan,
les dieron nombre de cargos.
Un solo palmo de tierra
no hallé a vuestra devoción;   2330
alzose Castilla y León,
Portugal os hizo guerra,
el granadino se arroja
por extender su Alcorán,
Aragón corre a Almazán,   2335
el navarro a la Rioja.
Pero lo que el reino abrasa,
hijo, es la guerra interior,
que no hay contrario mayor
que el enemigo de casa.   2340
Todos fueron contra vos,
y aunque por tan varios modos
os hicieron guerra todos,
fue de nuestra parte Dios,
a cuyo decreto sumo   2345
babeles de confusión,
que levantó la ambición,
se resolvieron en humo.
Pues en el tiempo presente,
porque al cielo gracias deis   2350
del reino que le debéis,
le hallaréis tan diferente

2330 «devoción»: 'lealtad y obediencia al monarca legítimo'.

2331-2336 Sintético resumen de lo ocurrido en la regencia de doña María.
«Correr a» en el sentido de 'hostigar', 'hacer penetraciones agresivas en el territorio'. La plaza de Almazán, situada en el sureste de la provincia de Soria, era un
punto casi fronterizo con el reino de Aragón.

2334 «Alcorán» es el Corán, con el que se simboliza la fe mahometana,
cuya difusión e imposición es el objetivo de la Guerra Santa para los maho-
metanos.

2344 Doña María está convencida de la permanente ayuda divina en su tarea; o visto de otro modo: Dios la ayuda en razón de su moral y de sus virtudes, merecedoras de favores (recuérdese que la prudencia que se le adjudica no
deja de ser también una de las virtudes cardinales). Y doña María, por sus de-
claraciones, no deja de considerarse instrumento de esa voluntad divina.

que parias el moro os paga.
El navarro, el de Aragón,
hijo, amigos vuestros son.   2355
Y para que os satisfaga
Portugal, si lo admitís,
a Doña Constanza hermosa
os ofrece por esposa
su padre, el rey Don Dionís.   2360
No hay guerra que el reino inquiete,
insulto con que se estrague,
villa que no os peche y pague,
vasallo que no os respete;
de que salgo tan contenta   2365
cuanto pobre, pues por vos,
de treinta no tengo dos
villas que me paguen renta.

2353 Nombre con el que se conocían los tributos en reconocimiento de
soberanía. En la *Crónica de Fernando IV* se indica, conforme con el verso
de Tirso, un acuerdo entre el monarca castellano y el rey moro, según el cual se
reconocía «que fincase el rey de Granada por su vasallo, e que le diese las parias...» (133a).

2354-2355 Antes del inicio del reinado de Fernando IV hubo cierta tiran-
tez entre Navarra y Castilla. El rey francés, bajo quien estaba la jurisdicción de
las tierras navarras, se quejaba del pillaje cometido por los castellanos, y la reina replicó que los navarros eran culpables del mismo crimen. Tras diversas negociaciones se fue consiguiendo un progresivo estado de paz. Seiscientos nobles aragoneses, molestos con el nuevo rey, llegaron a un acuerdo con doña
María para apoyar a su hijo (así se recoge en la *Crónica*, 120a-122a).

2357-2360 Las primeras gestiones encaminadas a ese matrimonio se inician
en 1291, cuando el joven rey tenía sólo cinco años. *(Crónica de Sancho IV,* 85b:
«E el rey don Sancho vióse con el rey don Dionís de Portugal, e puso pleito
de casamiento del Infante don Fernando, su fijo, con la Infanta doña Constanza, fija deste rey de Portugal»). El matrimonio entre don Fernando IV y
doña Constanza fue acordado en 1297, cuando el cronista se refería a esta última como «moza e sin edad» *(Crónica de Fernando IV,* 109b: «E trajo la reina
doña María para Castilla a doña Constanza, que era moza pequeña e sin edad»),
pero la ceremonia no tuvo lugar hasta diciembre de 1301 *(ibíd.,* 122b-123a) después de las correspondientes y obligadas dispensas papales, ya que los contrayentes eran primos (doña Beatriz, madre de don Dionís, era hermana de Sancho IV, por lo que la joven pareja tenía entre sí el mismo grado de parentesco
consanguíneo que habían tenido don Sancho y doña María).

2363 'no solo reconocen el tributo («pechar») sino que también lo pagan
religiosamente'.

	Pero bien rica he quedado,	
	pues tanta mi dicha ha sido,	2370
	que el reino que hallé perdido,	
	hoy os lo vuelvo ganado.	
REY.	Él y yo, madre y señora,	
	con desamparo y tristeza	
	quedamos, si vuestra alteza	2375
	se ausenta y nos deja agora.	
	Porque del gobierno mío,	
	¿cómo se puede esperar	
	que mozo llegue a llenar,	
	ausente vos, tal vacío?	2380
	Vuestra alteza no permita	
	dejarme en esta ocasión.	
REINA.	Ya es, hijo y señor, razón	
	que la viudez, que limita	
	del gobierno la inquietud,	2385
	halle en mí la autoridad	
	que pide la soledad	
	y ejercita la virtud.	
	Cerca tengo de Palencia	
	a Becerril, pueblo mío,	2390

2379 La *Crónica* se refiere ampliamente a la manipulación de que fue objeto el monarca, aprovechando su juventud e inexperiencia. Así, y refiriéndose a este momento, la *Crónica* recuerda que «él, como mozo que no entendía la manera de engaño porque se lo decían, e que lo imaginarían lo peor que pudiesen» (120a).

2382 «ocagón» (PT) errata corregida por G.

2383 y ss. E. H. Templin (1937) señaló el parecido de estos versos con los que dice la emperatriz Irene de Bizancio, cuando ha de ceder el poder a su hijo Constantino, y anuncia, como doña María, su retiro a la paz y asueto de la aldea *(La república al revés,* acto I): «Ahora bien: yo determino / irme a vivir, Constantino, / a una aldea y recreación / que dos leguas de este espacio / está, donde en su floresta / seré, viviendo despacio, / si hasta aquí Belona, Vesta, / que ya me enfada el palacio».

2390 Probablemente el personaje se está refiriendo a la localidad de Becerril de Campos, a unos once kilómetros de Palencia. Es ésta la villa a la que se refiere luego Tirso, en el v. 3084, de donde son naturales los rústicos que aparecen más tarde y por dos veces: «Los vecinos de mi villa / han salido a recibirme», dice doña María.

mientras de vos me desvío,
porque no sintáis mi ausencia.
Si la consideración
pasáis por el arancel
que os deja mi amor, por él   2395
verá España un Salomón
contra lisonjas y engaños
que traen los vicios en peso;
pues las canas en el seso
consisten más que en los años.   2400
El culto de vuestra ley,
Fernando, encargaros quiero,
que éste es el móvil primero

2391 D propuso una lectura que no ha tenido suerte entre los modernos
editores: «poco de vos me desvío».

2393-2395 'si tienes respeto a las normas de comportamiento que yo he
procurado inculcarte', «arancel» debe entenderse en la acepción que da el *Diccionario de Autoridades,* «metafóricamente se toma por regla y norma para obrar
o hacer alguna cosa».

2399-2400 Las canas se deben asociar antes con la cordura y prudencia que
otorga la edad, que con la edad misma.

2401 «culto»: 'cultivo', 'cumplimiento'.

2403 La reina está aludiendo implícitamente al sistema celeste ptolomeico,
según el cual la tierra es una esfera en el centro del universo, el *primum mobile.*
A las siete originales esferas del primitivo sistema —a saber, Luna, Mercurio,
Venus, Sol, Marte, Júpiter y Saturno— se añadieron otras cuatro, que fueron
las Constelaciones, la Esfera cristalina, el *primum mobile* y el Empíreo. En la comedia *El Príncipe perfecto* Lope se hace eco de esa teoría astronómica en estos
versos:

Saturno, Júpiter, Marte,
sí, señor, y este orden guardan:
el impíreo y primer móvil;
el cristalino en que hay agua,
el firmamento, y tras él
siete esferas planetarias,
el Sol que ocupa la cuarta,
Venus, Mercurio y la Luna.

La recomendación de doña María a su hijo se explica a partir de la teoría geocéntrica del universo, según la cual los planetas son movidos por el *primum
mobile,* que en este caso alegórico sería el joven rey a quien le inspira, y guía,
la divinidad en sus buenas acciones.

que ha de llevar tras sí al rey,
y guiándoos por él vos,   2405
vivid, hijo, sin cuidado,
porque no hay razón de estado
como es el servir a Dios.
Nunca os dejéis gobernar
de privados, de manera   2410
que salgáis de vuestra esfera,
ni les lleguéis tanto a dar
que se arrojen de tal modo
al cebo del interés
que os fuercen, hijo, después,   2415
a que se lo quitéis todo.
Con todos los grandes sed
tan igual y generoso,
que nadie quede quejoso
de que a otro hacéis más merced: 2420
tan apacible y discreto,
que a todos seáis amable,
mas no tan comunicable
que os pierdan, hijo, el respeto.
Alegrad vuestros vasallos,   2425
saliendo en público a vellos,
que no os estimarán ellos,
si no os preciáis de estimallos.
Cobraréis de amable fama
con quien vuestra vista goce;   2430

2409 y ss. Ruth Lee Kennedy (1949) hace notar que Tirso resulta reiterativo acerca de las advertencias contra los monarcas —como Fernando IV, y
también como Felipe IV—, que se entregan a los llamados «favoritos», en los
que depositan demasiada autoridad o rinden demasiado halago, y recuerda al
respecto la relación con otra obra de Tirso *Privar contra su gusto*. La muy probable fecha de composición de la obra *La prudencia en la mujer* (1622) coincide con un periodo en el que el favoritismo entre los gobernantes españoles
tuvo una gran implicación nacional.
2421-2425 Ruth L. Kennedy (1949) ve en estos consejos un eco del debate
planteado en tiempo de Tirso acerca de cómo debía comportarse el rey públicamente con sus vasallos, y concluye la citada investigadora que «Tirso aspira
a un rey amado, no temido, por su pueblo, aunque no tan comunicable que
le pierdan el respeto sus vasallos» (pág. 271).

que lo que no se conoce,
aunque se teme, no se ama.
De juglares lisonjeros,
si no podéis excusaros,
no uséis para aconsejaros, 2435
sino para entreteneros.
Sea por vos estimada
la milicia en vuestra tierra,
porque más vence en la guerra
el amor que no la espada. 2440
Recibid médicos sabios,
hidalgos, y bien nacidos,
de solares conocidos,
sin raza, nota o resabios
de ajena y contraria ley; 2445
que si no hace confianza
de quien nobleza no alcanza,
cuando un castillo da el rey,
¿cuánta más solicitud
poner en esto es razón, 2450
pues que los médicos son
alcaides de la salud?
Hablo en esto de experiencia,
y sé en cualquier facultad
que suele la cristiandad 2455

2433 Tirso alude en varios otros títulos de su producción *(Vergonzoso en palacio, Privar contra su gusto)* a los cortesanos y aduladores de la corte de Felipe IV que alcanzaban demasiadas prebendas e influyentes posiciones.

2444 Evidentemente que en estos versos de doña María está funcionando el recuerdo del homicida y traidor Ismael, en el acto primero, por lo que le recomienda a su hijo que no tenga médicos judíos, sino cristianos viejos. La «raza» mencionada equivale aquí a su doble acepción de 'linaje' y de 'defecto'. Véase al respecto el interesante trabajo de María Rosa Lida, «Raça», en *NRFH*, I, 2 (1947), págs. 175-177.

2446-2447 'si el rey no debe fiarse de quien no ha acreditado su condición de noble'.

2449 «cuanto» (PT) corregido por D.

2454 «facultad», 'competencia', 'función' 'oficio'.

2455 La voz «cristiandad» equivale aquí a 'nobleza', en cuanto 'limpieza de sangre' ('ser cristiano viejo').

alcanzar más que la ciencia.
A Don Juan, señor, debéis
de Benavides, la silla
en que os corona Castilla,
y es bien que se la paguéis.   2460
A los dos Caravajales
con el mismo cargo os dejo,
tan cuerdos en dar consejo
como en serviros leales.
Ejercitad su prudencia,   2465
conoceréis su valor,
y con esto, hijo y señor,
dadme brazos y licencia.

(Abrázanse.)

REY.   Vamos; acompañaré
            a vuestra alteza.

REINA.   Asistid   2470
            a las Cortes de Madrid;
            que es de importancia que esté
            en ellas vuestra presencia;
            que en mi compañía irán

2465 'poner a prueba'.

2468 «dadme brazos»: 'abrazadme'. Era la señal de saludo amistoso (en este caso, amoroso) entre iguales.

2471 La acción que se está representando tiene lugar en Madrid (como luego se indica taxativamente en el v. 2572) y en una sala de su derruido alcázar. Las primeras Cortes que convocó Fernando IV, tras subir al trono, fueron en Medina del Campo, en abril de 1302, como «los más de los concejos» convocados no se fiaban del nuevo monarca y estaban reticentes en acudir a tales Cortes, consultaron al respecto a doña María, quien les aconsejó que así lo hicieran. Cuenta la *Crónica*, en su capítulo X, una entrevista entre madre e hijo que bien podría tener su correlato en esta secuencia de la obra: «E luego vínose el rey para Valladolid, e fabló con la reina su madre, e rogóle mucho afincadamente que fuese con él a estas Cortes. E la reina dijo muchas razones por se escusar, en que le dijo de commo non le cumplía la su ida a estas Cortes, nin lo tenía por su honra» (123b-124a), si bien doña María accedió finalmente ante la insistencia de su hijo. Las primeras Cortes que hubo en Madrid no fueron hasta el año 1309.

<pre>
                    los dos hermanos, Don Juan   2475
                    y Don Pedro, hasta Palencia.
                    Y en acabándose, iréis
                    a ver al de Portugal,
                    porque con amor igual
                    la mano a la infanta deis,   2480
                    que con su padre os espera
                    cerca de Ciudad Rodrigo.
                    Quedaos.
REY.   Vuestro gusto sigo,
                    aunque más gusto tuviera
                    en iros acompañando.   2485
REINA.   Hágaos tan dichoso el cielo
                    como a vuestro bisagüelo,
                    y tan santo, mi Fernando.
REY.   Como yo os imite a vos,
                    no habrá bien que no me cuadre.   2490
                    Servid los dos a mi madre.
REINA.   Adiós.
REY.   Gran señora, adiós.
</pre>

(Vanse la REINA, *y* DON JUAN *y* DON PEDRO CARA-
VAJALES.)

2476 Es evidente que están también en la escena los hermanos Carvajal,
pese a que no se le cite en la acotación de PT, pero sí en la siguiente acotación,
ausentándose posteriormente de la escena para acompañar a la reina-madre.

2480 Esa «infanta» no es otra que la ya referida Constanza de Portugal.

2482 Ciudad Rodrigo, famosa e importante fortaleza salmantina en la misma frontera con Portugal. En 1295 doña María, don Enrique y Fernando IV
conferenciaron con el rey de Portugal acerca del casamiento entre la hija de
éste, Constanza, y el joven monarca castellano *(Crónica:* «E el rey e la reina e
don Enrique fuéronse para Cibdad Rodrigo, e fallaron ý al rey de Portugal,
e entregáronle Mora e Serpia e Morón, e puso con el rey muy grand pleito de
le ayudad contra todos los omes del mundo; e estonce pusieron pleito del
tiempo que se ficiese el casamiento del rey con la infanta doña Constanza, su
fija del rey de Portugal», 96b-97a).

2483-2484 La misma voz «gusto» que aparece en ambos versos se emplea
con dos acepciones distintas: como 'voluntad' en el primer caso y como 'deseo' o 'placer' en el segundo.

2487 Ese bisabuelo fue Fernando III el Santo, padre de Alfonso X, abuelo
del niño-rey.

NUÑO.	¡Gracias al cielo que ya
	salió el reino del poder
	y manos de una mujer!	2495
ÁLVARO.	Catorce años y más ha
	que a Semíramis imita,

2493-2519 Otra vez, a título de curiosidad, copio cómo versiona Hartzenbusch (1854) este diálogo, a partir del texto de Tirso. Los veintisiete versos del
original se transforman en los diecinueve siguientes.

ENRIQUE.	Desde este momento, ya
	vuestro es del todo el poder.
NUÑO.	Vuestro sólo.
REY.	¿Puedo hacer
	cuanto quiera?
ÁLVARO.	Claro está.
REY.	Pues a mi madre le andabais
	a los alcances
ENRIQUE.	Nacía
	de que no se os concedía
	parte en el gobierno.
ÁLVARO.	Estabais
	sujeto con indecencia
	mientras ella gobernó.
REY.	¡Oh!, tanto como eso, no.
ENRIQUE.	Fue mucha vuestra paciencia
ÁLVARO.	Fue un cautiverio...
NUÑO.	Espantoso.
ENRIQUE.	¡Cuánto se os ha recatado...!
BENAVIDES.	La reina al rey ha educado
	bien.
ENRIQUE.	Sí, para religioso.
BENAVIDES.	Si a la reina, mi señora,
	pérfida envidia contrasta,
	Yo haré...
REY.	¡Benavides, basta!

(Ciertamente, la adaptación se excedía en ripios y pobreza versal, alejándo-
se bastante de los aciertos tirsistas).

2496 El cómputo que hace Tirso de la regencia de doña María en boca del
personaje es inexacta, o solo aproximada, pues dicha regencia se extendió
exactamente por algo menos de seis años y ocho meses, desde el 16 de abril
de 1295 al 6 de diciembre de 1301. La tirada de versos que aquí se inicia, con
la alusión a Semíramis, la relaciona E. H. Templin (1937) con esta otra tirada
de *La república al revés*, cuando en el acto primero Constantino se dirige a su

y a vuestra alteza encerrado,
si disfrazalle no ha osado,
y el gobierno no le quita,   2500
cual la otra hizo con Nino,
es porque tiene temor
a nuestra lealtad y amor.

REY.

Del cielo santo imagino
de mi madre la prudencia   2505
con que el reino gobernó;
mas no puedo negar yo
que ha sufrido mi paciencia
un cautiverio enfadoso;
pues según me recataba,   2510

---

madre en estos términos: «Semíramis querrás ser / y hacerme a mí infame Nino, / porque mientras que atropellas / bárbaros y cuerpos huellas / con guerra que el mundo abrasa / me quede encerrado en casa / hilando con tus doncellas.» También en *La mujer que manda en casa*, del mismo Tirso, se lee nada más comenzar el texto: «Por más que inmortalice, / eterna en sus murallas / Babilonia a Semíramis su reina / y su fama felice, / diosa de las batallas» (vv. 1-5). Para el aludido personaje de Semíramis, véase la nota siguiente.

2497-2501 Según la leyenda, Semíramis, mujer del rey Ninus (Nino) de Asiria, usurpó el trono de su hijo Ninias, al que se parecía mucho, haciéndolo vestir de mujer y encerrándolo en casa, y ella, vestida con ropas masculinas, comparecía como rey. Se le atribuía gran belleza junto a probado valor y capacidad en la batalla. Tirso confunde en esta ocasión, y en otras, el nombre de Nino con el de Ninias, quien se acabó levantando contra su madre, del mismo modo que se sugiere que Fernando se revolverá contra doña María en este acto. Así en *Amazonas de las Indias* se hace referencia a la reina de Babilonia como «la madre de Nino» (v. 32). Pero aunque no es la intención del personaje que hace la comparación, la referencia a Semíramis se hace casi siempre como paradigma de arrojo y valentía, cualidad que también aquí se acomoda con la figura de la regente. La legendaria historia de Semíramis fue dramatizada por Calderón en *La hija del aire* y por Cristóbal de Virués en *La gran Semíramis*. También García de la Huerta permite que su heroína, la judía Raquel, se compare con este personaje, y diga al rey Alfonso: «Pues si enciendo la cólera en mi pecho, / si el hierro empuño, si el arnés embrazo, / Semíramis segunda hoy en Toledo / a tus pies postraré cuantos osados, / cuantos rebeldes, cuantos alevosos, / aliento dan al sedicioso bando» (I, vv. 691-696).

2504 «Del celo santo» (PT) lectura que acepta BS. A M le parece más apropiada «del cielo santo» (la prudencia con que se ha comportado la reina ha sido un designio divino), lectura que es la aceptada por parte de los editores modernos (P68 y P07) y que se sigue aquí.

2506 «gobierno» (PT), errata corregida por G.

	no para rey me criaba,	
	sino para religioso.	
BENAVIDES.	No desdice de la ley	
	que en el gobierno se emplea,	
	antes la adorna, que sea,	2515
	señor, religioso un rey.	
	Ni la reina, mi señora,	
	a quien la envidia contrasta	
	hizo...	
REY.	Benavides, basta;	
	no nos prediquéis agora.	2520
	Nadie dice mal aquí	
	de mi madre, ni tampoco	
	será ninguno tan loco	
	que ose delante de mí	
	agraviar la cristiandad	2525
	que España conoce en ella,	
	para que volváis por ella.	
	Conozco vuestra lealtad.	
	Idos, Don Juan, a León.	
BENAVIDES.	Si os he, señor, enojado...	2530
REY.	No habéis; pero estáis cansado.	
	Cuando se ofrezca ocasión	
	en que os haya menester,	
	yo os enviaré a llamar.	
BENAVIDES.	Merced me hacéis singular,	2535
	y como os sé obedecer	
	en esto, seré obediente	
	en lo demás que os dé gusto;	
	pero advertid que no es justo,	
	cuando vos estáis presente,	2540
	que murmure el atrevido	
	de quien nombre alcanza eterno	
	por su virtud y gobierno,	
	y el reino os ha defendido;	
	que a no estar delante vos,	2545

2527 «volved por» equivale a defender la imagen o causa de alguien. También en el v. 2554.

en quien mi lealtad repara,
pudiera ser que cortara
las lenguas a más de dos.

(Vase.)

ÁLVARO. Si de vuestro atrevimiento,
         hidalgo pobre...

REY.   Dejalde,   2550
         pues que se va; que no en balde
         de la corte echalle intento.
         Sirvió a mi madre; disculpa
         tiene si por ella ha vuelto.

NUÑO.   Hablar tan libre y resuelto   2555
         delante su rey, es culpa
         digna, señor, de castigo.

REY.   Por mi madre le perdono.
         Su lealtad sirva de abono.
         Si he de ir a Ciudad Rodrigo,   2560
         despedir las Cortes puedo,
         pues no hay en ellas qué hacer,
         y saldreme a entretener
         por los montes de Toledo;
         que me afirman que hay en ellos   2565
         mucha caza.

NUÑO.   Todos son,
         para vuestra inclinación,
         entretenidos y bellos.

2549 Benavides es calificado de «hidalgo pobre» por un cortesano porque
se trata de un guerrero de escaso poder feudal.
2566 «Todos» referido a los montes toledanos, abundantes en belleza pai-
sajística y en posibilidades cinegéticas (y son «entretenidos» porque permitirán
ejercitar abundantemente la caza). Con esta decisión de convertirse en ocasional cazador, el joven rey se está alineando inconscientemente con los que
le han sido amenazantes traidores anteriormente, que eran designados también como «cazadores» (v. 782). Ya en las *Partidas* se señalan las ventajas de la
caza para entretener el ocio y el ánimo de los gobernantes, y de los reyes: «por
alongar su vida e salud e acrecentar su entendimiento, e redrar de sí los cuidados e los pesares... porque la caça es arte, e sabiduría de guerrear, e de vencer:
de lo que deben los reyes ser mucho sabidores» (II, v). Y se recordará que la

234

REY.	Pues, Don Nuño, prevenid	
	a mi cazador mayor;	2570
	que hoy, a pesar del calor,	
	he de salir de Madrid;	
	y a Don Enrique avisad,	
	mi tío, porque dé traza,	
	si es inclinado a la caza,	2575
	de seguirme.	
ÁLVARO.	Vuestra edad,	
	gran señor, pide todo eso.	
REY.	Revienta el fuego encerrado,	
	vuela el neblí desatado,	
	y sin grillos corre el preso.	2580
	Porque este símil me cuadre,	
	fuego, neblí y preso he sido,	

práctica cinegética alcanzó tal importancia en aquellos siglos medievales, como un recomendado ejercicio para reyes y nobles, que se refleja en obras literarias, como en *Libro de la Montería*, de Alfonso XI, y *Libro de la caza*, de don Juan Manuel. Tres cacerías reales son recordadas en la *Crónica* de Fernando IV. En 1301 el joven rey sigue la recomendación de sus consejeros para que afirmara su independencia frente a la nobleza, y junto a Juan Núñez de Lara hace una expedición hacia Castrogeriz para cazar, abandonando su compromiso gubernativo («E otro día fuese el Rey e don Juan Núñez con él camino de Castro Xeriz, e a cabo de cuatro días non vino el Rey así commo le avía puesto», 120b). Al año siguiente, «siendo ome que se pagaba mucho de caça» (128a) se reúne con don Juan y con don Juan Núñez de Lara en las montañas de León. Siete años más tarde, don Fernando, el Infante don Juan y otros nobles continúan practicando la caza en el «Campo de Arañuelo», en Cáceres, terreno próximo a los Montes de Toledo, referidos en el texto de la obra, mientras iban llegando los delegados a las Cortes convocadas esa fecha en Madrid, como se recordaba en la nota al v. 2471 (*Crónica*, 162b). Tirso combina acertadamente estas situaciones referidas, y, como recuerda Kennedy en su conocido artículo, se pretende sugerir un cierto paralelo con las cacerías habidas en el reinado de Felipe IV, sobre todo en el otoño de 1621.

2570 El cazador mayor tenía a su cargo la preparación de los animales de cetrería usados en la caza. Morel-Fatio (1904) piensa que Tirso imaginaba el personaje aludido sobre el modelo del *montero mayor,* cargo palatino existente en el siglo XVII.

2574 «dé traza»: 'se disponga a', 'se prepare para'.

	que como río he salido	
	de madre, ya sin mi madre³⁴.	
NUÑO.	Don Álvaro, en derriballa	2585
	consiste nuestra ventura.	
ÁLVARO.	Don Nuño, el rey asegura	
	que no es fácil contrastalla,	
	pues con él la has descompuesto.	
NUÑO.	Ayúdeme tu cautela:	2590
	que yo le urdiré una tela	
	que no la rompa tan presto	

(Vanse.)

(Salen DON DIEGO LÓPEZ DE HARO, DON TELLO *y* PADILLA.)

TELLO.	Pues de la reina, célebre Don Diego,	
	ha tanto tiempo que os preciáis de	
	[amante,	
	siendo de nieve helada a vuestro fuego,	2595
	y a vuestro tierno amor duro diamante,	
	corresponded con el seguro ruego	
	de Don Enrique, de Castilla Infante:	
	que en un pecho cruel, cuando es ingrato,	
	lo que no pudo amor, podrá el mal trato.	2600

---

³⁴ BS añade a continuación la acotación [*Vase*].

2584 Juego de palabra con el vocablo «madre», que tiene tanto el significado directo de 'mujer que transmite la vida' como 'salir de sus estrictos límites' en la locución modal «salir de madre».
2585 Se intentan asechanzas contra la reina, procurando enemistarla con su propio hijo. De tales propósitos da sobradas informaciones la *Crónica*. Así en el ya mencionado capítulo X, y por insidias de don Juan, «E el rey, con estas razones, estaba en su corazón empuesto mucho contra la reina su madre» (124a).
2588 «contrastarla»: 'combatirla', 'refutarla', 'oponerse a ella'.
2591 'una tela de araña', 'una trampa'.
2593-2596 Juego de imágenes sacadas de la poesía cortesana (de raíz petrarquista) que tanto predicamento mantuvo en el lenguaje poético barroco.
2597 «corresponder con»: 'estar de acuerdo con', 'coincidir con', 'aceptar'.
2600 «mal trato» referido al uso de la fuerza o de la violencia.

Ponelda mal con su hijo; decid della
que el patrimonio real tiene usurpado,
que, soberbia, los grandes atropella,
y levantarse intenta con su Estado.
Que viéndose, aunque viuda, moza y
            [bella, 2605
con el aragonés ha concertado
casarse, y conquistando esta corona,
reinar desde Galicia a Barcelona.
Que viéndose de su hijo aborrecida,
y de los ricos hombres despreciada,   2610
por conservar la peligrosa vida,
os ha de dar la mano deseada.
Es la mujer humilde, perseguida,
como soberbia y loca, entronizada;
y si por vos a tal peligro llega,   2615
y os aborrece, vos veréis que os ruega.
Descomponella Don Enrique intenta,

2604 «Estado» en el sentido de territorio bajo su mando, o gentes de ese territorio, súbditos leales de la reina.

2606-2608 Según recoge la *Crónica de Fernando IV* (103a) es don Enrique quien sugiere un posible casamiento de la reina viuda con el Infante don Pedro de Aragón: «e él respondió que todo lo decía muy bien e que la razón era ésta: que ella que era mujer mancebo, e que le cumplía de casar, e que el infante don Pedro de Aragón le cometía su casamiento della». Si tal matrimonio se hubiese efectuado ciertamente, Castilla se hubiese extendido desde Galicia a Barcelona, como dice el texto. Pero la propuesta era de muy difícil realización, porque, por encima de la negativa de doña María de contraer nuevo matrimonio, estaba el serio impedimento de que el tal don Pedro ya estaba casado con Guillerma de Montcada.

2609 D propuso «que al verse», pero M y otros editores modernos aceptaron el texto de la princeps.

2611 «peligrosa vida», 'vida en serio peligro'. «Al omne con el miedo nol sabe dulce cosa; / non tiene voluntad clara, la vista temerosa; / con miedo de la muerte la miel non es sabrosa; / todas cosas amargan en vida peligrosa» *(Libro de buen amor,* c. 1380).

2613-2615 'si se persigue a la mujer, se muestra humilde; si se siente entronizada ('en trono', 'con poder y mundo') entonces se muestra soberbia'.

2617-2620 «descomponella», 'ponerla a mal con el rey', porque don Enrique teme que la reina, en tanto esté en armonía con el rey, le induzca a hacerle pagar las afrentas cometidas contra ella en tiempos anteriores, y así pierda la privanza con el rey. D proponía «con que de su privanza».

porque teme, si en gracia el rey vive,
que le ha de dar de sus insultos cuenta,
porque de su privanza le derribe. 2620
Ésta es razón de estado, aunque violenta,
puesto que en interés villano estribe.
Pues contra quien recela el temor vano,
prudencia es el ganarle por la mano.

DIEGO. ¡Vive el cielo, afrentoso caballero, 2625
merecedor que desta suerte os llame,
que a no manchar mi siempre noble
                                    [acero
en vuestra sangre bárbara y infame,
el corazón doblado y lisonjero
os sacara del pecho! Cuando ame 2630
a la reina María, sin remedio,
amor no tome la traición por medio.
No me aborrece a mí porque desprecia
la casta voluntad que en ella empleo,
sino por dar a España otra Lucrecia, 2635
imitando a la viuda de Siqueo.
En más de su difunto esposo precia
la memoria que el yugo de Himeneo;

2624 «ganarle por la mano»: 'anticiparse a alguien en conseguir algo'.

2629 «doblado»: 'ambiguo', 'hipócrita'.

2630 «cuando» con valor concesivo: 'aun cuando', 'aunque'.

2632 «toma» propone H que siguen M y P 68, pero la misma editora acepta «tome» en la edición de 07.

2634 «que en ella empleo»: 'con el interés y entrega con la que yo la cortejo'.

2635 Lucrecia, dama romana esposa de Colatino y prototipo de mujeres castas, que habiendo sido asediada y violada por Sexto Tarquino, se suicidó incapaz de sobrevivir a su deshonra. Fue personaje tratado por algún destacado dramaturgo como Rojas Zorrilla.

2636 Dido, la fundadora de Cartago, que, por permanecer fiel a la memoria de su fallecido marido Siqueo, se suicidó antes que casarse con un rey vecino, Jarba, que la pretendía. La desgraciada historia de Dido-Elisa relacionada con Eneas (según la *Eneida)* fue motivo frecuentado por los trágicos del siglo XVI, como Cristóbal de Virués. Puede consultarse la documentada e importante monografía de María Rosa Lida *Dido y su defensa en la literatura española,* Madrid, Revista de Filología Española, 1942.

que a quien enlace el tálamo segundo,
no amante, incontinente llama el
[mundo.   2640
Si intenta conservarse Don Enrique
con el rey, busque medios más honrados;
que cuando esos ilícitos aplique
contra su reina, y imite otros privados,
por más quimeras que el temor fabrique,   2645
ejemplos hay presentes y pasados
del triste fin que tiene la privanza,
que por medios tan bárbaros se alcanza.
Y cuando la persiga, y no escarmiente,
y como mozo el rey mentiras crea,   2650
vasallos y armas tengo con que intente
hacer que sus engaños sienta y vea.
Ampararé a la reina que, inocente,
ha trocado la corte por aldea,
y mostrará mi amor noble y loable   2655
que es honesto y cortés, no interesable.
A Don Enrique dad esta respuesta,
y de mí le decid que jamás viva
seguro, mientras la virtud honesta
persiga en que la reina ilustre estriba.   2660

PADILLA.   Porque el amor ha visto que os molesta,
deseoso, Don Diego, que os reciba
la reina...

DIEGO.   Voyme, sólo por no oíros.

TELLO.   Andad, que presto habéis de arrepentiros.

(Vanse.)

2639 «enlaza» (D y sigue P68, pero no P07).
    2640 «no amante y incontinente» (PT). Es preferible la lectura que aquí se
elige, correspondiente al esquema tan gongorino y barroco «no A (sino) B».
    2641 «conservarse», 'mantenerse a bien', 'estar bien considerado'.
    2644 Al mencionar a los privados Tirso, por boca de su enfadado y leal per-
sonaje, empieza una personal diatriba contra los tales, como grandes peligros
de los malos gobiernos.

(Salen el REY, *el* INFANTE DON ENRIQUE, DON NUÑO
y DON ÁLVARO, *de caza)*[35].

REY.	¡Fértiles montes!	
ÁLVARO.	Notables.	2665
ENRIQUE.	Afirmarte dellos puedo,	
	que, aunque ásperos y intratables,	
	son los montes de Toledo	
	más fecundos y admirables	
	que los de África, alabados	2670
	de Plinio, por milagrosos.	
NUÑO.	Ésos fueron celebrados	
	por los partos monstruosos	
	de sus desiertos nombrados;	
	y en éstos, según las gentes	2675
	que los pisan nos informan,	
	cuando especies diferentes	
	de brutos se juntan, forman	
	varios monstruos y serpientes.	

---

[35] BS añade la localización de la escena: [*Los montes de Toledo*].

2670-2671 Refiriéndose a la cordillera del Atlas, en el norte africano, el naturalista clásico Plinio trata en su *Historia Natural* de las maravillas de tales montes. Así recuerda que, a causa de la escasez del agua, las grandes cantidades de bestias se concentraban en las riberas de los ríos. Y señala diversas variedades de animales híbridos («partos monstruosos» del v. 2673) de numerosas especies, apenas diferenciadas unas de otras (véase Libro V, cap. I).

2676 «que nos pisan nos informan» (PT). Errata ya corregida por G.

2677-2679 La referencias, casi maravillosas, que hace don Enrique, todavía impresionado por los comentarios naturalistas de Plinio que se acaban de recordar, tienen también un alcance simbólico y anunciador de lo que va a ocurrir a continuación, como indica muy sugerentemente Frederick A. de Armas (1978, pág. 188). Si según testimonio de los naturales de aquellos parajes se pueden encontrar verdaderos monstruos por la fusión genética de dos brutos distintos, don Juan aparecerá poco después ante el rey fingiéndose desgraciado reo y leal a su señor, para introducir en el ánimo del joven monarca la monstruosidad de una serie de cargos graves contra la reina, presentándola a su vez como un auténtico monstruo contra su hijo. Por otra parte se habla también de «serpientes» y ése —rastrero y tentador— va a ser el comportamiento del personaje encontrado en el escenario de la caza. «Pero Fernando no comprende esto —añade de Armas—, en vez de cazar este monstruo, se une a los lobos y va de caza de su propia madre.»

REY.	De más estima es la caza	2680
	que tienen, a que me inclino.	
ENRIQUE.	La que esta comarca abraza	
	es tanta, que hasta el camino	
	muchas veces embaraza.	
REY.	No pienso salir tan presto,	2685
	Infante, de su aspereza.	
ENRIQUE.	Ese ejercicio es honesto	
	y propio de la grandeza	
	de un rey.	
REY.	¡Escuchad! ¿Qué es esto?	

(Sale el INFANTE DON JUAN, *de labrador.)*

JUAN.	Ínclito y famoso rey,	2690
	feliz ya por ser Fernando,	
	en el valor el primero,	
	aunque en sucesión el cuarto:	
	si la justicia y prudencia	
	que mostró en sus tiernos años	2695
	Salomón, le ganó nombre	
	eternamente de sabio,	
	y a las puertas del gobierno	
	sobre el trono estáis sentado	
	de España, cuando Castilla	2700
	os pone el cetro en la mano,	
	imitad a Salomón,	
	y entrad deshaciendo agravios,	
	porque al principio os respeten	
	y adoren vuestros vasallos.	2705

2686 «aspereza», la espesura del bosque y del monte.

2691 La asociación que hace el personaje entre el nombre «Fernando» y la condición de «feliz» puede remitir a la etimología de dicho nombre, procedente de la antigua raíz germánica *Frithu*, de donde procede el moderno *friede*, 'paz', 'alianza'.

2695 Tirso alude a la notable actividad política que desempeñó el rey Salomón durante los primeros años de su asunción al trono, reinado que se extendió entre 978 y 931 a.C.

2703 'entrad en vuestro reinado', 'iniciad el reinado'.

Dejad, Fernando, las fieras
de estos montes solitarios,
y perseguid, justiciero,
las que os dañan en poblado;
que yo, temeroso de una   2710
que os pretende hacer pedazos,
huyendo a estos montes, juzgo
sus brutos por más humanos.
Cuando me llamaba España
con las damas cortesano,   2715
liberal con los amigos,
valiente con los contrarios,
discreto en conversaciones,
galán y diestro en saraos,
en las guerras victorioso,   2720
como en las paces bizarro,
por conservar mi privanza,
vivía lisonjeando;
callaba del poderoso
los insultos y pecados,   2725
que ha de alquilar el prudente,
mientras cursare el palacio,
la lengua al cuerdo silencio,
y todos los ojos a Argos.

2715 y ss. Esa enumeración de cualidades en boca de don Juan recuerda las
que pondera el poeta Manrique de su difunto padre: «¡Qué señor para criados
/ y parientes! / ¡Qué enemigo de enemigos! / ¡Qué maestro de esforçados / y
valientes! / ¡Qué seso para discretos! / ¡Qué gracia para donosos!»
2722 Don Juan se autodefine como «privado», encarnando, por tanto, el
papel político contra el que Tirso parece ir en esta comedia, dirigida al entorno político de Felipe IV, según se ha explicado en la Introducción.
2723 «lisonjeado» (H y P68). M, BS y P07 aceptan la forma en gerundio
de PT.
2724 y ss. Tirso encarna en la figura del Infante el prototipo del cortesano
que ha de procurar un cuidadoso equilibrio entre prudencia e hipocresía, una
manera de acercarse a la teoría de la *disimulación* y del *encubrimiento* de la que
habla Gracián en el *Oráculo manual* y en *El político*.
2729 Alusión mitológica a Argos, como el prudente vigilante por antono-
masia, con sus cien ojos. Se le encargó la vigilancia de Io.

Mas ya que hallé la verdad   2730
en este monte, enseñando
a las aves y a los peces
naturales desengaños;
donde líquidos espejos
están la cara mostrando   2735
a la verdad sin lisonja,
segura de afeites falsos;
donde arroyuelos y fuentes
se entretienen murmurando,
no a costa de honras ajenas,   2740
que es pasatiempo de ingratos;
donde, si aplauden las aves
al sol su cuna dorando,
es con verdades sencillas,
no con hipérboles vanos;   2745

2730-2755 Glosa del motivo horaciano del «beatus ille», combinado con el de alabanza de aldea / menosprecio de corte, resuelto en la antítesis de los vv. 2754-2755. D propone «ya encontré», y acepta tal propuesta P68; M, BS y P07 vuelven al texto de princeps, que es también el adoptado en esta ocasión.

2734 Los «líquidos espejos» son los arroyuelos o los ríos que atraviesan esos montes.

2737 «segura»: 'libre', 'exenta'. Ya Covarrubias condenaba los afeites femeninos con estas razones: «afeite, el adereço que se pone a alguna cosa para que parezca bien, y particularmente el que las mujeres se ponen en la cara, manos y pechos, para parecer blancas y rojas, aunque sean negras y descoloridas, desmintiendo a la naturaleza, y queriendo salir con lo imposible, se pretende mudar el pellejo [...] y pensando engañar se engañan [...] Es una mentira muy conocida y una hipocresía mal disimulada.» Nótese que en la expresión «afeites falsos» hay una implícita reiteración, casi una tautología.

2739-2741 «murmurando»: el murmullo o sonido del agua al fluir. Pero es evidente que Tirso también quiere sugerir el otro significado moral de la «murmuración», precisamente porque es lo que está haciendo, ante el rey, el propio don Juan: murmurar, hacer maledicencia de la propia reina, inventando además una conducta inmoral, o sea poniendo afeites en sus palabras (véase la nota anterior). Y además lo hace, a diferencia de los arroyos, «a costa de honra ajena», en este caso la de María de Molina. Por tanto, como paradójicamente afirma el personaje en el v. 2741, él mismo es un claro ejemplo de «ingrato».

2743 'porque dora y calienta el nido', 'en tanto que dora o calienta el nido'.

donde jamás miente a Flora
el siempre joven verano,
ni el estío adusto a Ceres,
ni el fértil otoño a Baco;
donde el encogido invierno   2750
sale decrépito y cano,
sin teñirse los cabellos
por desmentir a sus años.
Todo es mentira en la corte,
todo es verdad en los campos,   2755
y por esto aprendí dellos,
gran señor, el hablar claro.
La reina Doña María,
mujer de Don Sancho el Bravo,
Jezabel contra inocentes,   2760

2746-2749 Tres dioses mitológicos relacionados con la Naturaleza y sus fases
estacionales: la exultante exaltación floral de la primavera (joven verano), las re-
colecciones de cereales en estío (pese a la agresividad del calor) y de frutos en otoño. Ya Covarrubias advertía al definir la voz *estío* que el año se dividía en estos
segmentos: «el verano, el estío, el autumno, la hieme, o el invierno.»

2750-2753 El invierno lo asociamos, inicialmente, con la nieve (cabellos ca-
nos) y con la vejez, sin proponer disimularlo con afeites de ningún tipo («teñirse
sus cabellos»). Notemos que en todos los casos hay una *sinceridad* de la Naturaleza frente a los engaños que se quieren sugerir en el comportamiento de la reina,
lo que se formula como verdad general en los dos versos siguientes, 2754-2755,
que es una variante del topos «menosprecio de corte y alabanza de aldea».

2756-2757 El mentiroso que es don Juan, en su interesada maledicencia,
quiere hacer verosímiles sus acusaciones presentándose a sí mismo como alguien tan sincero como la misma Naturaleza, ya que vive en comunión con
ella. El v. 2757 dice en PT «gran señora el hablar claro», que es errata, ya corregida por G.

2760 Jezabel, esposa de Ajab, rey de Judea, fue famosa por su crueldad. In-
trodujo en su reino el culto heterodoxo a Baal y Astarté, mandó matar al pro-
feta Elías, lapidar a Nabot para apoderarse de sus bienes y persiguió encarni-
zadamente a los fieles de Yahvé. Murió arrojada por una ventana y devorada
por los perros callejeros (2 Reyes, 9).

2761 Atalía, hija de la anterior, y esposa del rey Josafat, ordenó, para reinar
en solitario, matar a todos sus descendientes, salvo a su nieto Joás, que fue pro-
tegido y salvado por el sumo sacerdote Joad y educado secretamente en el
templo, y que acabó siendo su sucesor (1 Reyes, 16, 29-22, 40; 2 Reyes, 11).
Racine compuso una tragedia coral —probablemente la mejor de su producción teatral— sobre este personaje, en la que se hace triunfar finalmente la legitimidad política. Pieza que no se representó hasta 1702.

Athalía entre tiranos,
por vivir a rienda suelta
en tan ilícitos tratos,
que para que no os ofendan,
los publico con callarlos,   2765
intentando libre y torpe
casarse con un vasallo,
y dándoos la muerte niño,
estos reinos usurparos.
De mi lealtad temerosa,   2770
porque me dio mi cuidado
noticia de sus intentos,
que dan voces los pecados,
viendo oponerme leal,
con armas y con vasallos   2775
a sus mortales deseos,
quitándome mis estados,
en la Mota de Medina
ha, invicto señor, diez años
que preso, por inocente,   2780
lloro desdichas y agravios.
Supe, gracias a los cielos,
que vuelto el siglo dorado,
el gobierno de Castilla
resucita en vuestra mano,   2785
y que esta Athalía cruel
se ha recogido, llevando

2765 «los públicos» (PT) corregido por G.

2771 «cuidado»: 'prevención'.

2777-2778 «quitado me ha mis estados / y en la Mota» (lectura de H, que
no aceptan los modernos editores).

2779 «trabajos»: 'sufrimientos', 'padecimientos'. También en el v. 2841.

2780 Ya doña María había ordenado, respecto al Infante, que «en la Mota
de Medina / estaréis, Infante, preso» (vv. 2203-2204). X. A. Fernández (pág. 596)
señala una cierta incoherencia en la expresión «preso por inocente» y propone
esta otra lectura: «que preso, pero inocente», si bien reconoce el mismo Fernández que al colocar una coma después de *preso,* se evita la contradicción. Es
solución que aquí se adopta.

2783 Alusión a la Edad de Oro cantada por don Quijote unos años antes.

los esquilmos destos reinos
por su ambición disfrutados,
y fiado en mi inocencia,　　　　　　　　　2790
y en la lealtad de un criado,
hechas las sábanas tiras,
del homenaje más alto
descolgándome una noche,
como me veis disfrazado,　　　　　　　　2795
entre esos montes desiertos
ha cuatro meses que paso.
Si el poco conocimiento
que tenéis de mis trabajos,
pone mi crédito en duda,　　　　　　　　2800
y a persuadiros no basto
a la justa indignación
de vuestra madre, Fernando,
Don Juan soy, Infante y hijo
del rey Don Alfonso el Sabio;　　　　　　2805
mi sobrino os llama el mundo,
y yo mi señor os llamo.
Ved si es razón, rey famoso,
que pobre y desheredado
habite silvestres montes　　　　　　　　2810
vuestro tío, y que, triunfando
de la lealtad la traición,
coma las yerbas del campo.
Testigos de mi inocencia,
y del gobierno tirano　　　　　　　　　　2815
de vuestra madre cruel,
son seguros y abonados
el Infante Don Enrique,
hijo de Fernando el Santo,
Don Álvaro, Nuño, Tello...　　　　　　　2820
Mas, ¿para qué alego en vano

2793 «torre del homenaje», la torre más alta de un castillo o fortaleza. Su
nombre se debe a que en tal lugar el noble juraba fidelidad al monarca (véase
Partidas, II, xiii).
2802-2803 'a indignaros contra vuestra madre'.

Compañía Ana Mariscal. Madrid, Plaza de las Salesas, 1982.
Biblioteca de la Fundación Juan March.

```
                corta suma de testigos,
                cuando el reino despechado,
                los vasallos destruidos,
                los leales desterrados,              2825
                los ricoshombres ya pobres,
                abatidos los hidalgos,
                y todo el reino perdido,
                voces al cielo están dando?
                Sol de España sois, señor,           2830
                deshagan los rayos claros
                de la justicia las nubes
                que su luz han eclipsado;
                y posponiendo respetos
                de madre, pues sois amparo            2835
                de Castilla, dad prudente
                remedio a tan ciertos daños,
                y vuestros pies generosos
                a un Infante desdichado,
                que juzga, viéndoos reinar,           2840
                por venturas sus trabajos.
REY.            Levantad, ilustre tío,
                del suelo, que estáis dañando
                las generosas rodillas,
                y dadme los nobles brazos;            2845
```

2830 Téngase en cuenta lo indicado en la nota al v. 733.

2834-2836 Don Juan viene a decirle a su sobrino que debe antes actuar como rey que como hijo: lo público ha de tener prelatura ante lo privado.

2842-2864 Toda esta tirada la reduce Hartzenbusch, en su refundición de 1858, a los siguientes ocho versos (en un nuevo ejemplo del drástico proceso de reducción y adaptación que realizó don Juan Eugenio):

> Tío, sacado me habéis
> lágrimas que os están dando
> los pésames del rigor
> con que el tiempo os ha tratado.
> De mi madre os querelláis
> mucho: negocio tan arduo,
> bien me parece que pide
> que lo averigüe despacio.

2843 «bañando» (PT) errata que no corrige G.

Compañía Ana Mariscal. Madrid, Plaza de las Salesas, 1982.
Biblioteca de la Fundación Juan March.

que habéis sacado a los ojos
lágrimas que os están dando
los pésames del rigor
con que el tiempo os ha tratado.
Con vuestras quejas he oído   2850
la mala cuenta que ha dado
mi madre de su gobierno;
pero negocio tan arduo,
aunque Don Enrique alega
lo que vos, y ha provocado   2855
mi severo enojo, pide
que lo averigüe despacio.
Contento estoy con la caza
que en estos desiertos hallo,
pues siendo vos su despojo,   2860
a vuestro ser os restauro.
Vuestros estados os vuelvo,
dándoos el mayordomazgo
mayor de mi casa y corte.

JUAN.   Reinéis, señor, siglos largos.   2865
ENRIQUE.   Para gozarlos seguro
es, gran señor, necesario
que a los principios cortéis
a los peligros los pasos.
A lo que el Infante ha dicho   2870
contra vuestra madre, añado
que es Don Juan Caravajal
el que en ilícitos tratos
con la reina ofende torpe

2853 «pero en negocio tan arduo» (PT). X. A. Fernández señala que es incorrecta la preposición que antecede a *negocio*, sustantivo que ejerce la función
de sujeto del verbo *pide* del v. 2856. H eliminó dicha preposición, solución
que adopto, sin bien M, BS y P07 mantienen la lectura de PT.

2856 El sujeto de ese verbo «pide» es el «negocio» del v. 2853.

2863-2864 Según la *Crónica* (126a-128a) durante el año 1302 dicho oficio
fue ejercido por Juan Núñez de Lara, don Enrique y don Pero Ponce.

2866 «para gozarlo» (D, al que sigue P68). M, BS y P07 retornan, como
aquí, a la forma de PT, concertada con el plural «siglos» del verso anterior.

2868 «a los principios»: 'nada más iniciados'.

la memoria de Don Sancho,   2875
vuestro padre, y ambicioso
el reino intenta usurparos.
Para esto ofrece la reina
que al de Aragón dé la mano
la Infanta Doña Isabel,   2880
vuestra hermana, y que entre armado
en Castilla, cuyo reino
le entregará, porque amparo
dé a sus livianos deseos.
En León los dos hermanos   2885
Caravajales intentan,
por ser tan emparentados,
juntar sus deudos y amigos,
y del reino apoderados,
alzar por Doña María   2890
banderas, y despojaros
de vuestro real patrimonio.
Para esto tiene usurpados
diez cuentos de vuestra renta

2878 y ss. La maniobra de don Enrique y de otros nobles para enemistar se-
riamente al rey con su madre se recoge en la *Crónica de Fernando IV* (124a):
«Señor, sabed que la reina vuestra madre vos pone en alborozo todos los concejos que aquí ayuntasteis, e cierto sed que non podría ella catar ninguna carrera para facer vos perder el reino tal como está, e así podedes entender lo que
vos decimos, que más querría ella los reinos de Castilla e de León para don Alfonso, que se llama rey de Castilla, fijo del Infante don Fernando [de la Cer-
da] e que casase con la infanta doña Isabel, vuestra hermana, que non para
vos.» Tirso sustituye al rey de Aragón por el Infante don Alfonso, si bien en la
realidad Sancho IV ya había adelantado unas negociaciones para casar a su hermana Isabel con don Jaime II de Aragón, cuando sólo contaba la edad de doce
años. Pero como la muerte de don Sancho se produjo antes de que se consu-
mara este matrimonio, el rey de Aragón dio por disuelto el compromiso, ale-
gando que no podía conseguirse la dispensa papal por la consanguinidad de los
contrayentes, como lo señala Zurita en sus *Anales*. A finales del reinado de Sancho IV se apalabró el casamiento de su hija Isabel con el rey de Aragón Jaime II,
compromiso que luego el mismo monarca se encargó de rescindir.
2890-2891 «alzar banderas» o «levatar banderas» equivalía a «conspirar, hacer oposición a su soberano u a otra persona» *(Dic. Aut.)*.
2894 Los dos instigadores, don Juan y don Juan Núñez de Lara, le hacen
ver al rey que su madre había dispuesto de las joyas de la corona y de cuatro

	a costa de pechos varios,	2895
	que mientras tuvo el gobierno	
	la dieron vuestros vasallos.	
	Mirad, gran señor, si piden	
	la diligencia estos casos,	
	con que ataja inconvenientes,	2900
	y imposibles vence el sabio.	
REY.	¡Válgame el cielo! ¿Es posible	
	que mi madre haya borrado	
	la fama, con tal traición,	
	que su nombre ha eternizado?	2905
	¡Contra mí mi madre misma,	
	y en deshonestos abrazos	
	las cenizas ofendiendo	
	de mi padre el rey Don Sancho!	
	¡Jesús!, no puedo creerlo;	2910
	pero pues lo afirman tantos,	
	que con lealtad acreditan	
	la verdad, ¿de qué me espanto?	
ÁLVARO.	Lo menos, señor, te han dicho	
	de lo que pasa, que es tanto	2915
	que excede a cualquier suma.	
NUÑO.	Si yo por testigo valgo,	
	afirmarte, señor, puedo	
	que si no acudes temprano	
	al peligro de Castilla,	2920
	no has de poder remediallo.	
REY.	Alto, pues, vasallos míos;	
	no es posible que haya engaño	
	en vuestros hidalgos pechos:	
	creeros quiero a los cuatro.	2925

---

cuentos al año desde que había asumido la regencia: «e fuéronse luego para el
rey, e afirmáronle que mayor cuantía que la reina su madre levara ende cada
año que los cuatro cuentos que avíen dicho» *(Crónica de Fernando* IV, 124b).
Para la voz «cuento», véase nota al v. 1596.

2898-2901 'si estos casos piden la diligencia con que el sabio ataja incon-
venientes y vence imposibles'.

2912 «acredita» (PT) errata corregida por D.

2913 «me espanto»: 'me admiro', 'me sorprendo'.

Mi madre es mujer y moza;
quedó el gobierno en su mano;
el poder y el amor ciegan;
no hay hombre cuerdo a caballo.
Si por tantos años tuvo   2930
estos reinos a su cargo,
¿qué mucho, siendo ambiciosa,
que sienta agora el dejarlos?
El derecho natural
perdone; que de dos daños   2935
se ha de elegir el menor.
Castilla me pide amparo,
mi madre la tiraniza,
y pues conspira, afrentando
la ley de naturaleza   2940
contra quien el ser ha dado,
hoy mi justicia dé muestras
que contra insultos y agravios
no hay acepción de personas,
sangre, ni deudos cercanos.   2945
Pues sois ya mi mayordomo,
y estáis, Infante, agraviado,
tomad a mi madre cuentas,
hacelda alcances y cargos
de las rentas de mis reinos;   2950
y si no igualan los gastos
a los recibos, prendelda.

JUAN.   No me mandéis...

2929 Es un modo de sintetizar, en una frase lapidaria, lo afirmado en los
versos precedentes. Esta sentencia tiene bastante que ver con la sentencia metafórica «el amor es un potro desbocado».

2935-2936 Otra forma de plantear el dicho «del mal el menos».

2941 'contra aquel al que ella le ha dado el ser'; es decir, 'contra mí'.

2944 «acepción»: 'excepción', 'favoritismo'.

2948-2952 Estas palabras de Fernando podemos conectarlas con la actitud
contra la madre de Constantino en la obra de Tirso *La república al revés:* «To-
maré por achaques de prenderla / que levantarse quiso. Llama a Andronio /
haz que a mi madre ponga en una torre» (I, vv. 541-543). El v. 2949 debemos
entenderlo como 'exigidle la devolución de provechos y daños'.

REY.   Esto os mando.
                    Prended también los traidores
                    Caravajales; que entrambos   2955
                    han de dar a España ejemplo,
                    viéndolos en un cadahalso.
                    Juan Alfonso Benavides
                    debe ser también tirano:
                    en Santorcaz esté preso;   2960
                    que así al reino satisfago.
                    Ni el ser mi madre la reina,
                    ni yo de tan pocos años,
                    me impedirán que no imite
                    en la justicia a Trajano;   2965
                    y pues soy, naturalmente,
                    a la caza aficionado,
                    a caza he de ir de traidores
                    antes que a fieras del campo.
                    Don Juan, aqueste es mi gusto;   2970
                    no pongáis, con dilatallo,

2957 Esta previsión de don Fernando habría de resultar premonitoria,
pues, en efecto, los dos hermanos habrían de morir, tiempo después, senten-
ciados por el Emplazado.

2959 «tirano»: 'detestable, dañino'.

2960 De la localidad madrileña de Santorcaz dice Madoz (*Diccionario geo-
gráfico-estadístico-estático de España y sus posesiones de Ultramar,* 1849) que «tuvo
un castillo con una estrecha cárcel, en la que fueron encerrados diferentes reos
de consideración». El tal castillo está cerca de Alcalá de Henares.

2965 El emperador Trajano fue ejemplo de excelente y justo gobierno durante el Imperio Romano, por lo que llegó a ganarse el sobrenombre de «Óp-
timus». Fue natural de Itálica, en Hispania. El «relacionero» del siglo XVII An-
drés de Almansa y Mendoza ya comparaba al joven Felipe IV con el mencionado emperador romano, como sugiere Tirso. Así en la *Carta nona* podemos
leer: «Esta monarquía de las Españas... espera el más feliz tiempo que jamás ha
gozado desde que se desmembró del romano imperio, porque el Rey Nuestro
Señor, a quien Dios guarde, es un segundo Trajano o Teodosio» (cito por la
edición de la *Obra periodística* de Almansa, a cargo de Henry Ettinghausen y
Manuel Borrego, Madrid, Castalia, 2001, pág. 239). Ya Manrique elogiaba a
su padre, en cuanto a su ecuanimidad, diciendo de él que «en la igualdad un
Trajano». Pero no se olvide, también y para ponerlo en parangón con la persecución que emprende Fernando IV contra su madre, que el emperador Trajano decretó la tercera persecución de los cristianos.

	en continencia mi enojo,	
	si pretendéis conservaros.	
JUAN.	Servirte sólo pretendo.	
REY.	Por los cielos soberanos,	2975
	que ha de quedar en el mundo	
	nombre de Fernando el cuarto.	

(Vase.)

JUAN.	Esto es hecho, Don Enrique.	
ENRIQUE.	Dadme, sobrino, los brazos	
	en que estriba nuestro aumento,	2980
	y por vuestro ingenio gano.	
JUAN.	Quitemos aqueste estorbo;	
	que si una vez derribamos	
	la reina, no hay que temer.	
ENRIQUE.	Para eso yo solo basto.	2985
JUAN.	Mas escuchad, si os parece,	
	la traza que he imaginado	
	para que los dos reinemos,	
	que es sólo lo que intentamos.	
	A la reina tengo amor,	2990
	sin que el tiempo haya borrado	
	con injurias y prisiones	
	de mi pecho su retrato.	
	Si por verse perseguida	
	de su hijo, que indignado	2995
	ponella manda en prisión,	
	su honor y fama arriesgando,	
	con nosotros se conjura,	
	y ofreciéndome la mano	

2972 «en contingencia», 'en riesgo', 'en la posibilidad de aminorarlo o anularlo'.

2982 «estorbo», alusión con intención despectiva a la propia reina. «E de allí adelante iban buscando mal con el rey a la reina su madre muy feamente, e decían della e asacábanle muchas enemigas e muchas falsedades para emponerlo contra ella lo más crudamente que ellos podían» *(Crónica de Fernando IV,* 121b).

255

	de esposa, que esto y más puede	3000
	en la mujer un agravio,	
	de la corona y la vida	
	al mozo rey despojamos,	
	¿qué dicha no conseguimos?,	
	¿qué temor basta a alterarnos?	3005
	Vos reinaréis, Don Enrique,	
	en todo el término largo	
	que abarca Sierra Morena,	
	y yo en Castilla gozando	
	el apetecido cetro,	3010
	si con la reina me caso.	
	Daré Trujillo a Don Nuño,	
	y a Don Álvaro otro tanto.	
ENRIQUE.	Si eso con ella acabáis	
	habréis, Don Juan, dado cabo	3015
	a mi esperanza y temores.	
ÁLVARO.	La traza prudente alabo.	
NUÑO.	Infante, si a efeto llega,	
	conquistad el pecho casto	
	de la reina, y habréis hecho	3020
	un prodigioso milagro.	
JUAN.	Eso a mi cargo se quede.	
	Venid: firmemos los cuatro,	
	para más seguridad,	
	la palabra que le damos	3025
	de ser todos en su ayuda	
	contra el rey, pues de su mano	

3012 Trujillo es ciudad extremeña, cercana a Cáceres, plaza fuerte con imponente castillo.

3015 «haber dado cabo»: 'haber resuelto finalmente', 'haber concluido'. A título de curiosidad, anotaré los dos lacónicos versos en los que quedan convertidos los tres barrocos de Tirso (3014-3016) en la refundición de Hartzenbusch representada en 1858:

> ENRIQUE. Si eso conseguís, haréis.
> poco menos que un milagro.

3027 Esa mano es la de la reina, que es quien ha de conceder lo que se presume o se imagina.

	la fortuna nos corona	
	en Castilla.	
ENRIQUE.	Vamos.	
LOS OTROS.	Vamos.	

(Vanse.)

(Sale la REINA *y los* CARAVAJALES*)*[36].

REINA.	Ya gozaré con descanso	3030

REINA.
Ya gozaré con descanso   3030
lo que mi quietud desea:
el sosiego de la aldea,
su trato sencillo y manso,
las verdades, que en palacio
por tanto precio se venden,   3035
las palabras que no ofenden,
la vida que aquí despacio
con tiempo a la muerte avisa,
el quieto y seguro sueño,
que en la corte es tan pequeño,   3040
como su vida de prisa.
No sé cómo encareceros
el contento que recibo
de ver que ya libre vivo
de engañosos lisonjeros,   3045
de aquel encantado infierno,
adonde la confusión
entretiene a la ambición
con el disfraz del gobierno.
¡Gracias a Dios que he salido   3050
de aquel laberinto extraño,
donde la traición y engaño,

---

[36] [*Entrada a la villa de Becerril*] BS.

3030-3059 Se formula aquí el topos de «alabanza de aldea, menosprecio de corte» al tratar del retiro de la reina en «el sosiego de la aldea» de Becerril. La expresión «el sosiego de la aldea» sirve para indicar que estamos en un nuevo lugar, el pueblo de Becerril.

3048 «entretiene la ambición» (H y P68).

	trocando el traje y vestido	
	con la verdad desterrada,	
	vende el vidrio por cristal!	3055
	¡Oh carga del trono real,	
	del ignorante adorada!	
	La alegre vida confieso	
	que sin ti segura gozo:	
	Fernando, que es hombre y mozo,	3060
	podrá sustentar tu peso;	
	que no poca hazaña ha sido,	
	siendo yo flaca mujer,	
	el no haberme hecho caer	
	diez años que te he traído.	3065
CARAVAJAL.	Los requiebros amorosos	
	con que vuestra majestad	
	celebra la soledad	
	sin temores ambiciosos,	
	son muestras de la virtud	3070
	que en su cristiandad emplea.	
PEDRO.	No hay medicina que sea	
	más conforme a la salud	
	que la simple, porque daña	
	nuestra vida la compuesta;	3075
	y si en la corte molesta	

3055 'engaña innoblemente'.

3059 «sin ti», aludiendo a la carga del gobierno real, del trono real.

3065 El mismo número de años que, según, don Juan, había estado preso en el castillo de la Mota. Naturalmente que no es una cifra veraz, pero sirve para que el receptor empareje la distinta suerte de los dos personajes: el uno gobernando y el otro preso, por sedición contra ese mismo gobierno. El mismo número de años se reitera en el v. 3261. El pronombre átono vuelve a referirse al gobierno ejercido. Cuando Fernando IV muere el 6 de septiembre de 1312, a la edad de veintiséis años y nueve meses (si bien la *Crónica* señala equivocadamente la fecha de 1310 como la de la muerte) tiene ya un hijo de un año que reinará posteriormente como Alfonso XI, y doña María ha de ser de nuevo regente del reino hasta su muerte en 1321 *(Crónica de Alfonso XI,* 192b).

3074 En la farmacopea de la época los términos «simple» y «compuesta» se aplican en sentido estricto. Recuérdese el pasaje del *Quijote* (I, xvii) cuando el caballero prepara el bálsamo de Fierabrás («él tomó sus simples [romero, aceite, sal y vino], de los cuales hizo un compuesto, mezclándolos todos...»).

           no se estima quien no engaña,
           y vive la compostura
           a costa de la lealtad,
           aquí la simplicidad   3080
           más la salud asegura.
           Mil años su estado firme
           goce, y su quietud sencilla.

(*Salen* BERROCAL, TORBISCO, GARROTE, NISIRO *y* CRIS-
TINA, *pastores, y uno con vara.*)

REINA.   Los vecinos de mi villa
              han salido a recibirme[37].   3085
TORBISCO.   ¿Sabréis decille la arenga
              que os encomendó el concejo?
BERROCAL.   Entre la carne y pellejo
              del calletre hago que venga;
              como no se quede allá,   3090
              vos veréis cual la rempujo,
              si una vez la desborujo.

---

[37] BS añade la acotación [*Hablan los pastores entre sí*].

3084-3085 Esta bienvenida de los rústicos es muy parecida a la que encontramos en la obra *La república al revés*, cuando la emperatriz llega a la aldea a la
que se retira, y agradece los regalos y cuidados recibidos liberándola de impuestos durante veinte años, a lo que responde el rústico Dinampo: «Otros veinte, / ¿veinte dije?, veinte mil / tenga de vida y salud / su merced» (I, vv. 633-636).
3086 Adviértase el incorrecto, y humorístico, uso del vocablo, equivalente
a 'saludo', 'discurso' o 'sermón' de bienvenida y petición.
3087 El Concejo era el consistorio municipal, el ayuntamiento, o sea la
asamblea formada por la totalidad de vecinos de la villa, especialmente los cabezas de familia o propietarios, con sus derechos garantizados a través de los
fueros municipales, «consejo» (PT) corregido por G.
3091 «la rempujo»: 'la echo fuera', 'la lanzo', referido a la «arenga».
3092 «lo desborujo» (PT). Errata evidente del pronombre átono, que debe
ser «la», pues sigue refiriéndose a la *arenga* del v. 3086, como ya lo vio D. «desborujo», 'burujo' o ''borujo', que, según Covarrubias, era la pepita y el ollejo
de las uvas, después de ser pisadas, o de la aceituna después del primer prensado. El personaje quiere decir que empezará a hablar una vez que haya
prensado, o preparado, lo que tiene que decir, y que está memorizado en
su cabeza.

GARROTE.	Aquí la reinesa está:
	no hay, Berrocal, son echallo.
BERROCAL.	Dios vaya conmigo, amén.	3095
	Pero, aho, ¿no será bien,
	si la he de habrar, repasallo?
CRISTINA.	Agora es descortesía.
BERROCAL.	¿Antes que empuje el sermón
	el fraile, no suele Antón	3100
	pasalle en la sacrestía?
	Hed cuenta que estoy allá.
NISIRO.	Vaya, pues.
TORBISCO.	Atento espero.
BERROCAL.	Escupo, pues, lo primero.

(Escupe.)

	¿No he escupido bien?
CRISTINA.	¡Verá!	3105
	Pues, ¿qué habilencia es aquésa?
BERROCAL.	¿Pensáis vos que no es trabajo
	saber echar un gargajo
	delante de una reinesa?
	Oír bien, empiezo ansí:	3110

3093 La voz «reinesa» está conseguida sobre el modelo «marquesa, condesa, duquesa», etc.

3094 «son»: 'sino' (sino > sono > son).

3101 «pasalle»: 'repasarlo', 'ensayarlo', 'practicarlo' (como «se pasa» un papel en el teatro, entre los actores).

3104 Antes de iniciar un discurso, era propio del actuar rústico, como para aclararse la voz, toser y escupir. En *Quijote* (I, xxx): «prevenídose con toser y hacer otros ademanes... comenzó a decir.»

3105 Este verbo, que se usa en sayagués como equivalente a la segunda persona («verás») equivale a la voz 'verdad' ['dices verdad'].

3106 «habilencia»: 'habilidad', probablemente por cómica contaminación con «inteligencia».

3110 «Ori». Esta voz aparece registrada en el *Vocabulario de Germanía*, de Juan Hidalgo (Barcelona, 1609, reeditado en el libro de John M. Hill, *Poesías germanescas*, Indiana University, 1945). Allí se explica lo siguiente: «Ori, es una voz llamando, como decir Ola». Es leonesismo que Tirso usa con una intención cómica. Gillet sugiere que se trata de una alternativa vulgar del imperativo «oíd».

```
              «El cura y el regidero...»
              No, ell Alcalde va primero,
              y es bien espenzar por mí.
              «Yo ell alcalde Berrocal,
              y Cristina de Sigura...»                      3115
              Mas llevar de zaga al cura,
              que es crergo, paece mal.
              «El cura Miguel Brunete,
              que se pica de estordiante...»
              Mas tampoco han de ir delante          3120
              cuatro esquinas de un bonete.
TORBISCO.     Alcalde, acabemos ya,
              que esperan.
BERROCAL.                       ¡Válgamos Dios!
              Mas vámosla a habrar los dos;
              que yo lo compondré allá.                     3125

(Llegan.)

              «Señora: el cura y alcalde...»
              Digo: «ell alcalde y el cura»,
              que aunque ir delante percura
              pardiós que trabaja en balde,
              «y el concejo del lugar...»                   3130
              Pero soy un majadero;
              que había de escupir primero.
              Escupo, y vuelvo a empezar.
```

3111 «regidero» por «regidor», sustituyendo el sufijo correcto por el habitual de los oficios en -ero (carpintero, herrero, mulero, guardicionero, etc.).

3112 El sayagués palataliza la forma del artículo ante palabra que empieza por vocal o en uso proclítico.

3116-3117 «llevar de zaga»: 'dejar alguien detrás, en retaguardia'. La voz «crergo» (= clérigo) recupera su significado medieval de 'hombre culto, instruido'.

3121 Referencia al diseño del bonete o birrete del cura, acabado en cuatro puntas (diseño luego recogido por los jesuitas), si bien el autor procura, por medio del personaje, un juego de palabras entre «cuatro esquinas» y «bonete».

3128 «percura» = «procura». Es frecuente en sayagués la utilización del prefijo per- en lugar de pro o para intensificar la expresión. Cfr. F. Weber de Kurlat, «Latinismos arrusticados en el sayagués», *NRFH*, I, 2 (1947), págs. 167-170.

3130 «consejo» (PT) corregido por G.

(Escupe.)

«El Cura, que es nigromante,
y los ñublados conjura...»   3135
¡Válgate el diablo por cura!
¡Qué amigo que es de ir delante!
«El cura y yo Berrocal,
alcalde, después de Dios...»
El cura y yo somos dos...   3140
«Pero Gordo y Gil Costal,
Juan Pablos, y Antón Centeno...»
Mas Juan Pablos ya murió;
que una correncia le dio,
y era el vecino más bueno   3145
que tuvo en Castilla el rey;
muriose como un jilguero,
porque se merendó entero
el menudillo de un buey.
El cielo dejaba raso,   3150
si a nublo sobía a tañer;
quedó viuda su mujer

3134 Se procuraban conjurar las tormentas, y el pedrisco consecuente, con
la aspersión de agua bendita en el aire y con el fuerte toque de campanas
(«toque de nublo»; véase el v. 3150). En la obra de Tirso *El pretendiente al revés*
(acto III) leemos:

> Esta es la hora que el cura
> metido en la igreja en folla,
> nubes hisopa y conjura.

3144 «correncia» vale por indisposición intestinal, por 'deposición' o 'diarrea'.
3148 «merendar» lo define Covarrubias como «en rigor vale lo que se comía
al mediodía, que era poca cosa, esperando comer de propósito a la cena...».
3149 «los menudillos» son las vísceras del cerdo. Aquí el personaje usa el
término refiriéndose a los órganos internos del buey, que vendrían a ser una
opípara comida poco digerible.
3150-3151 Tal vez quiere decir el personaje que el aludido tocaba tan fuerte las campanas que si el cielo estaba nublado, lograba dispersar las nubes. El
«toque de nublo» se utilizaba para «ahuyentar» y evitar las nubes amenazantes
para las cosechas, sobre todo en verano.

Crespa, mas vamos al caso.
«Digo, pues, que cada uno,
y todos mancomunados,   3155
en *sollidum* concertados,
sin que discrepe ninguno,
habemos salido aposta
del lugar de Becerril
con la gaita y tamboril...»   3160
Lo que toca a la langosta,
mos afrige a cada paso.

GARROTE.   Pues eso, ¿qué tiene que ver?
BERROCAL.   ¿Hérselo todo saber,
               no es bien? Mas vamos al caso.   3165
               «Como a vivir viene aquí
               su maldad...»

NISIRO.   Su Majestad,
               bestia, di.

CRISTINA.   ¡Qué necedad!

BERROCAL.   «Su Majestad, bestia, di;
               dalla el parabién percura;   3170
               y asina la sale a honrar...»
               No hay reloj en el lugar;
               pero el albéitar nos cura;
               y aunque por Gila me abraso,
               la vez que habralla me llego,   3175

3160 Los dos típicos instrumentos rústicos castellanos, muchas veces toca-
dos por una misma persona.
3161-3162 Alusión a las temidas plagas que acababan con las cosechas y
provocaban las ruinas de los agricultores. Entre 1619 y 1623 hubo varias de-
vastadoras plagas de langostas. El asunto interesó a Juan de Quiñones en su
Tratado de las langostas, publicado el primero de los años citados. «Mos» es forma rústica por «nos».
3167 «maldad» por «majestad». Prevaricación idiomática totalmente propia
del habla rústica, con indudables efectos cómicos.
3173 El albéitar era el veterinario, con frecuencia el herrero, que solía actuar
igualmente de médico en los medios rurales. Dice de este oficio Covarrubias,
«es el que echa las herraduras a las cabalgaduras, y suele estar injerido en
albéitar».

me dijo: «Jo, que te estriego.»
Pero en fin, vamos al caso.
«Mándemos su jamestá;
que hella mercé, es mueso gusto,
y siendo reinesa, es justo   3180
cagamos su volutá.»

REINA.   La que el lugar me ha mostrado,
estimo como es razón,
y más de la comisión
que a vos, Alcalde, os ha dado,   3185
que habéis estado elocuente.
La vara os doy de por vida.

3176 «yo que te estriego» (PT) corrección hecha por D. La expresión forma parte de un refrán recogido por Hernán Núñez *(Refranes o Proverbios en romance que coligió y glosó el Comendador Hernán Núñez y la filosofía vulgar de Juan de Mal Lara en mil refranes glosados,* Lérida, 1621): «Xo, que te estriego, burra de mi suegro.» El comentarista de Núñez, Juan de Mal Lara, explica así el origen y sentido de esta expresión (fol. 340): «Entre las cosas que dieron en casamiento a un aldeano, fue una burra que era la mayor alhaja, y el mancebo curábala bien; y entre los beneficios que le comenzó a hacer, fue estregarla, y como la burra no estaba hecha a aquellos regalos, tiraba de coces. El aldeano, por amansarla, decíale, por bien y palabras, quién era ella y cuya, el oficio y buena obra de estregarla. Declara la glosa que el buen tratamiento causa muchas veces daño o deshonesto atrevimiento. Aplícase a la mujer cuando no miran lo que por ellas se hace, así les queda bien el refrán de «Xo, que te estriego.» Correas da otras dos formas de este proverbio: «jo, que te estriego, burra de mi suegro» y «jo, que te estreno, burra, o hijo de mi suegro» *(Vocabulario de refranes),* aludiendo a la mujer que se muestra indiferente a las atenciones del marido. Por su parte, Rodríguez Marín *(Más de 21.000 refranes castellanos...,* Madrid, 1926) añade esta otra variante: «jo, que te estriego, asna coja.» Según Covarrubias, se podía aplicar este refrán a todos aquellos que «haciéndoles bien y tratando de su negocio propio, son mal sufridos y se sienten y se enojan del mesmo bien que les hacen». M proponía «me dice» en vez de «me dijo».

3179 «hella»: 'hacerla'.

3178-3181 Éste sería el sentido: 'mándenos su majestad, que hacerle merced es nuestro gusto y, siendo reina, es justo que hagamos su voluntad.'

3182 'la voluntad de los aldeanos mostrada a través de la comparecencia y de las palabras de salutación del alcalde'.

3187 y ss. Berrocal parece entender en la expresión de la reina «por vuestra vida» que se refiere al tiempo de duración de su mando, simbolizado en su vara de alcalde, y en la fragilidad de ésta, y no a la duración «sine die» de dicho cargo de regidor de la aldea.

BERROCAL.	Aquésta ya está podrida,	
	démela por otras veinte;	
	que soy en las fiestas loco,	3190
	y como hay muchachos malos	
	quiébrolas a puros palos	
	y ansí pueden durar poco;	
	y una vara de por vida,	
	¿qué vale, quebrándose hoy?	3195
REINA.	Por vuestra vida os la doy.	
BERROCAL.	Eso, bien. Lléguese y pida	
	josticia, si sentenciar	
	en el concejo me ve,	
	que por hacella mercé,	3200
	yo la mandaré ahorcar.	

(Vanse.)

(Salen DON JUAN, DON NUÑO *y* DON ÁLVARO.)

ÁLVARO.	La reina está aquí y también	
	los Caravajales.	
JUAN.	Tengo	
	a dicha el tiempo a que vengo[38].	
	Los dos a prisión se den.	3205
CARVAJAL.	¿Nosotros? ¿Por qué ocasión?	
JUAN.	¡Bueno es que ocasión pidáis,	
	desleales, cuando estáis	
	iniciados de traición!	

---

[38] BS añaden esta acotación referida al movimiento escénico del personaje, que no figura en el texto de PT: [*llegándose a la reina y los Carvajales*].

3197-3201 Efecto cómico que, sin embargo, refleja la impetuosa devoción popular de los lugareños por la reina: 'por hacerle algo grato, la haré, si quiere, ajusticiar.'

3204 «el tiempo que vengo» (PT). La corrección la hizo G probablemente teniendo en cuenta la expresión «venir a tiempo». P07 retorna a la lectura de la *princeps*.

3209 «iniciados», 'con indicios', 'imputados'. En las *Partidas* ya estaba prevista la pena máxima en la que incurría quien sacase armas o insultase en presen-

PEDRO.	Si no estuviera delante	3210
	la reina, nuestra señora,	
	pudiera un mentís agora	
	daros la respuesta, Infante.	
JUAN.	¡Oh, villanos!, brevemente	
	vuestros castigos darán	3215
	muestras de quién sois.	
REINA.	Don Juan,	
	¿sabéis que estoy yo presente?	
	¿Sabéis que la reina soy?	
	¿Cómo llegáis indiscreto	
	a prender, sin más respeto,	3220
	ninguno donde yo estoy?	
JUAN.	Cumplo, señora, mi oficio.	
REINA.	Cuando yo a enojarme llegue...	
JUAN.	Vuestra Alteza se sosiegue,	
	que esto es todo en su servicio.	3225
REINA.	¿En mi servicio prender	
	los que me sirven a mí?	
JUAN.	El rey lo ha mandado ansí.	
REINA.	Si él lo manda, obedecer	
	como vasallos leales;	3230

---

cia de los reyes: «los antiguos de España, que tuvieron que faría aleve el que sacaba arma delante del rey para ferir a otro, maguer non lo feriese; o si le dice palabras de denuesto, de guisa que el otro oviese a pelear con él, fuera ende, si el denuesto fuese en razón de riepto. Mas el que matase, o feriese en las casas, o en el corral, do el rey posase, como quier non fuese el atrevimiento tan grande, como si lo oviese fecho estando él delante, con todo eso, dixeron que farían traición... E por ende... que muriese por ello» (II, xvi).

3210-3211 Don Pedro se lamenta de que en presencia del soberano no se podía echar mano a la espada.

3216 y ss. Si bien don Juan ha sabido indisponer al joven rey contra su madre, utiliza ahora la misma táctica en sentido contrario, pero sin obtener los mismos resultados, sino los contrarios. Lo avala así la *Crónica de Fernando IV:* «E la reina non quiso catar a las obras que el rey su fijo le facía, e quiso catar más a la buena obra que siempre ella ficiera, e por darle buena cima decía a todos cuantos con ella fablaban en esta razón e que punaban de la meter en saña porque tomase otra carrera, que esto non faría, ca ante querría sofrir cuantos pesares le facían que non facer otra cosa contra el rey» (124a).

266

<pre>
                    que tiene el lugar de Dios.
                    Mostrad en esto los dos
                    quién son los Caravajales.
                    Y si lo mismo procura
                    hacer de mí, la cabeza   3235
                    le ofreceré.
JUAN.   Vuestra alteza
                    tampoco está muy segura;
                    harto hará en mirar por sí.
CARAVAJAL.   Al nombre, señora, real,
                    es cera el acero leal: 3240
                    los nuestros están aquí.
</pre>

(Dan las armas.)

<pre>
                    Tomaldos, pues se atropella
                    así el valor que ofendéis;
                    que por más que los miréis,
                    no hallaréis en ellos mella   3245
                    de deslealtad ni traición,
                    aunque no pocas sacaron
                    cuando el reino le allanaron
                    con mis deudos en León.
</pre>

3231 La procedencia divina de la realeza era doctrina de moneda corriente en la España del XVII y en otros países de su entorno. Y ello venía atestiguado desde las *Partidas*: «Vicarios de Dios son los reyes, cada uno en su reino, puestos sobre las gentes, para mantenerlas en justicias e en verdad... E por ende los llamaban reyes, porque regían también en lo temporal como en lo espiritual» (II, i).

3238 «harto hará»: ' hará demasiado, sin tener obligación de ello.'

3240 Interesante ejemplo de paronomasia.

3242 «tomadlos» refiriéndose a los aceros (= espadas) nombrados en el v. 3240.

3245 «mella», 'tachadura o mancha' referida al propietario del acero.

3247 Esas «no pocas» engloban las deslealtades y traiciones mencionadas en el v. 3246.

3248 «cuando al rey os allanaron»: enmienda de H que no prosperó entre los editores modernos. Don Alonso de Carvajal se refiere al episodio final del acto primero en el que, con ayuda de sus armas y de las de Benavides, acabaron por la fuerza con la rebelión de los infantes en el reino de León.

	Pero ansí su poder muestra,	3250
	que poca falta hallarán	
	nuestras espadas, Don Juan,	
	donde estuviere la vuestra,	
	siempre en serville empleada.	
PEDRO.	Sí; que la fama pregona	3255
	que vos contra su corona	
	jamás sacastes la espada,	
	ni las traiciones y engaños	
	os han formado proceso,	
	puesto que estuvistes preso,	3260
	aunque sin culpa, diez años.	
JUAN.	No quedara satisfecho	
	mi agravio, si no os quitara	
	con mis manos y arrancara	
	la cruz del villano pecho,	3265

(Arráncale la cruz.)

	que indecentemente estaba	
	en tan infame lugar,	
	usando con ella honrar	
	a sus nobles Calatrava,	
	no cobardes corazones.	3270
	Tomalda los dos allá.	
PEDRO.	¡Oh!, ¡qué bien parecerá	
	la cruz entre dos ladrones!	

3251 H enmendó «hallarán» por «le harán», corrección que X. A. Fernández (pág. 600) considera acertada, pero que no creo necesaria, y por tanto no se mantiene aquí. Tampoco la aceptaron ni BS ni P07, pero sí M y P68.

3254 En este verso se nota ya la ironía de que hace uso el personaje, perfectamente continuada en los versos de don Pedro Carvajal.

3265 Alude a la insignia de la Orden de Calatrava, una cruz de color negro.

3271 Se supone que don Juan, tras arrancar las dos cruces de Calatrava de los cuellos de los hermanos Carvajales, las entrega a sus dos secuaces, don Nuño y don Álvaro. Por ello BS colocan entre el v. 3270 y el v. 3271 esta acotación: *[A don Nuño y a don Álvaro]*.

3273 Cristo fue crucificado, según la tradición evangélica, entre otros dos delincuentes condenados por robo (Lucas, 23, 33 y 39-43). Fueron Gestas (el mal ladrón) y Dimas (San Dimas, el buen ladrón) distinción a la que alude el personaje en los vv. 3276-3277.

	Aunque una cosa condeno	
	cuando a los dos os igualo:	3275
	que allá sólo hubo uno malo,	
	pero aquí ninguno hay bueno.	
ÁLVARO.	Un hombre por traidor preso,	
	no injuria ni quita honor.	
NUÑO.	De Martos Comendador	3280
	os hizo algún frágil seso;	
	mas antes que os hagan cuartos,	
	para que Castilla entienda	
	que es Martos vuestra Encomienda,	
	os despeñarán de Martos,	3285

3282 Se alude aquí a la infamante costumbre de mutilar en partes («cuartos») el cuerpo de un ajusticiado, y dejar muestras del mismo por los caminos, para ejemplo de las gentes. Esa idea de «infamia» tiene su eco a continuación en el modo de ejecución de los presuntos traidores en «cadalsos infames».

3285 En el último capítulo de la *Crónica de Fernando IV* está la única referencia que encontramos a los Carvajales: «E estando en Martos, mandó matar dos caballeros que andaban en su casa... por muerte de un caballero que decían que mataran... saliendo de casa del rey una noche...» (169b). Este anuncio tiene que ver con la muerte en la población jiennense de Martos, despeñados, de los Carvajales, asunto que tomando pie en la *Crónica* mencionada, y enlazando con el legendario motivo de la muerte del rey, emplazado al juicio divino por los injustamente ajusticiados, se difundió enormemente a través del romance que principia «Válame Nuestra Señora / que dicen de la Ribera» que encontramos recogido en las principales recopilaciones romancísticas del siglo XVI y hasta en pliegos sueltos. Argote de Molina se hace eco de la tradición legendaria en el «Libro Segundo» de su *Nobleza del Andaluzía* (1588), capítulo XLVI: «En el entretanto que el Infante don Pedro tenía cercada la villa de Alcaudete, el rey don Fernando llegó con su ejército a Jaén. Y siguiendo su camino llegó a la villa de Martos, y allí, como se lee en la chronica del rey don Alonso onceno, capítulo 8, mandó matar a Juan Alonso de Caravajal y a Pedro de Caravajal su hermano, caballeros de su mesnada, que allí vinieron a su llamada, por riepto que les hicieron por la muerte de Juan Alonso de Benavides, caballero principal de la casa del rey, a quien hallaron muerto a la puerta de palacio (estando la corte en Palencia) saliendo de noche de él. Los cuales viendo que padecían sin culpa, dijeron al tiempo de su muerte que emplazaban al rey a que pareciese ante Dios con ellos a juicio, desde el día en que morían en treinta días siguientes. Y luego que por su mandado fueron muertos y despeñados de la Peña de Martos, fuese el rey al ejército, que estaba sobre Alcaudete. Y allí le dio una enfermedad tan aguda, que no pudiendo estar, se volvió a Jaén, onde en el último día de los treinta, jueves siete de setiembre, año de mil y trezientos y doze, dejándole reposando los criados de cámara

269

	y poblaréis cadahalsos	
	infames.	
PEDRO.	Poco valieran	
	si con vos lo mismo hicieran,	
	que no pasan cuartos falsos.	
JUAN.	A Santorcaz los llevad.	3290

(Llévanlos DON NUÑO y DON ÁLVARO.)

REINA.	Como a la real obediencia	
	se sujeta mi paciencia,	
	no os parezca novedad,	
	Don Juan, no favorecer	
	a quien tan bien me sirvió,	3295
	porque nunca bien mandó	
	quien no supo obedecer.	
	Mas el que es ministro real,	
	cuando algún culpado prende,	
	con la vara sólo ofende,	3300

---

a la hora después de medio día, yendo a recordarle, pareciéndoles que había dormido demasiado, le hallaron muerto.» También trató de lo mismo Salazar de Mendoza en su tratado *Origen de las dignidades seglares de Castilla y León* (1618): «Estando muy descuidados los hermanos [Carvajales], fueron acusados de facinerosos y perpetradores de muchos y muy atroces delitos, como fuerzas de mujeres y muertes de hombres. El rey ordenó a su almirante que se los llevase presos a Alcaudete, donde se hallaba, y allí le mandó cortar las manos y los pies y que fuesen despeñados de la Peña de Martos. Hallándose inocentes de las culpas que se les imputaban, al tiempo de ejecución de la sentencia, lo protestaron a voces, emplazando al rey para que dentro de treinta días pareciese en el juicio divino, a estar derecho con ellos; y sucedió así: ya lo hemos dicho» (fol. 106v).

3289 Aquí la expresión «cuartos» recupera el significado de moneda de escaso valor (cada una valía 4 maravedíes). Se produce un interesante juego de palabras basado en la dilogía del término utilizado ya en el v. 3282.

3290 La villa de Santorcaz pertenece a la provincia de Madrid, próxima a Alcalá de Henares.

3298-3301 Ya don Quijote advertía a Sancho en sus consejos antes de que el escudero abordara el gobierno de Barataria (II, xliii): «Al que has de castigar con obras no trates mal con palabras», y en el entremés *La elección de los alcaldes de Daganzo* podemos leer: «que suele lastimar una palabra / de un juez arrojado, de afrentosa / mucho más que lastima su sentencia.» Doña María le afea a don Juan que haya humillado, incluso vejado, verbalmente a los Carvajales.

	que con la lengua hace mal.	
	El juez prudente castiga	
	cuando el cargo que vos cobra,	
	y atormentando con la obra,	
	con las palabras obliga.	3305
	Poco mi respeto os debe.	
JUAN.	Cuando sepáis que estos dos,	
	gran señora, contra vos	
	han usado el trato aleve	
	que ignoráis, no juzgaréis	3310
	mi rigor por demasiado.	
REINA.	¿Contra mí? Experimentado	
	tengo, como vos sabéis	
	Don Juan, en no pocos años,	
	aunque es fácil la mujer,	3315
	lo poco que hay que creer	
	en testimonios y engaños.	
	Yo los conozco mejor;	
	mas, como el mundo anda tal,	
	no vive más el leal	3320
	de lo que quiere el traidor.	

3303 'cuando cobra el mismo cargo que vos cobráis', «cobrar» = 'ostentar'.

3304 «atormentado» propuso H, enmienda que no prosperó.

3305 «obliga»: 'respeta'.

3306 'os debo el mismo poco respeto que vos tenéis por mí', por la actitud mostrada.

3315 'aunque la mujer es fundamentalmente mudable y crédula' (dice Virgilio en el canto IV de la *Eneida* que «mutabile semper femina», vv. 569-570). Doña María utiliza con cierta ironía algunos de los tópicos infravalorativos referidos a la mujer, entre ellos el de ser crédula. Su regio hijo cae en el mismo tópico desvalorativo y misógino en el comentario del v. 3439.

3320-3321 Cita repetida en la escena tercera del acto segundo de *La amazona de las Indias* (que forma parte de la *Trilogía de los Pizarro*) tal vez porque en dicha obra también aparece uno de los hermanos Carvajales. En boca del personaje Vaca de Castro leemos esta sentencia: «Si se vistiera de fiesta, / si la ostentación y gala / publicaran su valor, / mostrara que en trance igual / no vive más el leal / de lo que quiere el traidor.» En realidad se trata de una casi literal transcripción de un refrán recogido por Correas que Tirso vuelve a utilizar en un momento de la tercera jornada de la comedia *La mujer que manda en casa*, según ya señaló R. L. Kennedy (1983, pág. 211 y n. 6).

JUAN.
En prueba, señora, de eso,
porque sepáis cuán leales
os son los Caravajales,
y si el rey mal los ha preso,   3325
advertid que han dicho al rey
que la ambición de mandar
os obliga a conspirar
contra el amor y la ley
que a vuestro rey y señor   3330
debéis, tanto que usurpado
tenéis a su real estado
treinta cuentos; que el amor
que tenéis al de Aragón,
os fuerza, si os da la mano,   3335
a entregalle en ella llano
a Castilla y a León;
y otras cosas que no cuento,
pues por indignas de oíllas,
no sólo no oso decillas,   3340
mas de pensallas me afrento.
El rey, fácil de creer,
contándole lo que pasa
testigos de vuestra casa,
manda que os venga a prender,   3345
después de tomaros cuentas
del tiempo que gobernado
habéis su reino, y cobrado
de su corona las rentas.
No quise que cometiese   3350
a otro el venir sino a mí,
que serviros prometí,

3335 En PT se lee «le fuerza», lo que resulta claramente incorrecto, pese a
que no corrigieron G ni H, y mantuvieron editores modernos como M o BS.
Sí corrigen P68 y P07.

3336 «llano»: 'gratuitamente', 'sin esfuerzo alguno', 'sin la menor resistencia' y de forma plena.

3339 'por ser indigno el oírlas', 'por no merecer la pena el oírlas'.

3341 «me afrento»: 'me avergüenzo'.

3350 «cometiese»: 'correspondiese / encomendase tal cometido'.

	porque no se os atreviese.	
	Y como aquí los hallé,	
	no me sufrió el corazón	3355
	pasar por tan gran traición,	
	y así prendellos mandé.	
REINA.	Que el rey forme de mí quejas,	
	y ponerme en prisión mande,	
	no me espanto, mientras ande	3360
	la lisonja a sus orejas.	
	Mas, ¡que los Caravajales	
	tal traición contra mí digan...!	
	Por más, Don Juan, que persigan	
	su valor los desleales,	3365
	no saldrán con la demanda.	
	Vuestro cargo ejercitad:	
	prendedme, cuentas tomad	
	y haced lo que el rey os manda.	
JUAN.	Yo, gran señora, juré	3370
	de serviros y ayudaros,	
	y lo que os debo pagaros	
	con lealtad, amor y fe.	
	El Infante Don Enrique	
	y otros caballeros sienten	3375
	que traidores os afrenten,	
	y el rey esto os notifique;	
	para lo cual hemos hecho	
	pleito homenaje de estar	

3353 «atreviesse» (PT) errata subsanada por G 'no se atreviese con vos'. El sujeto es el «otro» mencionado en el v. 3351.

3354 «los» se refiere a los Caravajales.

3355-3356 Esta expresión significa que el personaje que habla no puede tolerar ya lo que sería un enorme abuso.

3365 El valor de los Caravajales.

3366 'fracasarán en sus intentos'.

3374 y ss. Este complot se documenta también en la *Crónica de Fernando IV* como en una nota siguiente se detalla.

3379 «pleito homenaje», 'pacto o acuerdo para rendir pleitesía a alguien', 'alianza', «sometiéndose a la pena de infidelidad o infamia, si no la cumple», añade el *Diccionario de Autoridades*. La expresión la encontramos en la *Crónica*

de vuestra parte, y pasar   3380
cualquier peligro o estrecho
por vos, si darme la mano
de esposa tenéis por bien,
y el reino quitar también
a un hijo tan inhumano,   3385
que a dos traidores socorre,
y el ser olvida que os debe,
pues a prenderos se atreve.
Riesgo vuestra vida corre.
Si permitís ser mi esposa,   3390
gozando el reino otra vez,
el llanto, luto y viudez
trocáis en vida amorosa.
En este papel confirman
estos cuatro ricoshombres,   3395
cuyo poder, sangre y nombres
conoceréis, pues lo firman,
que son: Don Enrique, yo
con Don Álvaro, y también
Don Nuño. Si os está bien,   3400
mi amor justa paga halló.

---

de Alfonso X, «mandóles que ficiesen pleito e omenaje» con el significado de
'hacer un pacto y además firmarlo con juramento'.
      3381 D propone «peligroso estrecho», lectura que siguió P68, pero P07 vuel-
ve a la lectura de la *princeps*, que es la que aquí se mantiene. «estrecho», 'dificultad', 'aprieto'.
      3389 La *Crónica de Fernando IV* relata que don Juan y don Juan Núñez de
Lara hicieron valer cada uno su respectiva influencia sobre el joven rey para
que firmara un documento en el que se concretara la oposición a su madre;
pero la reina, afortunadamente, descubrió la intriga (126a-127b). Don Enrique, don Diego y otros, también próximos a la conjura, rompieron la lealtad
al rey y por turnos presentaron *carta de pleito* para manifestar su nueva lealtad a la reina: «la carta fecha ficieron homenaje, e selláronla todos con sus se-
llos, e la Reina tomó la carta porque la non oviese don Enrique ni ninguno de
los otros nin porque pudiese obrar por ella de allí adelante» *(Crónica,* 127b).
Ella después mostró esta carta a su hijo, como, de forma parecida, ocurre en
el desenlace de la obra. Vemos entonces como Tirso, aun con diferencias, sigue de cerca las fuentes históricas.

REINA.   *(Toma el papel.)*
                   Guardarele para indicio
                   de vuestra lealtad y ley,
                   y verá por él el rey
                   a quién tiene en su servicio...   3405

(Métele en la manga, y luego saca otro y rómpele.)

                   Aunque pegarme podría
                   la deslealtad que hay en él;
                   que si es malo, de un papel,
                   se ha de huir la compañía.
                   Rasgalle es mejor consejo;   3410
                   que para vuestros castigos,
                   es bien aumentar testigos,
                   y será quebrado espejo,
                   que en la parte más pequeña,
                   como en la mayor, la cara   3415
                   retrata que en él repara;
                   mas si en pedazos enseña
                   las vuestras, viéndoos en él,
                   como son tantas, Don Juan,
                   retratallas no podrán   3420
                   las piezas dese papel.
                   Tomad las cuentas, primero

3402 El movimiento que se indica debe hacer el personaje, guardarse el papel recibido en la ancha manga, de donde saca otro que lo sustituye, responde más al modo de vestir las damas en la época de Tirso que en la época medieval.

3406 «pagarme» (PT) errata corregida por H. D propuso «pero pegarme». La expresión significa 'aunque transmitirme'.

3413 Imagen barroca que transmite la idea de una carta rota en cien trozos, y cada uno de ellos, por pequeño o grande que fuera, reproduce con igual evidencia y capacidad comunicativa, como si fuera un trozo de espejo, la traición que denuncia, como se explicita en los versos que siguen.

3418 «viéndose», corrección de H que acepta P68. M, BS y P07 aceptan la lectura de la *princeps*.

3419 Con esa irónica alusión a las muchas caras de don Juan que reflejarían los múltiples trozos en que se ha roto la carta, doña María alude también a la probada hipocresía del personaje.

que me prendáis, de la renta
real, y alcanzadme de cuenta,
si podéis; pero no espero   3425
que en eso me deis cuidado,
pues vos mismo sois testigo
que en tres que hicistes conmigo,
siempre quedastes cargado.
Pero esperadme; que en breve   3430
las que pedís os daré,
porque el rey seguro esté,
y sepa quien a quien debe.

(Vase.)

JUAN.   ¡Que callar me haga ansí
             el valor de esta mujer!   3435

(Salen el REY *y* DON MELENDO.*)*

REY.   Difícil es de creer
             que conspire contra mí
             mi misma madre, Melendo.
             Pero es mujer: ¿qué me espanta?
MELENDO.   La reina, señor, es santa.   3440
REY.   Ver por mis ojos pretendo
             la verdad que tengo en duda.
JUAN.   ¡Rey y señor! ¿Vuestra Alteza
             aquí?

3424 'detectar o demostrar alguna falta en mis cuentas'. «cuentas» (PT)
corregido por H para restablecer la rima.

3428 Doña María alude a las tres anteriores ocasiones en las que don Juan
había intentado coger en falta a la reina.

3429 «cargado»: 'culpado', 'fracasado'.

3432 «porque»: 'para que'.

3433 'y el rey sepa quién es el deudor y quién el acreedor entre nosotros'.

3434 Para que no se produzca hipometría es necesario hacer hiato entre
«me» y «haga». X. A. Fernández (pág. 601) propone salvar esa anomalía con
esta formulación del verso: «que me haga callar así.»

3443 Cuando el rey, lejos de su madre, está reunido con don Enrique y
otros nobles, en Valladolid, se arrepiente de su pacto con don Juan y deter-

REY.	La poca certeza	
	que tengo, manda que acuda	3445
	en persona a averiguar	
	la verdad de estos sucesos.	
JUAN.	Ya están los hermanos presos	
	que el reino os quieren quitar;	
	y la reina, temerosa	3450
	de veros contra ella airado,	
	conmigo se ha declarado,	
	y promete ser mi esposa,	
	si, en su favor, contra vos	
	estos reinos alboroto,	3455
	y hago que sigan mi voto	
	los grandes.	
REY.	¡Válgame Dios!	
	¿Mi madre?	
JUAN.	No guarda ley	
	la ambición que desvanece.	
	Vuestra corona me ofrece,	3460
	mas yo no estimo ser rey	
	por medios tan desleales.	
	De rodillas me ha pedido	
	que, a su llanto enternecido,	
	suelte a los Caravajales,	3465
	y que me vaya a Aragón	
	con ella; que desde allá	
	con sus armas entrará	
	a coronarme en León;	
	y si resiste Castilla,	3470
	irá después contra ella.	
	Prendelda, señor, sin vella,	
	porque si venís a oílla,	
	yo sé que os ha de engañar;	
	que, en fin, siendo madre vuestra,	3475

---

mina aliarse con ellos, situándose contra su tío: así se recoge en la *Crónica de Fernando IV* (127a).

3457 Los grandes del reino, los nobles con poder económico y militar.

	mozo vos, y ella tan diestra,	
	más crédito habéis de dar	
	que a mí a su fingido llanto.	
REY.	Ésa no es razón ni ley.	

(Sale la REINA.*)*

MELENDO.	Aquí, señora, está el rey.	3480
JUAN[39].	De mis traiciones me espanto.	
REINA.	Huélgome que haya venido,	
	hijo y señor, Vuestra Alteza	
	a averiguar testimonios,	
	que hace gigantes la ausencia.	3485
	Su mucha cordura alabo,	
	porque en negocios de cuentas	
	y de honras, suele un cero	
	dañar mucho si se yerra;	
	y si como cortan plumas	3490
	las unas, cortaran lenguas	
	las otras, yo sé que entrambas	
	salieran, Fernando, buenas.	
	Mandado habéis a Don Juan	
	que a tomar la razón venga	3495
	de vuestro real patrimonio:	
	viéndolo vos, soy contenta;	
	que aunque deberos me imputan,	
	privados que os lisonjean,	
	treinta cuentos, serán cuentos	3500
	de mentiras, no de hacienda.	
	Pero yo admito sus cargos:	
	sumad, Don Juan, en presencia	

---

[39] BS indica la lógica acotación [*aparte*] que falta en PT.

3490-3493 Quiere decir: 'y si, como falsas plumas mediatizan (falsean) mis cuentas *[las unas]*, falsas lenguas falsearían mi reputación *[las otras honras]*: yo sé que ambas resultarán buenas.'
3497 'lo acepto': 'me conformo con ello'.
3498 «de veros» corregido por G.

del rey gastos y recibos,
porque sus alcances vea.   3505
Cuando de tres años solos
quedó del rey la inocencia
y este reino a cargo mío,
primeramente en la guerra
que vos, Infante, le hicistes,   3510
levantándole la tierra,
llamándoos rey de Castilla
y enarbolando banderas,
gasté, Infante, quince cuentos,
hasta que en la fortaleza   3515
de León, preso por mí,
peligró vuestra cabeza.
Redujeos a mi servicio,
y haciéndoos mercedes nuevas,
murmuraron los leales,   3520
que veros pagar quisieran
vuestra traición con la vida;
y para enfrenar sus lenguas
con el oro, que enmudece,
les di tres, que no debiera.   3525
Item: en edificar
en Valladolid las Huelgas,

3505 «Y desque la cuenta fue acabada asumáronla, e fallaron por ella que diera esta Reina de más de cuanto rescibiera, dos cuentos e más» (*Crónica de Fernando IV*, 125a). Esta situación la recrea Almudena de Arteaga en la novela *María de Molina. Tres coronas medievales*, Madrid, Martínez Roca, 2004, pág. 244: «Contabilizó [el canciller de doña María] todos los ingresos que recibimos a cargo de los pechos o de las daciones en las cortes y los cuadró con los gastos en que se utilizaron. Fue exacto y minucioso en sus cuentas y la inversión de sus fondos. Samuel [judío encargado de la contabilidad de la hacienda real] para comprobarlo sumó y examinó todas las partidas y al fin, después de muchos días de angustia, se halló que no solamente no se había distraído los cuatro millones de maravedíes anuales de los que me acusaban sino que, además, yo había anticipado al rey dos cuentos más de mi patrimonio.»

3517 Con estos versos, y los que siguen, doña María hace recordatorio de lo dramatizado en los dos actos anteriores, en lo que se refiere al cerco de don Juan y a las sucesivas, aunque costosas, victorias de doña María.

3525 'tres cuentos': «le» (PT) corregido por D.

donde en continua oración
a Dios sus monjas pidieran
que de vos al rey librase,   3530
y las trazas deshiciera
de vuestro pecho ambicioso
en mi agravio y en su ofensa,
veinte cuentos. Item más:
cuando por estar Su Alteza   3535
enfermo quisistes darle
veneno (ya se os acuerda)
por medio del vil hebreo
que entonces médico era
del rey, en una bebida,   3540
testigo de la fe vuestra;
en hacimiento de gracias,
misas, procesiones, fiestas,
seis cuentos, que repartí
en hospitales y iglesias.   3545
Aunque pudiera contar
otras partidas inmensas,
en que por servir al rey
vendí mis joyas y tierras,
como todo el reino sabe;   3550
sólo os sumo, Don Juan, éstas,
que no las negaréis, pues
tenéis tanta parte en ellas.
Sólo no he de dejar una,
porque el rey que os honra sepa   3555
cuán codiciosa usurpé
en Castilla sus riquezas.
A un mercader de Segovia,
para pagar las fronteras
de Aragón y Portugal,   3560

3542 'en acto de agradecimiento'.

3553 'pues se han ocasionado fundamentalmente por vuestra causa'.

3558-3565 Versos que recuerdan al lector/espectador un interesante episodio,
para la personalidad de la reina, escenificado en el acto anterior (vv. 1577-1636).

empeñé mis tocas mesmas
en prueba de vuestra fe,
que no tuvistes vergüenza
de ver, contra el real respeto,
sin tocas a vuestra reina.   3565
Premié al mercader leal,
quitele mis nobles prendas,
que los traidores agravian
y los leales respetan.
Si estos descargos no bastan,   3570
no hay cosa en mí que no sea
del rey, mi señor, y hijo.
Entrad en casa; que en ella
no hallaréis más deste vaso,

(Sácalo de la manga.)

que en prueba de mi inocencia,   3575
y en fe de vuestras traiciones,
mi noble lealtad conserva.
Pero dádsele también,

3574 Este vaso es el único utensilio propio que le queda a la reina, símbolo de su sobriedad, y podría ser el mismo vaso con el que Ismael había intentado envenenar al rey niño en el acto segundo, y cuya única posesión en el
ajuar de doña María también se subrayaba en los vv. 1563-1564 del acto segundo. Nótese una vez más la relevancia que Tirso otorga a ciertos objetos
sobre la escena.

3578- 3581 X. A. Fernández (pág. 602) plantea un problema textual con
este verso, en razón de su interpretación. En primera instancia cabe interpre-
tarlo como que doña María le está pidiendo a don Juan que le entregue el vaso
de plata (símbolo y síntesis de todas sus escasas posesiones) al rey, en cuyo
caso el sujeto de «corriera» es Fernando. Y encuentra el mencionado crítico
que el v. 3581 es contradictorio, porque la reina parece arrepentirse de lo que ha
dicho antes, o lo niega explícitamente. No encuentro dicha contradicción entre ambos versos, sino que el segundo debe ayudar al lector/espectador a entender la alusión implícita en el primero: que otro personaje, el judío traidor, en-
viado por don Juan, estuvo a punto de administrarle el veneno mortal al rey
precisamente en otro vaso; por tanto, la reina pretende asociar el vaso que le
entrega a don Juan, como emisario real, con aquella pasada situación, y por
tanto teme que pueda ser usado otra vez por su cuñado con fines traicioneros
y letales. M prefiere «daréle».

aunque en vos riesgo corriera;
que en vasos sois sospechoso,   3580
y es bien que dároslo tema.
Ya me parece que basta
esto en materia de cuentas;
en materia de mi honor,
para no seros molesta,   3585
aquí he escrito mis descargos:
Vuestra Majestad los lea,

(Dale un papel.)

y conozca por sus firmas
en quién su privanza emplea.

REY.   ¡Válgame el cielo! Aquí dice   3590
que como mi madre ofrezca
la mano a Don Juan, de esposa,
juntando estados y fuerzas
con Don Enrique, Don Nuño
y otros, haciéndome guerra,   3595
me quitarán a Castilla
para coronarla en ella.

REINA.   Para asegurar traidores,
fingí romper esa letra,
y la guardé para vos,   3600
otra rasgando por ella.

REY.   Don Juan, ¿es vuestra esta firma?
JUAN.   Sí, gran señor.
REY.   Pues en éstas
a los demás desleales
conozco. Si la prudencia   3605
que tanto celebra España,
gran señora, en Vuestra Alteza,
mi confusión no animara,

3603 Se refiere a las «firmas» aludidas en el v. 3602.
3608 Debemos entender así: 'si la prudencia [de la reina] no compensara
la confusión o humillación del rey'.

                    por no estar en su presencia,
                    de mí sin causa ofendida,   3610
                    sospecho que me muriera.

([Tocan dentro][40] cajas)[41].

                    Pero, ¿qué alboroto es éste?

([Salen][42] armados, DON DIEGO y los dos CARAVAJALES.)

DIEGO.   Deme los pies Vuestra Alteza,
                    que huelgo de hallarle aquí.
REY.   Pues, ¡Don Diego!, ¿vos de guerra?   3615
DIEGO.   Donde privan desleales,
                    que en agravio de su reina
                    vuestra verde edad engañan,
                    armado es razón que venga.
                    A Don Álvaro y Don Nuño   3620
                    quité la más leal presa
                    de vuestros reinos, señor,
                    y los prendí en lugar della.
                    A los dos Caravajales,
                    indignos de tal violencia,   3625
                    llevaban a Santorcaz.
                    No creí que Vuestra Alteza
                    pudiera mandar tal cosa,
                    y así, viniendo en defensa

---

[40] Añadido por BS.
[41] Tambores de los soldados.
[42] Añadido por BS.

3609-3611 'sospecho que me muriera por no estar en su presencia, ofendida de mí sin causa'. «por no estar» = «para no estar».
3613 «dar los pies» y otras fórmulas equivalentes, de las que hay bastantes
ejemplos en el texto de esta comedia («echar a los pies», «besar los pies») eran
expresiones de agradecimiento, y también de cortesía o sumisión, y estaban
entre las formulaciones de cortesía habituales en el lenguaje del XVII, y según la
etiqueta de la época.
3621-3622 Elocuente referencia metafórica a los Carvajales, a los que se menciona seguidamente.

	de la reina, los libré,	3630
	por constarme su inocencia.	
REY.	Habéisme en eso servido.	
	A mi amor y gracia vuelvan,	
	que si engaños me indignaron,	
	mercedes les haré nuevas.	3635
CARAVAJAL.	Mil siglos el reino goces.	

([Tocan][43] *cajas, y sale* BENAVIDES.)

BENAVIDES.	Que un criado, señor, vuelva	
	por su señora, corriendo	
	su honra por cuenta vuestra,	
	no se tendrá a desacato;	3640
	y así digo que el que lengua	
	pone en su fama...	
REINA.	Ya estoy	
	de vos, Don Juan, satisfecha;	
	que sois, en fin, Benavides,	
	y los traidores que intentan	3645
	ofenderme, convencidos.	

(Tocan cajas; salen los pastores.)

BERROCAL.	¡A nuesa ama llevar presa!	
	Arre allá. ¿Soy o no alcalde?	
TORBISCO.	¡Que está aquí el rey!	
BERROCAL.	El rey venga	
	a la cárcel.	

---

[43] Añadido por BS.

3644 «sois»: 'estáis'.
3646 «convencidos»: 'sabedores de mi inocencia'; también, y referido a los traidores, 'vencidos'.
3649 «¡Que está aquí el rey! // El rey» (PT). El verso resultaría hipométrico, y G lo subsana añadiendo «venga» y recomponiendo además la asonancia. Añadido que respetan todos los editores posteriores. X. A. Fernández (pág. 603) duda de la oportunidad de ese añadido de G, si es que lo fue realmente.

GARROTE.	¿Estáis loco?	3650
BERROCAL.	Poniéndole una cadena,	
	sabrá quién es Berrocal.	
	Daos a prisión.	
REY.	Todos muestran,	
	señora, el amor que os tienen.	
	Don Diego, haced que se prendan	3655
	Don Enrique y los demás.	
PEDRO.	El temor sin alas vuela;	
	a Aragón los tres huyeron	
	del rigor de Vuestra Alteza.	
REY.	Haced, madre, de Don Juan	3660
	lo que quisiéredes.	
REINA.	Sepa	
	España que soy clemente,	
	y que el valor no se venga.	
	Destiérrolo de estos reinos,	
	y sus estados y hacienda	3665
	en los dos Caravajales	
	hijo, con vuestra licencia,	
	y en Benavides reparto.	
DIEGO.	Merécelo su nobleza.	
REY.	Dignamente en su lealtad	3670
	cualquiera merced se emplea;	
	y Vuestra Alteza, señora,	
	con su vida ilustre enseña	
	que hay mujeres en España	
	con valor y con prudencia.	3675
DIEGO.	De «Los dos Caravajales»	
	con la segunda comedia	

3676 La obra referida, si es que Tirso llegó a escribirla, nunca se publicó o se ha perdido. Quien sí hizo una comedia sobre tal suceso (la muerte, despeñados, de los dos hermanos por mandato de Fernando) fue Lope, como se recoge en la introducción: *La inocente sangre*.

Tirso, senado, os convida
si ha sido a vuestro gusto ésta.

FIN DE LA JORNADA TERCERA Y DE LA COMEDIA

3678 La voz «senado» era el modo habitual de referirse al público del corral, con un término que fácilmente conseguía los efectos del halago. Para el *Diccionario de Autoridades* con la voz «senado» se designaba a «cualquier junta o concurrencia de personas graves, respetables». Cabe también cierta jocosa ironía en su uso.

3679 En la refundición de Hartzenbusch de 1858, para su representación, se evita obviamente este ultílogo, que ahora recita Berrocal, recién sacado de un pozo artesiano que debe de haber figurado en la escena, y por donde se supone que ha intentado huir don Juan, al verse descubierto, siendo perseguido por el noble alcalde aldeano. Y es él quien recita estos postreros versos:

> Don Juan dice compungido
> que se ha roto el coronal
> y ambas piernas, de lo cual
> está muy arrepentido.
> Que aunque allí donde ha caído
> no hay de luz chispa ni media,
> ve que la muerte le asedia:
> que del mundo le despida,
> y en nombre de Tirso pida
> perdón para la comedia.

Apéndice
Fragmento de *Próspera fortuna de Ruy López Dávalos*[1]

(Sale DON MAIR *con un vaso en la mano, como que lleva dentro veneno.)*

DON MAIR.   El rey me han dicho que está
en su cámara encerrado.
Debe de estar acostado.
o con el frío quizá.
Quiero entrar a visitalle.
como suelo cada día,
y si está sin compañía
traigo un jarabe que dalle.
Que si en esta coyuntura
le acierta a tomar, sospecho
que le ha de hacer mal provecho,
y a mí de buena ventura.
Con buen pie vaya; allá entro.
El dios de Tragametón
esfuerce mi pretensión.
Oigan: ¿quién está acá dentro?

(Sale RUY LÓPEZ.*)*

---

[1] Secuencia de la Jornada segunda de la obra de Damián Salucio del Poyo, *Próspera fortuna de Ruy López Dávalos* (cito por *Dramáticos contemporáneos a Lope de Vega*, ed. a cargo de Ramón Mesonero Romanos, BAE, XLIII, Madrid, Atlas, 1951, pág. 451). Véase nota a los vv. 1130 y ss. de *La prudencia en la mujer* (pág. 167).

RUY.	¡Oh señor doctor! ¿De qué
	se ha alborotado?
DON MAIR.	Iba a entrar
	descuidado de encontrar
	a nadie aquí: aquesto fue.
RUY.	El rey está con el frío,
	pero muy bien arropado.
DON MAIR.	Tiéneme muy desvelado,
	a fe de noble judío:
	que en toda esta noche arreo
	este jarabe le he hecho,
	que le haga tan buen provecho
	como yo se lo deseo.
RUY.	Como él una vez lo beba,
	no habrá menester más cura.
	muy buena coyuntura,
	señor dotor, se le lleva.

(Vase.)

DON MAIR.	El rey con el frío está
	cubierto de ropa. Quiero
	cargarme encima, primero,
	y ahogalle mejor será.
	Que si éste, al salir, me topa,
	diré que, cuando llegué
	ahogado le hallé
	con el peso de la ropa

(Va a entrar y caese el retrato, tápale la puerta, y queda espantado.)

	¡Válgame Dios! ¡Ay! ¿Qué espero?
	El retrato se cayó
	al tiempo que entraba yo:
	sin duda que es mal agüero.
	Tapada tiene la puerta.
	No es buen prodigio: ¿qué haré?
	En entrando con mal pie,
	ninguna cosa se acierta.

288

Colección Letras Hispánicas